黄河流域生态环境变化与河道演变分析

王光谦　王思远　张长春　著

U0364520

黄河水利出版社

内容提要

本书在遥感与 GIS 技术的支持下,基于黄河流域 20 世纪 80 年代末期、90 年代中期和末期的土地利用/土地覆盖和土壤侵蚀时空数据库,通过对环境因子的定量化和建立评价模型,分析了黄河流域近期的生态环境及其变化,并借助历史文献、水文泥沙数据等,分析了黄河流域历史河道演变与流域环境变化的关系、20 世纪 70 年代以来黄河流域河道演变及其发展趋势,同时利用数字流域模型研究了黄河流域多沙粗沙区植被覆盖变化对流域水沙关系及河道演变的影响。

本书可供水利工程、水土保持、自然地理等专业科技人员及高等院校相关专业师生阅读和参考。

图书在版编目(CIP)数据

黄河流域生态环境变化与河道演变分析/王光谦,
王思远,张长春著 .—郑州:黄河水利出版社,2006.10
ISBN 7 – 80734 – 146 – 7

Ⅰ.黄… Ⅱ.①王… ②王… ③张… Ⅲ.①黄
河流域 – 生态环境 – 研究 ②黄河 – 河道演变 – 研究
Ⅳ.①X321.2 ②TV882.1

中国版本图书馆 CIP 数据核字(2006)第 118793 号

组稿编辑:岳德军 电话:0371 – 66022217 E-mail:dejunyue@163.com

出 版 社:黄河水利出版社
 地址:河南省郑州市金水路 11 号 邮政编码:450003
发行单位:黄河水利出版社
 发行部电话:0371 – 66026940 传真:0371 – 66022620
 E-mail:hhslcbs@126.com
承印单位:黄河水利委员会印刷厂
开本:787 mm × 1 092 mm 1/16
印张:13.5
字数:312 千字 印数:1—2 000
版次:2006 年 10 月第 1 版 印次:2006 年 10 月第 1 次印刷

书号:ISBN 7 – 80734 – 146 – 7/X·25 定价:28.00 元

前　言

黄河是我们的母亲河,以其孕育了灿烂的古代文化、浇灌了辉煌的东方文明、成为中华民族的摇篮而闻名于世;同时,也以其泥沙严重、水患频繁、治理开发最为困难而举世瞩目。黄河发源于青海高原巴颜喀拉山北麓约古宗列盆地,蜿蜒东流,穿越黄土高原及黄淮海大平原,于山东垦利县注入渤海。黄河流域土壤侵蚀面积约 48 万 km^2,多年平均年输沙量16亿 t(三门峡站),其中90%以上来自中游的黄土高原地区,黄土高原是我国乃至世界上水土流失最严重、生态环境最脆弱的地区,侵蚀模数一般大于 1 万 $t/(km^2 \cdot a)$,最高可达 4.02 万 $t/(km^2 \cdot a)$。同时,该区还是实施西部大开发战略的重要区域,也是我国重要的能源重化工基地,由于其独特的区位优势和资源优势,在我国国民经济和社会发展中处于极为重要的地位。因此,黄河流域的生态环境及其演变历来是人们关注的焦点。

"再造一个山川秀美的西北地区"是当前及今后黄河流域治理的重要目标。黄河水资源的重要特点是水少沙多、水沙异源、时空分布极不均匀以及由此产生的"地上悬河"、河口摆动、延伸、河道淤积、水患频繁等问题,历来被认为是黄河治理的难题。这些问题能否科学解决与黄河流域的生态环境密切相关。黄河流域水土流失和黄河断流是黄河流域最主要的生态环境问题。黄河流域的水土流失主要来自于黄土高原,黄土高原地区水土流失的成因主要有自然因素和人为因素两个方面。自然因素包括地质因素、地貌因素、地形因素、降雨因素、土壤因素五个方面。人为因素主要有:陡坡开荒,破坏林草植被;过度放牧,草场沙化;采石、开矿、筑路等开发项目造成水土流失。

黄土高原土壤侵蚀的发生发展与其生态环境演变密切相关,在生态环境演变过程中,土壤侵蚀过程在整个黄土高原系统中占主导地位,二者相互影响、相互促进。一方面生态环境的破坏加重和加速了土壤侵蚀过程;另一方面土壤侵蚀又恶化了生态环境,引发了水旱灾害、荒漠化、滑坡、泥石流、土地退化、环境污染等一系列严重问题。水土流失一是造成地形支离破碎、千沟万壑和原有植被破坏,加剧了土地和小气候的干旱程度以及其他自然灾害的发生;二是制约社会经济可持续发展,导致群众生活贫困;三是淤积下游河床,威胁黄河防洪安全;四是严重淤积水库等水利设施,缩短了水库等的使用年限,使本已紧缺的黄河水资源的可利用量减少。因此,黄土高原的水土流失是黄河流域生态环境问题的头号问题,是生态环境持续恶化的根源,水土流失是治理黄河流域应首要考虑的问题。

新中国成立后,黄河流域经过多年的治理,取得了举世瞩目的巨大成就,但黄河存在的三大问题依然十分突出,许多自然规律仍未被人们认识和掌握,洪水威胁依然是国家的心腹之患,水资源供需矛盾日益尖锐,水土流失和生态环境恶化尚未得到有效遏制,严重威胁沿黄人民的生命和财产安全,制约着黄河流域及其相关地区的经济社会发展。黄河流域生态环境和河道演变有什么关系值得我们研究和深刻思考。

遥感技术研究环境演变是非常重要的手段。随着科学技术的突飞猛进,航天遥感技术得到了长足发展,传感器的空间分辨率和时间分辨率大幅度提高。遥感技术是获取空间信息和时间序列信息的重要技术手段,通过遥感获取的时间序列信息,为恢复重现土地利用的空间信息和预测未来发展趋势奠定了坚实的基础。因此,在遥感技术的支持下,全球变化研究中的陆地表层空间特征和地表演化现代过程研究,由于得到了时空序列完整的遥感数据支持而进入参数化、定量化研究阶段。同时,计算机技术日新月异,带动了地理信息系统 GIS 的快速发展,从而为更好地管理与使用地理时空信息提供了工具与手段。随着信息时代的到来和计算机技术的迅速发展,地球科学与 GPS、RS、GIS 相结合并在地球系统科学与信息科学基础上诞生了地球信息科学,而地球信息科学的发展,为研究生态环境和河道演变提供了新的思路与方法。

流域环境与流域水沙密不可分,流域环境影响流域水沙,进而影响河道演变。因此,本书将在 RS 和 GIS 技术的支持下,对黄河流域的生态环境和河道演变进行研究,揭示生态环境和河道演变的宏观变化规律,并探讨流域生态环境的变化对河道演变的影响,同时,对黄河流域生态环境进行综合评价,为黄河流域生态环境的可持续发展提供对策,为黄河流域的治理提供依据。

鉴于黄河流域生态环境和河道演变的复杂性和黄河流域特殊的自然条件,加之作者的水平和时间有限,书中疏漏和错误之处,敬请批评指正。

本书的研究成果得到国家自然科学创新研究群体基金(50221903)和黄河 973 项目(G19990436)的资助。

作 者

2005 年 10 月于清华园

目　录

第1章 概 述

黄河难以治理的症结是水少沙多、水沙不平衡。黄河泥沙的主要来源是黄土高原43.4万km^2的水土流失区,特别是7.86万km^2的多沙粗沙区。因此,黄河治理的重点区域是黄土高原,尤其是多沙粗沙区。黄河流经的黄土高原暴雨集中、强度大,黄土物质极易受到暴雨、径流的侵蚀,生态环境极度脆弱,再叠加了强烈的人类活动,由此导致了中游和下游的两重恶性循环,即中游黄土高原"坡地开垦—环境恶化—人口增加—开垦"和黄河下游加高堤防与河床淤高赛跑,"越加越险、越险越加"的恶性循环。

实践证明,黄河流经的黄土高原治理不好,华北平原乃至整个中国北方经济,都处在黄河的威胁之中。不彻底解决黄河流域的水土流失问题和进行生态环境建设,其他治水措施都将是事倍功半,甚至是劳而无功的。黄河流域的水土流失、下游断流、河道演变等生态问题与黄河流域的生态环境密切相关,因此进行黄河流域生态环境、水沙变化与河道演变的一体化宏观研究对指导黄河治理有较大意义。

流域生态环境和河道演变既有比较独立的研究内容,有各自的变化规律和特点,又是一个有机联系的整体,它们之间的关系密不可分。流域生态环境的变化必然影响流域产流产沙,在水沙与河床边界条件相互作用下,河流将力求塑造出与来水来沙条件和河床边界条件相适应的河床几何形态,并生成相应的河型。可见,流域生态环境与河道演变是一个不可分割的整体,它们之间有着千丝万缕的联系。但目前人们往往把它们分割开来单独研究,现在随着科学技术手段的发展和流域水资源综合管理的需要,有必要也有可能从流域层面来认识流域生态环境与河道演变的相互关系,从而为流域治理及流域水资源可持续发展提供依据。

1.1 生态环境及生态环境演变

生态是指生命"代码"、生物习性及它们与周围环境的联系[1]。在不同的环境条件下,可以形成不同的生态系统,如陆地生态、海洋生态、高原生态、河流生态、草原生态等。环境是相对于中心事物而言的背景[2]。在环境科学中,指以人类为主体的外部世界,主要是地球表面与人类发生相互作用的自然要素及其总体,是一个客观的物质体系,包括生命要素和非生命要素。生命要素中主要为动物、植物和微生物;非生命要素主要为大气、水、土壤、光热(温度)。由此可见生态和环境是密切相关的,生态的失衡将破坏和污染环境,环境的污染和破坏会影响生态,在研究环境问题过程中很难把生态和环境区分开来,它们与人类共同组成了一个庞大而复杂的生态环境系统,人类也成为整个生态环境系统中的关键要素。生态环境是指影响人类生存与发展的自然资源与环境因素的总称(即生态系统),自然资源一般指水资源(水环境)、土地资源(土地环境)、生物资源(生物环境)以及气候资源(气候环境)[2]。自然资源与自然环境具有同一性。自然资源是指对人类生存与发展能够创造财富的自然环境要素。环境具有资源性,随着人类科学技术的发展,愈来愈多的自然环境要素将成为人类创造财富的资源。因此,保护生态环境就是保护生产力,建设生态环境就是发展生产力。生态系统的稳定及和谐是社会持续发展的基础,而合理的人口承载量、良好的植被覆盖率、充足的水资源等又是工农业生产系统稳定的前提。

生态环境演变是多种因素共同作用的结果,有自身的演变规律,自从有了人类以后,人为因素只是诱发环境演变的众多诱因之一,既不是惟一原因也未必是主因,在不同时期、不同地域,人为因素的作用或大或小、或主或从。因此,不能因为一些地区人为导致的环境恶化而无视人类合理干预、适度开发对维护生态平衡的积极意义,不能无限夸大生态环境对人类社会的制约,人类所取得的科技成果无不是改造、利用大自然的结晶。同时,也不能超越生态环境的演变规律而可以为所欲为,否则必将遭到大自然的无情报复。对黄河流域生态环境及其演变进行研究,有助于对黄河流域的治理,有助于生态环境的可持续发展。

1.2 生态环境演变与全球变化研究

全球变化研究是以地球系统科学为指南,从整体的角度出发,将地球的大气圈、水圈、岩石圈和生物圈看成是有机联系的地球系统,而把太阳和地核作为两个主要的自然驱动器,人类活动作为第三驱动因子,全球变化则是在上述驱动力的作用下,地球物理、化学、生物学过程相互作用的结果[3]。全球变化研究内容极其广泛,包括大量与地球相关的重大科学问题[4]。自 20 世纪 60 年代以来卫星遥感技术的发展和随后的空间信息系统的发展,特别是 80 年代以来以美国为首,欧洲、日本等国参与的全球对地观测计划(EOS),使地学界对地球表层的研究进入到一个崭新的阶段,也促进了全球变化研究的深入。由于全球变化研究的深入和发展,同时也鉴于其重要性,1986 年,国际科学委员会(The International Council for Science Union, ICSU)创立了国际地学与生物圈研究计划(International Geosphere-Biosphere Program,IGBP)。IGBP 的目标在于阐述和理解地球系统和人类居住环境中的物理的、化学的以及生物的相互作用及人类活动对其的影响。IGBP 计划由 11 个子项目组成,涉及到大气科学、陆地生态、海洋科学、水文学和联系自然和社会科学的交叉科学。随着全球变化研究的日益深入,各国科学家越来越感到人类活动对环境变化的影响,特别是人类的生存和发展对土地的开发利用以及引起的土地覆盖变化被认为是全球变化的重要组成部分和主要原因。因此,IGBP 和全球环境变化中的人文领域计划(IHDP)在 1995 年联合提出"土地利用和土地覆盖变化"(Land Use and Land Cover Change, LUCC)研究计划,目前 IGBP 研究计划由 8 个核心项目组成:全球大气化学项目 IGAC(International Global Atmospheric Chemistry Project),全球变化和陆地生态系统项目 GCTE(Global Change and Terrestrial Ecosystems),土地利用/土地覆盖变化项目 LUCC,生物圈中的水循环 BAHC(Biosphere Aspects of the Hydrological Cycle),沿海岸带的陆地海洋相互作用项目 LOICZ(Land-Ocean Interactions in the Coastal Zone),历史时期的全球变化项目 PAGES(Past Global Changes),全球海洋流研究项目 JGOFS(Joint Global Ocean Flux Study),全球海洋生态动力学研究项目 GLOBEC(Global Ocean Ecosystem Dynamics)。而 LUCC 研究已经成为目前全球变化研究的前沿和热点。

地球表层系统最突出的景观标志便是土地利用与土地覆盖(Land Use and Land Cover)。

土地覆盖是"地球陆地表层和近地面层的自然状况,是自然过程和人类活动共同作用的结果",而土地利用是指人类利用土地的自然属性和社会属性不断满足自身需求的行为过程(IGBP & HDP,1995)。农业、放牧和城市建设指的是土地利用;作物、森林、草原、道路和建筑物以及土壤、冰川、水面等则属于不同的土地覆盖类型。土地覆盖变化包括生物多样性、现实和潜在的生产力、土壤质量以及径流和沉积速度中的种种变化。土地利用和土地覆盖既有密切联系,又有本质区别;土地利用变化既是土地覆盖变化的原因,也是土地覆盖变化的响应。土地利用和土地覆盖变化之间的相互作用是一个自然科学和社会科学的交叉研究领域。由于土地利用变化对环境的影响主要是通过改变土地覆盖状况产生的,因此人们常把土地利用变化与土地覆盖变化联系在一起,简称LUCC。由IGBP和IHDP提出的LUCC研究计划确定了四个研究目标和三个研究重点[5,6]。四个研究目标:一是认识全球土地利用/土地覆盖的驱动力;二是调查和描述土地利用/土地覆盖动力学中的时空可变性;三是确定各种土地利用和可持续发展的关系;四是认识LUCC、生物地球化学和气候之间的相互关系。三个研究重点包括:

(1)土地利用动力学。该研究重点将采用案例比较研究方法,目的在于了解土地利用变化的自然和人文驱动力,从而有助于建立复杂的区域和全球模型。

(2)土地覆盖动力学。通过直接观测(如卫星图像和野外调查)和建立诊断模型对土地覆盖进行区域评价。

(3)区域和全球综合模型。研究的目的是改进现有模型和建造新的模型,用于预测各种动因下的土地利用变化。它主要包括土地生产模型、土地覆盖以及环境影响模型、土地利用分配模型、经济模型等,同时还将建立一个能够将不同方法综合起来的模型结构。

在三个重点之中还贯穿有两项综合活动:

(1)数据和土地利用/土地覆盖分类。这包括分析数据来源和质量,提供能够满足三个重点研究需要的土地利用/土地覆盖分类结构,它也确定和建立对LUCC研究非常重要的数据库和测量标准。

(2)尺度动态。由于认识到LUCC过程可以出现在不同尺度上,以及随LUCC分析时的尺度不同会影响全面地认识LUCC,这项活动将确定指导LUCC研究的主要原则。

可以看出,全球变化研究,特别是LUCC研究实质上便是生态环境演变研究的一个主要部分,如各类动力学模型的建立与推理、地理空间尺度问题等,建立过去环境变化的序列,来研究过去环境变化进而预测未来环境的变化。

1.3 生态环境与数字地球研究

随着对地观测系统的发展,数十年来,人类不断积累着有关地球及其居住者的海量信息,如何管理与理解这些数据成为人们面临的巨大挑战。1992年,美国副总统Gore从生态环境与全球变化的角度提出了"数字地球"的概念,当时由于受限于技术发展水平等客观条件的制约,并没有引起人们的足够重视。直到近年来,随着计算机、通信、遥感和数字多媒体等技术的迅速发展,特别是Internet/WWW的迅猛发展,建造数字地球的技术逐渐成型。1998年Gore正式提出数字地球的构想,引起了世界的广泛关注。"数字地球"是指把地球上的每一点的所有信息,按照统一的地理坐标,整理构成一个具有时空概念的全球信息模型。此模型与搭载的数据(包括高分辨率的遥感卫星影像、数字地图及经济、社会、人口统计信息等)构成一个有机系统,系统将在军事、农林业、水利、土地利用、交通、通信、能源、城市动态监测、人口与资源、环境与灾害、生态等多个领域得到广泛的应用。由此可知,数字地球并非是一个孤立的科技项目或技术目标,而是以信息高速公路和国家空间数据基础设施(NSDI)为依托的整体性、导向性的战略思想。

国际上,以美国为首的政府、科研机构围绕数字地球展开了一系列活动。如白宫要求NASA在联邦政府内制定一个由多部门参加的数字地球计划,哥达德空间飞行中心同USGS合作代表 NASA 领导这一计划。一个跨部门的数字地球工作组自 1998 年 6 月以来每两月举行一次会议,参加该工作组的成员包括 NASA、USGS、NOAA、NSF、EPA、NIMA、DARPA、FGDC 及美军工程师集团(Army Corps of Engineers)。一些非政府组织如 OGC、美国国家科学院、Ohio View 和 ICASE 等也参加了该工作组。加拿大、澳大利亚、新西兰等许多国家已开始研究和建立各自的国家空间数据基础设施(NSDI)。跨国区域空间数据基础设施(RSDI)和全球空间数据基础设施(GSDI)也引起有关国家的高度关注。应该看到,数字地球概念的提出是第二次世界大战以来,特别是 20 世纪 70 年代以来"新技术革命"的一个自然发展。无论是否提出"数字地球"的概念,无论是谁以这样的方式提出这一概念,地球信息集成和整体化工作都是当前地球科学和信息技术发展的一个重要趋势(徐冠华,1999)。

数字地球的目标是要建立一个完全信息化的地球系统,由于其时空尺度大、综合性强,它的实现已不是个别科学团体或单个国家可以实现的,必须要联合多个学科,联合许多国家开展全球性的合作研究。数字地球的提出与实现都将方方面面推动地理信息科学的发展。而地球系统科学、认知科学和地球信息科学的发展,为地球信息科学的研究奠定了科学基础,数字地球的发展为生态环境演变的研究提供了非常丰富的信息源以及强大的技术支持。

1.4 生态环境与可持续发展研究

近年来,随着全球经济的发展、工业化进程的加快,人类也面临着一系列新的问题,如全球变暖、臭氧层破坏、生物多样性消失、大气与环境污染、水土流失、土地荒漠化等各种各样的环境问题[7]。1992 年 6 月在巴西召开了联合国环境与发展大会之后,人口、资源、环境与发展便成了世界关注的热点,可持续发展论也逐渐深入人心。可持续发展的核心在于正确认识"人与自然"和"人与人"之间的关系,要求人类以最高的智力水准与泛爱的责任感,去规范自己的行为,去创造和谐的世界。人与自然相互协调,协同进化;人与人同舟共济,平等发展等,凡此种种,构成了可持续发展的哲学框架。可持续发展的概念,1992 年在巴西召开的联合国环境与发展大会认为"地球的持续发展是社会与自然系统两者的稳定性,具有满足当代需要又不损害后代需要的能力"。这个概念得到全世界的公认,已成为广泛使用的概念之一[8,9]。总之,可持续发展是以人为中心的社会—经济—自然复合生态系统在资源和环境承载力容许内,依靠科技进步,促进经济的不断发展,保证资源的持续利用和人民生活质量的不断提高,因而可持续发展包括生态持续性、经济持续性和社会持续性,这三者相互联系,生态可持续性为基础,经济可持续性为条件,社会可持续为目的。

土地资源可持续发展的思想,是 1990 年 2 月在新德里由印度农业研究会(ICAR)、美国农业部(USDA)和美国 Rodale 研究中心共同组织的首次国际土地持续利用系统研讨会(International Workshop on Sustainable Land Use System)上正式确认的,以后又分别在泰国和加拿大举行了土地可持续利用国际学术讨论会,这两次会议提出了土地可持续管理的概念、五大基本原则和评价纲要(宁振荣,等,1998)。根据可持续发展理论,土地资源可持续发展的定义为:"不断提高人类生活质量和环境承载力,满足当代人需求而又不损害后代满足其需求的土地资源利用方式。"由于土地资源可持续利用是与区域可持续发展相互联系、相互依托,由此决定了土地资源可持续发展具有如下特点:①土地可持续发展是在人地关系长期失调的情况下进行的,因而更具有艰巨性;②由于不同区域有着不同的生态环境、社会环境、经济环境条件的影响,因而土地资源的可持续利用的方式具有区域性和多样性。土地资源的可持续利用始终与生态环境变化是密切相关的,从生态环境响应的角度发现土地利用的反馈机制,以探索由于土地利用/土地覆盖变化导致的土地恢复与重建机理,这对于丰富可持续发展方面的研究内容具有重要理论意义,同时也对生态环境的保护与恢复具有现实的指导意义[10]。

1.5 黄河流域生态环境特点

黄河是我国第二大河,流经青海、四川、甘肃、宁夏、内蒙古、山西、陕西、河南、山东等 9 省(区),于山东垦利县注入渤海。以内蒙古的河口镇、河南的孟津为分界,黄河可分为上、中、下游 3 段。黄河的干支流在中游流经黄土高原,泥沙量增大,成为名副其实的"黄河",泥沙在下游堆积,河道抬高成为"悬河",中、下游是人类活动最频繁的区域。黄河地处干旱半干旱区域,降水量多年平均 464 mm(1956 ~ 1979 年),且降雨分布时空不均。黄河水资源的最主要特点是水少沙多、水沙异源、水土资源分布不一致。黄河流域面积虽占全国面积的 8%,但其河川径流量仅占全国的 2%。流域人均占有水量 543 m³,为我国人均水量的 25%;平均每公顷耕地水量 4 605 m³,仅占全国的 17%。而黄河平均输沙量为 16 亿 t,列世界各大江河之首。黄河水沙异源,上游兰州以上占流域面积的 28%,其河川径流量却占了 56%,输沙量仅占 6%,是清水的主要来源区。黄河中游占全河面积的 46%,河川径流占 43%,而输沙量却占了 90% 以上,特别是河口镇至龙门区间,流域面积只占全河面积的 15%,河川径流量也只占 13%,但输沙量却占全河的 56%,是黄河的主要来沙区。

1.5.1 黄河源区生态环境特点

黄河源区自然环境严酷、生态系统脆弱,气候属于典型的高原内陆性气候:寒冷、干旱、风沙大、辐射强、降水量少、蒸发量大。年平均气温大部分地区在 0℃ 以下,玛多等地区平均气温在 - 4.0℃ 以下。年均降水量 297 ~ 764 mm,在扎陵湖、鄂陵湖及玛多一带,年降水量小于 300 mm。源区年降水变率较小,一般低于 15%。源头降水量空间分布呈东南向西北递减。源区平均蒸发量在 1 200 ~ 2 000 mm 之间[11]。年平均气温、风速较高的地区蒸发量相应较大;源区日照时数一般在 2 400 ~ 2 800 h,日照百分率在 55% ~ 60% 之间,东部少于西部。年太阳总辐射量一般为 597.5 ~ 655.7 kJ/cm² 之间,随海拔的升高由东南向西北递增,与全国同纬度地区相比,辐射量相对丰富。无绝对无霜期,四季不分明,一般只有冷、暖两季。每年5~11月是黄河源区干旱频发期,干旱发生率达23%~25%,属青藏高原境内干旱发生高频区。除风沙、干旱灾害外,雪灾、霜冻也是该区十分常见的自然灾害。本区处于亚洲季风气候区,风蚀和冻融侵蚀作用强烈,黄河源区水土流失面积已达417.3万 hm^2,强度侵蚀面积225万 hm^2,极强度侵蚀面积11万 hm^2,强度、极强度侵蚀面积已占土地总面积的21.07%。区内河谷开阔,冰川广布,水系发育,水质良好,除河道沿线为融区外,大部为永久冻土。本区土壤主要有高山草甸土、高山草原土、高山荒漠土、山地草甸土、栗钙土、沼泽土、风沙土等,其中又以高山草甸土为主,沼泽化草甸土也较为普遍。受青藏高原发育年代和地势高的影响,植被稀少,土层浅薄,一般30~50 cm,含砾石较多,腐殖质层薄。这类土壤一旦遭到破坏极难恢复。山前广布洪积扇,多为巨砾、碎石、粗砂。

本地区地形和地貌复杂,气候高度异质,植被类型和生物物种十分丰富,既有温带山地森林、温带草原、温带荒漠,也有高寒气候影响下形成的高寒灌丛、高寒草甸、高寒垫状植被、高寒荒漠以及湿地植被等。其中耐低温、旱生多年草本和小灌木组成的草原为分布最广的植被类型。本区草群营养品质好,类型多,适宜放牧。但由于气候原因,也存在生长季节短、牧草长势年际差异大、自然灾害较多等不足。

本区动物种类也较多,其中许多是适应于本地区高寒环境的特有品种,如野驴、藏牦牛、藏羚羊、岩羊、藏原羊、白唇鹿、雪豹等。由于湖泊广布,鱼类资源也很丰富。

黄河源区大部分地区属高寒草原生态系统,自然条件的恶劣使这种生态系统结构简单,自我平衡能力较差,生态阈值较低。本系统的草原结构大致可分为三层:草本层、地面层和根层。青草是该生态系统的生产者。由于本区域地势开阔,适宜善于奔跑的大型草食动物生活,如野驴、野羚羊等,它们与洞穴的啮齿类如田鼠、旱獭等构成初级消费者,蝗虫等草食昆虫也在此列;肉食动物如狐狸、狼及肉食猛禽和捕食昆虫的鸟类在这个生态系统的食物链中属次级消费者。倘若没有人类的无计划介入,这个生态系统会在相对平衡中演化,即使有自然条件的变迁,它也能通过自身调节来达到新的平衡。

最近20多年来,由于气候和人为因素,河源地区生态环境发生了极大变化,干旱形势十分严峻。气候变暖,造成冻土融区范围扩大,季节融化层增厚,甚至多年冻土层消失,冰川萎缩,湖泊水位下降,近千个小湖泊干涸或濒临干涸,雪线上升,径流减少,鄂陵湖上下连续出现断流现象。原有的生态功能逐步消失,草原持续退化并趋于严重,物种生存环境遭到威胁。植被生长缓慢,在自然状态下呈退化演替之势。加之人类活动的干预破坏,使本来就比较脆弱的生态系统极易崩溃,生态环境严重恶化,且短期内难以恢复,形势十分严峻。

1.5.2 黄土高原生态环境特点

黄土高原西起日月山,东至太行山,南靠秦岭,北抵阴山,是地球上黄土最集中、分布面积最大、堆积最早的地区,总面积64万 km^2。属典型的半干旱地区,年降水量一般为300~500 mm,多暴雨,加之长期以来不合理的开垦,水土流失十分严重,年输入黄河泥沙高达16亿 t,导致生态环境恶化,旱涝灾害频繁发生。

黄土高原的生态背景从地貌上看,地貌类型多样,且地形破碎,坡陡沟深,地面物质组成大部分为黄土,土质疏松,遇水崩解,极易侵蚀。从降水上看,降水少而集中,时空分布极不均匀,黄土高原自东南向西北,年降水从700 mm递减到不足200 mm,6~9月降雨占全年降水量的 60%~70%，多为暴雨。从能量上看，光热通量大，日照时间长，蒸发能力强，蒸发量大于降水量。从植被上看，植被覆盖率低，且自东南至西北逐步递减，由乔灌植被向灌草植被、荒漠植被转化，由于大量的地面裸露，使土壤失去了有效保护及对水的调节作用。从人类活动上看，随着该地区人口的增长，毁林(草)开荒、陡坡种地、过度放牧、破坏植被，使原有脆弱的生态系统遭到破坏而难以恢复。随着现代社会生产力的不断发展，采矿、基础设施建设、城镇扩展等造成生态环境新的失衡。

以上五个方面相互联系、相互作用，造成了黄土高原严重生态环境问题——水土流失。最典型的是河口镇至龙门区间，集水面积 11.2 万 km^2，属半湿润气候向干旱气候过渡地带，全年降雨集中在夏季，连续 4 个月降雨量占全年降水量的 70%~80%，暴雨强度可达 1 mm/min 以上，暴雨期的径流系数可达 60% 以上，是黄河泥沙的主要来源区。

1.6　黄河流域生态环境问题

黄土高原暴雨集中、强度大，黄土物质极易受到暴雨、径流侵蚀，这是黄河流域自古多沙的自然地理背景。在脆弱的生态系统上，再叠加不合理的人类活动，导致了中游和下游两重恶性循环，即中游黄土高原"坡地开垦—环境恶化—人口增加—开垦"和黄河下游加高堤防与河床淤高赛跑，"越加越险、越险越加"的恶性循环。因此，黄河流域的头号生态环境问题是黄土高原的水土流失，另一个重要生态环境问题是黄河断流。

1.6.1　水土流失严重

黄河流域土质疏松、坡度陡峭、植被破坏严重，加之风蚀、水蚀等强力搬移作用，致使流域内水土流失十分严重。严重的水土流失，不仅造成原地土壤破坏、环境恶化，还诱发洪水泛滥、决堤改道等灾难。

黄土高原水土流失不仅时间集中，地域也比较集中。从时间上来看，水土流失主要集中在汛期(6~9月)，其产沙量一般占年产沙量的 80% 以上，且往往又是几场暴雨造成的。从地域上来看，主要集中在多沙粗沙区。据最新研究成果，输沙模数大于 5 000 t/km^2 及粗沙(粗泥沙粒径 0.05 mm 以上)模数大于 1 300 t/km^2 的黄河中游多沙粗沙区，面积为 7.86 万 km^2，仅占黄土高原总面积的 12.2%，而多年平均输沙量(11.8 亿 t)却占黄河总输沙量的 62.8%[12]。

严重的水土流失造成大量的泥沙进入黄河，使黄河的多年平均输沙量(陕县站)达 16 亿 t(1919~1960 年水沙系列)。每年约有 4 亿 t 泥沙淤积在下游河道，下游河床的抬高速率达 10 cm/a 左右，致使河床目前已高出地面 4~10 m，形成了著称于世的"地上悬河"。

水土流失将地表切割成千沟万壑，加重了风蚀、水蚀、重力侵蚀的相互交融，增大了雨洪及干旱灾害的产生频率，造成植被破坏、植物退化、生态功能急剧衰退。

1.6.2　黄河断流

黄河 1972 年首次在下游利津水文站自然断流 15 天，从此断流现象频繁发生。1972~1999 年的 28 年中除 1973、1977、1984、1985、1986、1990 年外，有 22 年出现断流，累计 88 次共 1 092 天，其中 70 年代断流 6 年，80 年代断流 7 年，进入 90 年代连续 9 年断流，断流天数急剧增加。据资料统计，1991~1999 年间平均每年断流 89 天，断流河段长 421 km；1996 年断流 122 天，断流河段长 579 km；1997 年断流 13 次，共 226 天，断流河段长 704 km。可见，断流的天数和次数逐年增加,断流河段长度不断向上延伸,断流的形势日趋严峻。

黄河是多泥沙河流,流量减少首要的影响是导致河流输沙能力成倍下降,泥沙淤积加重,使河道排洪能力下降,河道萎缩,不仅给下游地区工农业生产和人民生活造成严重困难,还给黄河防汛、生态环境等带来潜在威胁,加重了下游的防洪负担,对下游生态环境产生重大的不利影响。由于断流,在汛期往往形成"小流量、高水位、大漫滩"的异常现象,同时增加出现"横河"、"斜河"的几率,造成更大的险情和灾情。由于断流进而导致海水入侵,还可加速引起滩区土壤盐化、沙化进程,使黄河三角洲的生态环境严重恶化。

其次,入海流量减少,对水质污染及生态环境的影响,是不容忽视的。随着两岸生产发展、人口增加,排入黄河的污水有增无减。据初步统计,每年近 50 亿 t。由于河流流量减小,难以稀释入河污水,水质变坏是显而易见的。

黄河少水和断流造成该区生态环境恶化,从而造成生态系统、生态种群和遗传基因多样的丧失均是无法补偿的。

1.6.3 黄河生态环境问题主要原因

黄河的生态环境问题引起的原因很多,但主要的是由于黄河流域生态环境十分脆弱且受到严重破坏所引起的。盲目开垦、过度放牧和采樵使黄河流域的植被覆盖率很低,土壤表面由于失去良好而有效的保护导致土壤侵蚀、土地沙化、湿地退化及草地退化等。

能源基地和现代交通干线等各类工程活动对原始地表的改造也对环境产生负面影响,主要表现在挖方填方过程中的毁林毁草弃土弃石和高边坡失稳,破坏了水土资源和生态环境。有些弃土石方堆积在川、沟道中,使黄河的行洪泄洪能力大为减弱,如遇暴雨发生洪水,则不仅是水土流失,也容易形成洪灾。能源基地和黄河中游地区其他开发、建设项目中的消极影响,也不断暴露出来,对当地及黄河下游的安危已构成潜在的威胁。

黄河断流与水资源的不合理开发利用密切相关,是流域生态平衡严重失调的综合反映。黄河流域大部分地区属干旱和半干旱区,面积约 65 万 km^2,占流域面积的 88%。沿黄地区农业灌溉、工业用水及城乡人民生活用水,由 20 世纪 50 年代的年均耗水量 124 亿 m^3,增加到 90 年代的年均耗水量 296 亿 m^3 [13],相当于黄河天然径流量的 50% 左右,且大部分为非汛期引水,占总引水量的 70% ~ 80%。黄河径流年内分配具有夏秋水丰、冬春水枯的特性,正值灌溉用水高峰期的 3 ~ 6 月份,径流量只占全年径流量的 22%,贫乏的水资源与逐年增加的用水量是黄河断流的主要原因,各种人为因素加剧了缺水的严重态势。

1.7 流域生态环境与河流健康

河流是运动于时空之中的客观实在,而且,河流的运动绝不是消极被动的,它的运动是有规律的,对于人类主体以及社会经济的发展有着巨大的反作用力。人类社会一旦违背了其运动发展规律,对其过度索取,超过河流的承受限度,它就会对人类产生强烈的负面作用。

河流与人类、与人类社会经济的发展、与大自然中的其他生态要素都有着密切的联系,有着一荣俱荣、一损俱损的高度关联。可以说,河流的健康生命是流域生态环境良性循环的具体体现。一条河流的生命停止了,这条河流的其他生态要素的生命也将陆续停止,流域社会经济发展、人口繁衍生息的生命力也将逐步衰竭。古丝绸之路楼兰古城的消失、黑河下游调水前后的巨大变化就是很好的例证。

河流生命健康是实现人与自然和谐相处的一项重要内容,水是生命之源,河流生命健康,可以涵养植被、调节气候、净化环境、美化景观,保证各种生物链条的正常衔接和平衡,促进生态功能的优化和加强,实现生态环境的良性循环。否则,就会引起生态系统结构和功能的紊乱,打破整个生态系统的平衡,造成生态环境的恶化[14]。

流域生态环境平衡是河流健康的保证,但目前我国的很多流域出现了不同程度的生态环境问题。诸如植被破坏、水土流失,河床抬高、河道萎缩,水源匮乏、频繁断流,污染严重、水质下降,溯源淤积、海岸蚀退等,水资源与水环境的承载能力面临着极大的挑战。研究流域生态环境与河流健康,有利于科学地认识流域的水资源承载能力和水环境承载能力,有利于对流域的治理与开发。要改变水资源"取之不尽、用之不竭"的观念,变传统的"以需定供"为"以供定产",重视水资源的节约、保护和配置。在防洪问题上,要逐步实现由控制洪水向管理洪水的转变,既要治水,又要规范人类自身的活动;既要防洪,又要给洪水以出路。

江河流域多是开放的复杂环境巨系统。从地貌学的角度而言,该系统是由以坡面为主的能力聚集区子系统和以河道为主的能量及物质输移通道子系统构成的。在流域系统中,能量和物质的不断循环,形成了一个不可分割的统一整体。显然,流域系统就是通过能量流动、物质循环和信息传递,进行有序转换和无限循环,从而把流域系统内的各个组成部分紧密结合成为一个有机的整体,并成为自身运动、变化和发展的动力,同时与外界也不断地发生作用。因此,流域系统是一个整体,系统中任何部分的变化都会对系统中其他部分产生影响。流域水沙是自然界的产物,受流域环境控制,流域自然环境的变化,将或多或少地影响到流域水沙及其过程。流域自然环境的变化,有其自身的变化规律,但随着科学技术的发展和人类改造自然的能力的提高,影响自然环境变化的因素中人类活动占的比例越来越重。流域环境与流域水沙密不可分,流域环境影响流域水沙,进而影响河道演变。

所以,河流与流域生态环境之间关系非常密切,研究河流系统与流域生态系统之间物质和能量的交换及其相互影响是从更高层次上来认识流域生态环境变化,从整体上认识河道演变的客观规律和趋势以及补充和完善河流地貌学、流域生态学理论的重要步骤,是流域综合管理的基础,是流域水资源管理走向可持续发展的主要基础性工作之一,是当今及今后值得研究的前沿性课题。

1.8 河道演变及其研究进展

河流以其巨大的水流能量作用于河床及两岸,不停地侵蚀、搬运两岸及河床物质,并于合适的地点沉积,改造着河床和河岸的形态。这就是河流的地质作用,是研究河道演变、崩岸原因及防御对策的基础[15]。河流地质作用对依托的地质体进行改造,由于地质体组成的不均一性和结构的复杂性,抗冲刷的差异等因素,塑造了多种多样的河道形态。地质体对河流地质作用的制约主要表现在抗冲刷特性,其本质是对水流流速、流向、流态的制约。可见影响河床形态变化的因素不外乎两个:一是上游来水来沙条件,二是河床边界条件。前者是河床形态变化的动力,包括流量、含沙量、洪水历时等的组合情况;后者表明河床形态抵抗变形的能力,包括河床物质组成及前期河床形态等。河床过程是指在水沙两相流与河床边界条件相互作用下,冲积性河流河床形态演变的一种物理状态。通过这一过程,河流将力求塑造出与来水来沙条件和河床边界条件相适应的河床几何形态,并生成相应的河型。河床演变过程不仅是河流地貌学的主要研究领域,而且也是河流动力学研究的重要内容之一。

任何河道在长期的自然演变过程中,由于水沙和河床边界条件的相互影响,具有自己特有的形态特性,要想使整治后的半人工河道符合天然河道的自然特性,就要对河道自然形态、演变规律进行研究分析。

当前,对河道演变方面研究得比较多的是分析流域内水沙变化和河道边界条件对河道演变的影响。自20世纪中叶以来,以清华大学钱宁教授等的《黄河下游河床演变》著作为标志,河道演变研究逐渐成为河流动力学研究的重要课题之一。通过大量资料分析,认识到不同粒径的来沙对黄河下游河道淤积的影响是截然不同的,就减少下游河道淤积来说,主要以控制粒径大于 0.05 mm 的粗颗粒泥沙[16],这是黄河治理理论上的重大突破。清华大学、黄河水利委员会等单位,对黄河下游洪水的来源、洪峰来源地区的组合和下游淤积的系统研究指出,黄河下游河道的严重淤积主要是粗泥沙来源区洪水造成的,集中治理这个地区对减少下游的淤积具有重要意义。其后,张瑞瑾、许炯心、陆中臣等学者都曾根据不同的理论体系和方法,针对黄河下游游荡性河段的河床演变问题开展了大量的研究工作,而且大多都把水沙过程及河床物质组成等因素影响下的河床形态调整及河型变化作为主要研究内容之一[17,18]。叶青超等研究了黄河流域环境变化对河道发育演变的影响,主要研究了以下课题:气候环境变化对河道来水来沙状况的影响及来水来沙变化对河道发育的影响;海平面变化对下游河道冲淤的影响;人类活动对河道水沙环境的影响;环境因素变化对河道演变的综合影响(河道冲淤发展趋势、河道形态和河型变化、河道改道);并研究了河道冲淤变化所造成的环境后效[19~22]。赵业安等对黄河下游河道演变基本规律进行了研究,在高含沙水流运动规律与河床演变特性、不同水沙条件黄河下游纵横剖面的调整规律等方面得到了很多重要的认识[23]。此外,还有很多学者分析了单因素对河道演变的影响,然后采用多因素回归分析,对各因子的作用进行综合评判。清华大学在河道演变方面近期的主要成果如下:

(1)提出了滩岸侵蚀速率的计算方法,该方法可近似替代滩岸侵蚀过程的原型观测试验。并研究分析了黄河下游河道滩岸侵蚀速率及其时空变化规律。滩岸侵蚀率与滩岸稳定性系数、断面河相关系最为密切。从变化规律上看,一般情况是越往下游,同流量下的滩岸侵蚀率越小,在游荡性河段可达 6 ~ 27 m/d,在过渡性河段为 2.6 ~ 5.6 m/d,而在弯曲性河段仅为 0.8 ~ 1.0 m/d。

(2)提出了比 Schumm 更完整的河床形态调整理论。由洪水过程所导致的河床形态变化相当剧烈,与含沙量密切相关,且表现出非线性的复杂变化规律。当含沙量较小时,随含沙量的增大,洪水后河床宽深比增大;当含沙量增大到一定程度后再增大,宽深比随含沙量的增大而减小。

(3)从宏观上分析研究了修建水库等人类活动对下游河道河床演变的影响,并分析了小浪底水库运用后黄河下游游荡性河段的发展趋势。认为河型转化虽然不是普遍现象,但在一些条件适宜的河流或河段上,河型转化也大量存在,多数表现为游荡型向弯曲型或过渡型转化。

(4)利用遥感技术对游荡型河道的平面特征进行了研究。主要对塔里木河干流、汉江中游和黄河下游游荡性河段的河床演变特征进行了研究。

(5)建立了河床纵向与横向变形的平面二维数学模型,实现了河岸冲刷模型与现有泥沙数学模型的有机结合,克服了现有大多数泥沙数学模型仅能模拟河床的纵向变形过程,不能模拟河床的横向变形过程,尤其不能模拟不同土质河岸的冲刷与崩塌过程等缺陷。该模型不仅能同时模拟河床的纵向与横向变形过程,而且能用于天然河道的冲淤计算。从理论上完善了现有数学模型,有较强的实用价值。

(6)解决了游荡型河流演变规律的物理模型试验技术的关键问题,对物理模型的设计方法、几何比尺及变态影响、模型沙选择、泥沙起动相似条件、推移质模型阻力相似及进口加沙、含沙量比尺确定、时间变态等方面进行了研究,成功地提出了解决这些关键问题的理论与方法。

这些研究成果在黄河下游游荡性河段、滹沱河下游游荡性河段等得到了成功应用,对有关工程施工和河道治理等都提出了相应的对策,并被有关部门采纳取得了较好效果。

1.9 河道演变与生态环境变化关系

自 Schumm 建立河流地貌系统的基本理论以来,从流域系统的角度研究河流地貌演变过程已越来越受到广泛的重视。Schumm 将流域系统划分成三个子系统[24]:产水产沙子系统、输移子系统和沉积子系统。这三个子系统通过物质、能量的流通和反馈作用而实现系统间的耦合。流域系统三个子系统之间耦合关系的研究对于完善河流地貌系统理论、优化流域结构和实现流域综合管理都有重要意义。钱宁等就黄河中游粗沙来源区来水来沙对下游河道淤积的影响研究被认为是流域系统间耦合关系研究的开创性工作。许炯心进一步利用年系列和洪水事件系列研究了黄河上中游产水产沙系统与下游河道沉积系统的关系和 13 000 年来黄河下游沉积速率与黄土高原侵蚀的关系,从不同的时间和空间尺度阐明了产水产沙子系统与沉积子系统之间的耦合关系,这些研究主要涉及的是泥沙的沉积问题[25]。随后,许炯心等进一步讨论了河道冲淤对河床形态的影响。对于冲积河流来说,河道输移子系统对产水产沙子系统输入的响应通过冲淤过程来实现,并调整自身的比降、形态、河床物质组成和河型,力求使上游的水和泥沙能通过河段下泄,尽可能保持相对平衡,从而实现子系统间的耦合。

流域系统各子系统间物质、能量的流通在洪水过程中表现最为明显,因而许炯心把洪水作为联系子系统间耦合关系的主要指标。从系统耦合的角度,以洪水作为对河床地貌形态变化的主要影响指标,仅从河床地貌的横断面形态变化,研究了黄河流域输移子系统河床形态变化与产水产沙子系统来水来沙条件之间的耦合关系。

许炯心、张欧阳等对黄河流域下游河道演变对来水来沙的响应关系进行了研究[26],将黄河泥沙分为四个来源区,研究了下游河道横断面调整对四个来源区洪水泥沙的响应关系。指出不同来源区的洪水具有不同的流量、含沙量、泥沙粒径及洪水历时等,可造成下游河流不同的冲淤特性,从而造成对下游河床地貌形态演变的不同影响。

此外,许炯心还采用地貌生态学方法研究了人类活动作用下(如修建水库)冲积河流河型转化问题[27]。主要研究河漫滩生态系统和河槽生态系统之间的耦合关系。这两者之间的耦合是通过两者间交界面上的物质与能量来实现的。具体而言,通过河漫滩洪水淤积与河岸侵蚀,实现了两者之间的泥沙交换;通过汛期河水补给地下水、非汛期地下水补给河水,以及滩面漫滩水流入渗及滩地上背河洼地积水的入渗,实现了水的交换;通过泥沙的吸附与水的溶解及搬运作用,实现了两者之间溶解质及营养元素的交换;通过河漫滩滩面及滩面上植物的摩擦阻滞作用,实现了能量的耗散,即由河道进入河漫滩的水流中包含的能量与动量,远远大于由河漫滩回归主槽的水流中包含的能量与动量;另一方面,河槽水系对河漫滩也有着深刻的影响,如果河槽的形态发生变化,例如河槽加深,过水面积加大,则会通过改变漫滩频率或滩槽流量的比率来影响漫滩水流的淤积特征,使河漫滩发生变化。两系统间长期的相互作用,达成某种平衡关系,则河道的河型特征中即留有这种平衡关系的深刻烙印,因为河漫滩构成了河床边界的重要部分。因此,当影响河道的外界条件,如来水来沙发生变化之后,通过两者之间的物质交换,河漫滩地生态系统的特征也会发生变化,这种变化作为河床边界条件而反馈于河床挟沙水流,从而导致河型特征的改变。河道演变与河漫滩生态环境的响应关系见图 1-1。

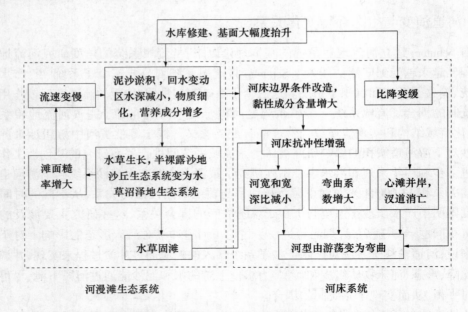

图 1-1　西辽河支流老哈河红山水库上游河漫滩地生态系统变化
对河型转化控制作用示意图

姚文艺等(2004)对黄河下游游荡性河段河床形态及河型演变对河道整治的响应关系也进行了研究[28]。主要基于河流动力学理论,通过物理模型试验及实测资料分析的途径,重点研究了黄河下游游荡性河段河道整治与河床横断面几何形态、水力比降及河型调整之间的关系,预测了河床几何形态、河型变化和河道泄洪输沙能力的变化趋势。研究表明,河槽横断面的调整与人工边界约束程度、流量变差及含沙量变差等因子有关;只要整治工程体系布设合理,整治工程量达到一定规模,通过河道整治,可使河槽横断面趋于向窄深方向调整,促使游荡型河道向过渡型或限制性弯曲型河道方向发展,提高河道泄洪输沙能力;在低含沙水流下泄条件下,纵剖面会发生下切调整,但整治河段不会整体平行下切。

上面这些工作从一个侧面反映出了河道演变不是孤立的,它一方面受流域环境的影响,流域来水来沙和河道边界条件都对河道演变有影响;另一方面,河道变化必然对流域生态环境产生影响。如许炯心对河漫滩生态环境变化和河道演变的关系研究就揭示出这一基本规律。说明生态环境的变化和河道演变之间有着非常密切的关系,它们之间是相互作用、相互影响的,其中一方面的变化必将对另一方面产生影响。但是,目前国内外很少从流域生态环境变化角度来分析河道变化。在流域生态环境变化方面,目前做的工作主要是探讨气候变化和人类活动对流域降水、流域产流产沙等的影响,并进而影响生态环境。还有一部分学者(张欧阳,等)探讨了河道变化对流域来水来沙的响应。也有学者(许炯心,等)以地貌生态学方法研究了人类活动影响生态环境和河型转化问题。但这些研究均是从某一方面来研究,还没有从更高角度来研究它们两者之间的关系,即没有从流域角度研究河道对流域生态环境变化的响应,也没有研究河道及其生态环境变化对流域生态环境的影响。

流域是一个整体,其中各子系统间是相互联系、相互影响的。流域是一个开放系统,就河流而论河流显得视野偏窄,再者河道演变与流域生态环境关系非常密切,容易受流域内各类事件包括生命活动和自然过程的影响,因此应将视野从河流扩大到汇水区域(对静水水体而言)或流域(对流水水体而言),开展流域生态环境演变研究,主要研究流域内高地、沿岸带、水体间的能量、物质变动规律及其与河道演变的关系。随着科学技术的发展,综合运用"3S"和计算机技术、河流动力地貌学、流域生态学等学科的理论和方法开展流域生态环境与河道演变的研究应是一个大的发展趋势。

然而,河道演变和生态环境变化关系十分复杂,采用单一方法很难掌握其变化规律;河流纵剖面特征、发展趋势及其与环境变化的关系,仍然有不少问题尚待深入探讨。河道演变是流域生态环境演变的重要组成部分,流域生态环境的变化必然会影响河道演变,反之,河道变迁也会反作用于流域生态系统,但目前由于技术等原因,在这方面的研究还很薄弱,特别是在自然因素和人为干扰下所发生的变化,用常规监测方法也很难对其进行宏观、动态、全面的研究。当今,随着遥感和 GIS 技术的发展以及对河道演变规律认识的深入,迫切需要借助现代科技手段,进行多学科交叉来研究流域生态环境变化与河道演变的复杂响应关系,以便更好地从流域层次上来认识河道演变及其环境后效,从而为流域水资源管理和可持续发展提供科学依据。遥感技术具有快速、宏观地进行大尺度调查、监测的优势,在研究流域生态环境和河道环境的变化规律方面具有广泛的应用前景。在河道演变方面,可采用遥感多时相动态分析方法对河道演变进行研究,研究河道平面变化特征、岸、滩变迁和河道冲淤等信息。

参 考 文 献

[1] 北京外国语大学英语系词典组.汉英词典.北京:外语教育与研究出版社,1997

[2] 《环境科学大辞典》编辑委员会.环境科学大辞典.北京:中国环境科学出版社,1991

[3] 陈宜瑜.中国全球变化的研究方向.地球科学进展,1999,14(4)

[4] 李秀彬.全球环境变化研究中的核心领域.地理学报,1996,51(6)

[5] The International Geosphere-Biosphere Programme.A Study of Global Changes(IGBP).A Plan for Action. 1988,Stockholm:IGBP

[6] B.L.Turner,R.H.Moss,D.L.Skole.Relating Land use and Global Land cover Changes:A Proposal for an IGBP-HDP Core Project.1993,Stockholm:IGBP

[7] Florent Joerin,Marius Theriault,Andre Musy.Using GIS and outranking multi-criteria analysis for land use suitability assessment.INT.J Geographical Information Science,2001,15(2):153~174

[8] 陈述彭.地理信息科学与区域持续发展.北京:测绘出版社,1995

[9] 牛文元.可持续发展导论.北京:科学出版社,1997

[10] 王思远,刘纪远,张增祥,等.中国土地利用时空特征分析.地理学报,2001,56(6)

[11] 王光谦,邵学军.黄河源区水与生态问题分析.科学对社会的影响,2000(3)

[12] 黄自强.黄河流域的生态环境——黄土高原的水土流失及其防治.http://www.yellowriver.gov.cn

[13] 綦连安.黄河断流成因及其对策.人民黄河,1996(7):1~4

[14] 黄河水利委员会.维持黄河健康生命的价值思考.http://www.ycjmk.com/jmk-zdtj/04-02- 21.htm

[15] 王兴奎,邵学军,王光谦,等.河流动力学.北京:科学出版社,2004

[16] 钱宁,张仁,周志德.河床演变学.北京:科学出版社,1987

[17] 许炯心.黄河上中游产水产沙系统与下游河道沉积系统的耦合关系.地理学报,1997,52(5):421~ 429

[18] 陆中臣,陈劭锋,陈浩.黄河下游河床演变中的地貌临界.泥沙研究,2000(6)

[19] 叶青超.黄河流域环境演变与水沙运行规律研究.济南:山东科学技术出版社,1994

[20] 叶青超,尤联元,许炯心,等.黄河下游地上河发展趋势与环境后效.郑州:黄河水利出版社,1997

[21] 叶青超,陆中臣,杨毅芬,等.黄河下游河流地貌.北京:科学出版社,1990

[22] 叶青超,师长兴.黄河中下游历史时期沉积环境演化.人民黄河,1993(2):17~30

[23] 赵业安,周文浩,费祥俊,等.黄河下游河道演变基本规律.郑州:黄河水利出版社,1998

[24] Schumm S A.The fluvial system.New York:John Wiley and Sons,1977

[25] 许炯心,孙季.黄河下游2300年来沉积速率的变化.地理学报,2003,58(2):247~254

[26] 张欧阳,许炯心.黄河流域产水产沙、输移和沉积系统的划分.地理研究,2002,21(2):188~194

[27] 许炯心,师长兴.河漫滩地生态系统影响下的河型转化.地理学报,1995,50(4):335~343

[28] 《姚文艺,茹玉英,康玲玲.水土保持措施不同配置体系的滞洪减沙效应.水土保持学报,2004, 18(2):28~31

第2章 土地利用/土地覆盖与土壤侵蚀遥感信息的自动提取方法

航天遥感技术的发展,获取了地面大量的信息,同时也提供了空间不同尺度、不同波谱的地面信息源。常用的遥感信息源主要包括中低分辨率的 NOAA 数据,中高分辨率的 MODIS 数据,以及高分辨率的 Landsat TM、Spot、IKONOS、QuickBird 数据等。面对如此多的海量数据,如何从中发现大量有用的信息,进行信息挖掘,提高数据的利用率,一直是遥感学家长期研究的课题。地理信息系统(GIS)技术的发展,各类地理信息源的融入,为从总体上综合分析影像,建立遥感影像综合理解模型提供了条件。本章从遥感影像理解模型出发,探讨了遥感信息的知识发现、特征提取问题,特别针对土地利用/土地覆盖与土壤侵蚀研究领域,对土地利用/土地覆盖信息和土壤侵蚀信息的自动识别、特征提取进行了深入研究,并开发了相应的软件系统,为生态环境动态监测提供了技术基础。

2.1 遥感影像理解的概念与过程

2.1.1 影像理解的基本概念

影像理解是研究通过计算机系统来解释图像,从而实现类似人类视觉系统理解外部世界的一门学科。在影像理解系统中,存在两项基本的任务:从输入图像中提取出与模型相适应的图像结构或线索,而后完成输入图像中图像结构与模型中目标的正确影射[1](周成虎,1999)。影像理解不同于模式识别,模式识别通常按预先规定的测量集对对象作简单的分类,而影像理解则要对影像作出描述和解释,需要涉及到不同处理层次实体间的相互作用(王润生,1994)。图 2-1 为图像理解模型的一般框架图,可以看出遥感影像理解模型需要涉及到许多先验知识,通过对一些先验知识的分析,可以更好地对图像作出解释,而 GIS 技术的发展,各类地理信息数据库的建立,为建立综合遥感影像理解模型提供了条件与基础。在过去几十年中,人们花费了大量精力对航空像片的理解进行研究,开发出一系列专用或通用的航空像片理解系统,可以发现这些系统大多具有相当的局限性:①信息源相对单一,是仅针对特定目标(如房屋、道路、水系、车辆)进行描述的面向目的的系统;②仅在图像获取、图像校正、影像增强等方面实现了自动化,但对最终目标地物的识别提取仍需人工目视解译来完成;③具有较强的针对性,通用性较差。而现在,由于计算技术的高速发展,带动了相关信息技术的发展,地理信息系统(GIS)作为对真实地理世界的计算机描述与管理系统,也得到了突飞猛进的发展,从而带动了地理产业的信息化进程,建立了各类地理专题数据库,为遥感影像理解提供了大量可靠的信息源[2]。如何更好地利用这些数据,建立遥感影像综合理解模型,提高遥感影像信息的利用效率,是当前值得深入研究的问题。

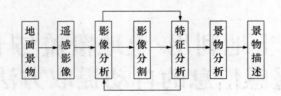

图 2-1 遥感影像理解一般模型

2.1.2 影像理解的基本过程

与地面实际目标反映到遥感影像三个层次相对应的遥感影像理解方法也可分为三个层次(周成虎,1999),见图 2-2。

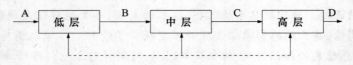

图 2-2 遥感影像理解的三个处理层次

(1)低层理解。A 处为输入的二维影像阵列,B 处为低层理解的结果,是以像元为单位产生的初始影像特征,如点、线、面区域,并由它们组成更多的其他图像特征。

(2)中层理解。C 处为中层理解的结果,它是由低层描述的编组、抽象后形成的符号描述,减少了数据量,提高了描述的质量,更接近图像的本质。

(3)高层理解。D 处为系统对输入图像的解释,它是以中层描述为基本单元的、反映景物和目标特征的模型,并服务于解释的知识库。

这种由低层到中层直至高层输出的解释过程称为由底向顶的方式,反之为由上至下的方式,即先在 D 处根据模型对输入作一个假设,以后去证实此假设成立的中低层描述。而如果将由底向顶和由上向下两种方式结合起来,称为混合方式,如陶闯在他的博士论文研究中采用的航空影像理解模型,为混合方式(见图 2-3)。

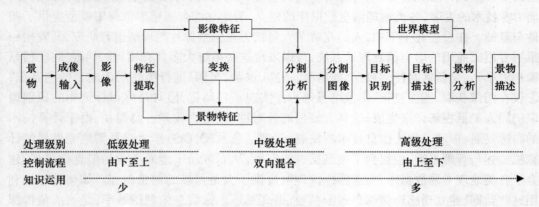

图 2-3 航空影像理解模型的框架(陶闯,1994)

2.1.3 影像理解与遥感影像分类

遥感影像理解与遥感影像分类既相互依存,又相互区别。影像理解与影像分类的目的一致,都是为了更好地提取地物特征,实现地面景物特征的反演。影像分割(分类)是影像理解的主要组成部分,遥感影像分割得好坏决定对影像理解的深刻程度;而对影像理解越深刻,对遥感影像的分割效果也越好。影像理解与一般的影像分类的区别如下:

(1)影像理解是基于特征,而不是仅仅基于单个像素的处理与操作,最终把影像分割为多个特征组。

(2)影像理解更基于影像的纹理结构(如道路的线状结构、耕地森林的纹理结构等),而影像分割大多是基于单个像素的光谱特征进行分类,通过"训练特征数据"达到分割的目的。

(3)影像理解需要更多的辅助知识与辅助信息,既包括地面景物目标之间的相互关系的知识,也包括景物内部的纹理、结构、位置、功能等知识,最后通过增加辅助信息达到对影像目标更好的理解。

(4)影像理解也通过反复"训练"来加深对影像的理解。

目前的发展趋势,影像分割与影像理解相互融合、相互促进,区别界限正在逐渐消失。

2.2 纳入 GIS 信息的遥感影像综合理解模型

由于遥感影像是特定地理环境中某一地区的电磁波的反射、辐射信息的记录,由于存在多种因素,容易造成"同物异谱、异物同谱"问题[3],制约了仅仅基于光谱特征的遥感影像理解的精度。因此,提高遥感影像的理解精度已不能单纯基于影像的光谱特征。在最近十几年中,国内外的研究人员对如何利用多种地理辅助数据,将领域专家知识应用到遥感影像理解中,作出了不少有益的探索。如利用空间关系,引入空间推理对遥感影像进行理解,显著改善了影像的理解精度;从空间数据处理的精度入手,通过寻找 RS 与 GIS 共同的处理单元,将 GIS 数据直接纳入到遥感图像处理中[4](李德仁,等,1999);将专家系统应用到草地资源的遥感调查,使用 MSS4、MSS5、MSS7 三个波段进行生物量计算和色度空间转换,并使用地理辅助数据,使得遥感影像的理解精度得以提高(程涛,等,1992)。

对于如何将 GIS 信息纳入到遥感影像理解中,国外学者也做了大量的研究[5~24]。如 Franklin 与 Peddle(1989,1990,1992)先用线性分类器对光谱、纹理、DEM 进行证据推理分类,虽然只使用了 Spot HRV 和由 DEM 产生的地形数据,但结果却明显优于用传统的统计模式识别方法。Janssen 等(1990)、Middelkoop 等(1991)、Bolstad 等(1992)、Kontoes 等(1993)对充分利用遥感影像信息和辅助数据进行分类,特别是对使用基于知识的方法进行分类做了大量研究。Kontoes 等在基于光谱的方法确定土地覆盖的类别时,还同时进行了基于纹理的分类,得到更概括的类(Super-Class),Super-Class 类还可以再分为多个土地覆盖类。以这两种分类结果与规则库和 GIS 中的辅助信息相结合,进行不确定性推理,最后得到分类结果,实验时使用了 SPOT 影像、土壤图、通达图(Accessibility,由公路网做缓冲区得到)进行土地覆盖类型分类,目的是为了估算作物面积,实验结果表明分类精度比仅使用光谱参数的方法有明显的改善。

针对土地利用/土地覆盖的分类特点,作者构筑了基于 GIS 信息的遥感影像综合理解模型,并基于 Visual C++ 开发了相应软件系统,图 2-4 为基于 GIS 的遥感影像综合理解模型框架。可以看出该模型主要包括以下几个过程。

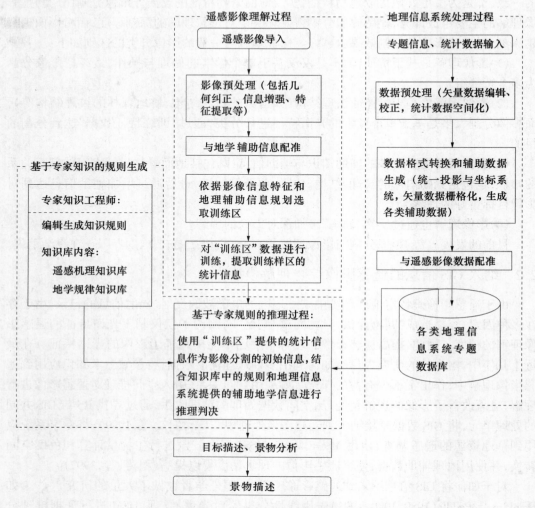

图 2-4　基于 GIS 的遥感影像综合理解模型框架

(1)遥感影像理解过程:主要完成遥感影像的前期理解。包括以下几步。

遥感影像预处理:包括图像格式转换、图像纠正和图像信息增强等。图像格式转换完成遥感影像从磁带的记录格式(*.bsq,*.bil,*.raw)到软件系统处理格式的转换(*.tif等),导入遥感影像到软件处理系统。图像纠正完成遥感影像的大气校正、几何纠正、辐射增强以及遥感影像的匹配、镶嵌等。遥感影像信息增强处理除了常规的比值拉伸处理、直方图均衡化、各类滤波处理等,近年来又有了一些新的研究成果,如波段合成增强处理:最佳指数法(OIF)、样本间灰度差异特征、视觉色差合成等;各类信息源融合增强处理:如不同传感器、不同分辨率数据的融合、遥感信息与非遥感信息的融合、专家知识的应用等。

与地学辅助信息的配准:主要完成遥感影像与地学辅助信息(地形地貌、气温降水、各类专题 GIS 数据等)的坐标、投影系统转换,使得遥感影像与所采用的辅助地学信息纳入到统一坐标与投影系统下。

"训练区"选择与计算:通过对遥感影像信息特征的初步理解,同时结合地学辅助信息以及实地考察,确定样本"训练区"。"训练区"要具有典型性与可分性,确定"训练区"后,对"训练区"数据进行计算,确定样本的统计信息(均值、最大及最小值、方差矩阵、协方差矩阵等)。

(2)地理信息系统处理过程:在 GIS 系统支持下,完成地学辅助信息的处理。主要包括以下几步。

专题信息导入与预处理:通过地面调查或专家知识经验,收集各类地学辅助信息(包括各类专题信息、统计资料等),导入到 GIS 系统中,完成辅助信息的前期预处理,包括各类矢量数据的数字化、编辑、拓扑关系的建立等,统计数据的整理与地学编码、统计数据的空间化等工作。

辅助数据的生成:利用前期处理好的辅助数据,进行各类数据的格式转换,如矢量数据的栅格化、点状统计数据插值(IDW/Kriging 等方法)生成面状数据;最后统一坐标与投影系统,达到与遥感影像数据的配准。

建立各类地学辅助因子数据库:在 GIS 软件支持下,基于前面生成的各类辅助数据,建立专题数据库,形成地学辅助因子数据库。

(3)专家规则生成过程:建立各类专家知识库,主要包括遥感机理知识库与地学规律知识库,同时通过专家知识工程师建立各类知识规则。主要包括以下几步。

知识获取:通过对照遥感影像,进行野外考察,针对各类有代表性的影像特征对该地区所有地貌条件下的土地利用/土地覆盖状况、植被分布、生态环境条件进行实地考察,获取各类实践知识;同时通过请教有经验的专家和查阅各类相关资料,获取各类专家知识。

知识库生成:对获取的知识进行整理,从总体上归纳出各类规律,形成知识规则,最后通过对"训练区"的数据不断训练,修改和调试知识规则,形成各类专家知识库,主要包括遥感机理知识库和地学规律知识库。

(4)专家推理过程:使用训练样区提供的统计信息作为影像理解的初始信息,同时结合知识库中的规则和地理信息系统提供的辅助地学信息库进行推理判决。推理的基本步骤如下。

第一步:根据"训练区"统计得出的各个类别的统计参数,用最大似然法逐像素计算其属于各类的后验概率,作为"结果数据库"中各类可信度的初始值。

第二步:调用知识库中的规则进行操作,同时调入 GIS 专题数据库中相应的专题数据层面,若规则尚未使用过,取其作为推理目标(AIM)。

第三步:在知识库中,以当前推理目标(AIM)为结论,寻找与数据基匹配的所有规则,通过这些规则,计算出当前推理目标(AIM)的可信度。

第四步:若"结果数据库"中有 AIM 的类别,则修改该类的可能性值;若知识库中还有规则没有使用,则返回到第二步,否则,继续进行下一步计算。

第五步:判断"结果数据库"中具有最大可信度的类别,作为当前像素的最终类别。对于不精确推理的数学模型已有很多研究,如 Dempter 和 Shafer 1976 年提出的信度理论(Belief Theory)、Zadeh 1978 年提出的可能性理论(Possibility Theory)等。但实际应用千差万别,很多专家系统设计时采用经验方法。本节采用一种简单易行的方法,用来计算推理目标的可信度,描述如下:

设 n 项规则中有 $m(m \leqslant n)$ 项与当前像元被分为第 k 类有关,当前像元被分为 k 类($k \in K$,K 为类别总数)的可信度为:P_1、P_2、$\cdots$、P_m,则根据此 m 项规则使用辅助地学信息推算出当前像元为第 k 类的可信度为:

$$P_k = \prod_{i=1}^{m} P_i \quad (i = 0, 1, \cdots, m)$$

假设基于光谱特征得出的第 k 类的后验概率值为 P_s,则最后该像元为 k 类的可能性为:

$$P_{\text{result}}(k) = P_s \cdot P_k$$

最终当前像元的最后类别为:

$$Class = \max[P_{\text{result}}(1), P_{\text{result}}(2), \cdots, P_{\text{result}}(K)]$$

2.3 基于遥感影像综合理解模型的土地利用/土地覆盖分类

作为遥感影像理解的核心——遥感图像分类,一直是各国研究人员关心的热点。在过去的 20 年中,统计模式识别一直作为遥感图像分类的主要方法,它是遥感图像分割的技术基础。模式识别,是人们沿着仿生学的道路,利用电子计算机系统作为工具来模拟人类的感知和识别智能。而遥感图像的计算机分类,就是对地球表面及其环境在遥感图像上的信息进行属性的识别和分类,从而达到识别图像信息所相应的实际地物,提取所需地物信息的目的。

遥感图像分类方法,一般有两种实施方案:一种称为“监督分类”方案;另一种则为“非监督分类”方案。前者是基于我们对遥感图像上样本区内地物的类属已有先验知识,于是利用这些样本类别的特征作为依据来识别非样本数据的类别;后者则是事先对遥感图像地物的属性不具有先验知识,纯粹依据不同光谱数据组合在统计上的差别来进行“盲目分类”,事后再对已分出各类的地物属性进行确认。“非监督分类”主要存在几方面的缺陷:难以确定初始化条件;难以确定全局最优分类中心点和类别个数;难以融合地学专家知识。所以,在实际应用中,主要要以“监督分类”方法为主,论述遥感图像分类方法。

2.3.1 完全基于光谱的分类

完全基于光谱的分类是目前实际应用中最为普遍的方法,主要有 Maximum-Likehood、K-Means、ISODAT、ParallelPipe,其中以 Maxinum-Likehood、ISODAT 作为“监督分类”和“非监督分类”的典型代表。最大似然法是基于 Bayes 判决规则,把某一特征点 $X(X_1, X_2, \cdots, X_n)$ 属于某一类(W_i)的条件概率 $P(W_i/X)$ 当成似然判决函数,对每一个像素的类别归属进行判断。最大似然法是一种“监督分类”方法,要求人们事先必须有先验类别知识,去定义典型类别,同时对判决函数进行训练,使其符合各种典型类别的分类要求。ISODAT 是以初始的类别作为典型类别进行自动迭代聚类的过程,迭代结束标志着所依据的基准类别已确定,它们的分布参数也在不断的聚类训练中逐步确定,并最终形成所需的判决函数。ISODAT 是一种比较严密的算法。但由于集群中心必须经过多次迭代计算才能逐步形成,因此计算速度很慢。

完全依赖于光谱的分类都是以统计模式识别作为理论基础,方法具有普遍的通用性。

2.3.2 基于上下文分析与信息辅助的分类方法

基于上下文分析的方法就是在考虑地物的多光谱特征的同时,顾及相邻像素的空间关系。由于遥感传感器的分辨率不断提高,空间上下文分析对某些复杂地物的分类能起到很好的效果。

辅助信息的利用,包括高程、坡度、坡向、土壤类型等,是来改善基于灰度的各种统计分类方法的可靠性。例如,引进地面高程信息,对于提高计算机的分类精度有着突出的作用。之所以作用突出,一是因为当某些不同的地物类别在图像上反映的光谱特征比较接近而出现混类现象时,如果地物的生长环境具有按高程垂直分布(或按坡度或坡向作区域分布)的特点,则高程信息的引入将会给混合类别的再分类增加有利的附加条件;二是因为不同类别的地物在高程信息所限定的区域内出现的概率是可以预先估计的,并可作为先验的条件概率引入到分类判决函数中去。

2.3.3 专家系统、人工智能相结合的遥感影像综合分类系统

专家系统是人工智能的一个分支,它将某一领域的专家分析方法或经验,对事物的多种属性进行分析、判决,确定事物的归属。它的工作原理就是依据事先规定的推理策略,选择知识库中的知识、规则,由知识、规则导出新的事实,如此反复直至达到目标结果。虽然用专家系统的技术来进行遥感图像自动解译是遥感数据处理的新的发展方向,但达到实用化的程度,还有很长的路要走。目前遥感影像分类研究的热点包括 3 个方面:

(1)图像空间中结构信息的提取和分类,如城市道路网络、水系网络以及耕地、林地等纹理信息的提取。

(2)在地学知识和地理辅助信息支持下的空间逻辑推理的图像分类,如基于规则的遥感影像分类、地理信息系统数据辅助下的空间影像分类等。

(3)基于非线性并行处理的视觉神经理论的遥感图像分类,如人工神经网络分类、遗传算法分类等。

本节所采用的是基于遥感影像综合理解模型的遥感图像综合分类方法。

2.3.4 基于遥感影像综合理解模型的分类原理与过程

遥感图像计算机分类的基本过程可由图 2-5 所示的框图来表示。其中主要包括准备阶段、分类判决阶段和结果分析三个阶段。在准备阶段,除了准备原始图像数据外,还应进行一些遥感图像的前期处理,如拉伸、增强、滤波等,以及图像变换,使得影像特征明显、纹理清晰。分类判决阶段是核心阶段,包括影像特征(训练区)选择、特征初始参数计算、综合分类判决推理、初步分类结果输出等;结果分析阶段则是对初期分类结果进行优化,包括消除细小斑块、类别合并、结果整饰等,最后将分类结果输出。下面详细介绍工作原理及流程方法,它包括数据准备、"训练区"选择、空间直方图分析、GIS 地学辅助信息的纳入以及各类知识库的生成、空间综合推理判决、分类结果处理等。

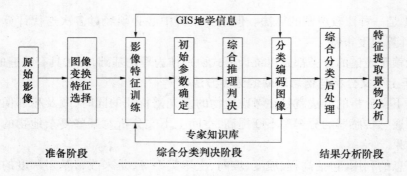

图 2-5 遥感图像综合分类过程

2.3.4.1 数据准备

在选取"训练区"、生成空间直方图之前,必须对原始数据进行预处理,其主要工作包括:对原始数据进行线性拉伸,拉伸的目的是使数据变得更为紧凑、纹理清晰,同时使各波段灰度值在同一范围内,便于后面分类分析。而后根据分类目标景物反射特性选择特定的三个波段图像,进行假彩色合成,成为一 24 位真彩色图像;在经过图像滤波、增强后,使得图像纹理清晰、景物特征空间每一集群都形成较为明显的峰值。

2.3.4.2 "训练区"选择

"训练区"是指遥感影像上已有先验知识的那些景物的图像,"训练区"的选择可直接在屏幕圈定,也可输入坐标,通过"种子点"生成"训练区"。要注意选择那些景物特征明显、影像清晰、混合类别少的区域,以利于根据"训练区"样本数据去估计和计算相应景物类别的光谱特征以及统计参数。

2.3.4.3 空间直方图分析

根据选定的"训练区"数据,即可形成各个类别的三维直方图,如图 2-6 所示,同时,计算每个类别的数据范围、均值以及方差、协方差等统计参量。

设均值 $M = [m_{1j}, m_{2j}, \cdots, m_{nj}]^T$,方差 $Q = [\sigma_{1j}^2, \sigma_{2j}^2, \cdots, \sigma_{nj}^2]^T$,协方差:

$$\sigma_{i(j_1,j_2)}^2 = \frac{n_i \sum_{k=1}^{n_i}(X_{ij_1k} \cdot X_{ij_2k}) - (\sum_{k=1}^{n_i} X_{ij_1k}) \cdot (\sum_{k=1}^{n_i} X_{ij_2k})}{n_i(n_i - 1)} \tag{2-1}$$

其中 $$m_{ij} = \frac{1}{N}\sum_{k=1}^{N} X_{ijk}, \quad \sigma_{ij}^2 = \frac{1}{N-1}\sum_{k=1}^{N}(X_{ijk} - m_{ij})^2 \tag{2-2}$$

式中　i——类别号;

　　　j——波段号($j = 1, 2, 3$);

　　　n——类别数;

　　　N——i 波段 j 类别像元总数;

　　　X_{ijk}——像元 k 在 j 波段 i 类别的亮度值。

根据直方图形状及峰值情况,调整"训练区"数据,如图 2-6 所示,重新计算样本均值、方差及协方差,使得样本数据更具有针对性,比单纯使用"训练区"数据的分类效果有很大改观。

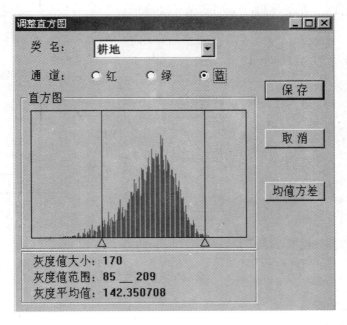

图 2-6　直方图调整对话框

2.3.4.4　GIS 地学辅助信息的纳入以及各类知识库的生成

　　通过地面调查并收集各类地学辅助信息(包括各类专题数据、统计资料等),导入到
GIS 系统中,矢量数据经过编辑、拓扑关系的建立等处理,最后将其从矢量数据格式转换
为栅格数据格式。统计数据经过分类整理与地学编码,最后通过空间插值等工作,由点状
数据生成面状数据,最后所有数据以栅格数据格式存储,纳入到统一坐标系与投影系统
下。在 GIS 软件支持下,基于前面生成的各类辅助数据,建立专题数据库,形成地学辅助
因子数据库。

　　通过对照遥感影像,并进行野外考察,针对各类有代表性的影像特征对该地区所有地
貌条件下的土地利用/土地覆盖状况、植被分布、生态环境条件进行实地考察,获取各类实
践知识;同时通过请教有经验的专家和查阅各类相关资料,获取各类专家知识。对获取的
知识进行整理,从总体上归纳出各类规律,形成知识规则,最后通过对"训练区"的数据不
断训练,修改和调试知识规则,形成各类专家知识库,主要包括遥感机理知识库和地学规
律知识库。如图 2-7 所示为"专家知识工程师",通过它可以产生各类专家知识规则,形成
专家知识库。在本次的分类知识库中,地学信息主要选择了地形地貌(DEM,坡度、坡向)
辅助信息,专家规则采用下面的基本形式来表达:IF(条件),THEN(结论),Confidence(结论
可信度)。其中可信度的值域为[0,1],值为 0 时,完全排除当前像元为所给类别的可能
性;当取值为 1 时,维持像元原始可信度,且表示当前结论永远成立。可信度可以根据地
学经验或专家打分等方法来确定。

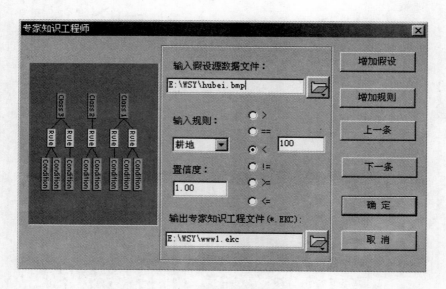

图 2-7　专家知识规则生成器

2.3.4.5　空间综合推理判决

根据上面计算获得的统计信息(最大及最小值、均值 M、方差 Q 及协方差 σ_{ij})作为分类的初始信息,同时结合知识库中的规则和地理信息系统提供的辅助地学信息库进行推理判决,其原理如下:

设有一来自 W_i 类的随机向量 X,当被分类器判为 W_i 类时,相应产生一分类损失 L_{ij}。由于 X 可能来自 $i = 1, 2, \cdots, N$ 中的任一类,因而把它判为 W_i 类时就带来了分类风险 $r_j(X)$。

又由 Bayes 公式知:

$$r_j(X) = \sum_{i=1}^{m} L_{ij} \cdot P(W_i/X) \tag{2-3}$$

其中
$$P(W_i/X) = P(X/W_i)/P(X) \tag{2-4}$$

故
$$r_j(X) = \frac{1}{P(X)} \sum_{i=1}^{m} L_{ij} \cdot P(X/W_i) \tag{2-5}$$

式中　$P(X/W_i)$——在 W_i 类中出现 X 的概率;

$P(W_i/X)$——X 属于 W_i 的概率,也称后验概率。

同时,设 n 项规则中有 $m(m \leqslant n)$ 项与当前像元被分为第 i 类有关,当前像元被分为 i 类($i \in N$,N 为类别总数)的可信度为:$P_1, P_2, \cdots, P_N$,则根据此 m 项规则使用辅助地学信息推算出当前像元为第 i 类的可信度为:

$$P_i = \prod_{j=1}^{m} P_j \quad (j = 0, 1, \cdots, m)$$

基于光谱特征得出的第 i 类的后验概率值为 $P(W_i/X)$,则最后该像元为 i 类的可能性为:

$$P_{\text{result}}(i) = P(W_i/X) \cdot P_i$$

最终当前像元的最后类别为：

$$Class = \max[P_{\text{result}}(1), P_{\text{result}}(2), \cdots, P_{\text{result}}(N)]$$

2.3.5　分类结果的优化处理

一般地分类得到的原始结果都有一定的缺陷,如斑块较为零碎,有许多小洞,且边界也不规则。产生这些问题的原因大致有二:一是原始图像数据带有高频噪声,以及数据获取时的地面环境条件变化等多个因素的综合影响;二是算法问题,由于很多算法是逐像素独立进行的,考虑空间关系约束(即上下文联系)较少。因此,无论从专题制图角度,还是从实际应用角度,都必须剔除这些细小斑快,进行分类结果的优化。

本节主要采用了面积滤波和数学形态学滤波两种算法。

2.3.5.1　面积滤波

面积滤波是遥感图像分类后处理中最常用的一种方法,面积滤波主要有两种方法:过滤分析和去除分析。首先通过聚类分析,统计每个分类图斑的面积,记录相邻区域中最大图斑面积的分类值,产生一个 Clump 输出图像,每个图斑包含该图斑面积统计属性及相邻最大图斑的分类值。过滤分析是剔除 Clump 图像中较小的类组图斑,并给所有小图斑赋予属性值 0;去除分析则用于删除原始分类图像中的小图斑或 Clump 聚类图像中的小 Clump 类组。本节采用去除分析法,通过统计各个小斑块的面积 S 及给定的阈值 T,若 $S < T$,则消除该小斑块,用周围大斑块取代,从而达到消除小斑块的目的。

2.3.5.2　数学形态学滤波

数学形态学(Mathmatical Morphology)是一门建立在集论基础上的学科,它是几何形态分析和描述的有力工具,近年来在数字图像处理视觉领域中得到广泛应用,构成了一种新型的数字图像分析处理方法。在考察图像时,要设计一种收集图像信息的"探针",称结构元(Structuring Element)。观测者不断移动结构元素,便可考察图像各部分的关系,从而提取有用的信息进行结构分析与描述。下面介绍一下数学形态学基本理论。

(1)基本概念。

设用 ξ 表示离散二维欧几里德空间,图像 A 是 ξ 的一个子集,结构元 b 也是 ξ 的一个子集,$b \in \xi$ 是欧氏的一个点,以定义几个概念。

定义 1:Ab 定义为图像 A 被 b 平移后的结果,表示为:

$$Ab\{a + b \mid a \in A\}$$

Ab 中所有元素是 A 中对应元素平移到以 b 为原点的坐标系内的结果。

定义 2:$\sim A$ 定义为图像 A 对于图像原点的反射结果,表示为:

$$\sim A = \{-a \mid a \in A\}$$

见图 2-8 定义图像 A 及点 b,图 2-9 为图像 A 被 b 平移和被原点反射的结果。

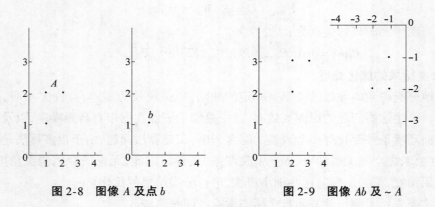

图 2-8　图像 A 及点 b　　　　　图 2-9　图像 Ab 及 $\sim A$

根据上述两个概念,可定义数学形态学中两个基本运算:膨胀(Dilation)和腐蚀(Erosion)。

定义 3:膨胀运算定义为　$A \oplus B = \{a + b \mid a \in A, b \in B\} \bigcup Ab$。

定义 4:腐蚀运算定义为　$A \odot B = \{z \in \xi \mid Bz \subseteq A\} \bigcap Ab$。

定义 3 表示图像 A 被结构元素 B 膨胀,膨胀后 A 形状与结构元素 B 的形状有很大关系。定义 4 表示图像 A 被结构元素 B 腐蚀,腐蚀结果与结构元素 B 的选取有关。图 2-10 给出了膨胀和腐蚀的例子。

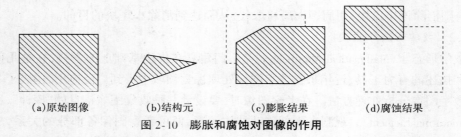

(a)原始图像　　　(b)结构元　　　(c)膨胀结果　　　(d)腐蚀结果

图 2-10　膨胀和腐蚀对图像的作用

在定义膨胀和腐蚀运算的基础上,可定义数学形态学另外两个常用运算:开运算(Opening)和闭运算(Closing)。

定义 5:A 对 B 的开,即 A 被 B 进行开运算的结果定义为 $A \circ B = (A \odot B) \oplus B$,即 A 先被 B 腐蚀,再被 B 膨胀的结果。

定义 6:A 对 B 的闭运算,定义为 $A \cdot B = (A \oplus B) \odot B$,即 A 先被 B 膨胀,再被 B 腐蚀。

开运算可用来删除图像中的小分支,而闭运算可填补小空穴。

(2)基本性质。

性质 1:腐蚀运算具有平移不变性,即$(Ap \oplus B) = (A \oplus B)p$,$(Ap \odot B) = (A \odot B)p$。该性质表明对图像 A 进行腐蚀和膨胀运算的结果只取决于 A 与 B 的结果,与 A 的位置无关。

性质 2:对开运算和闭运算,有 $A \circ B \subseteq A \subseteq A \cdot B$,即开运算使图像缩小,闭运算使图像增大。

(3)数学形态学用于遥感分类图像的滤波、平滑处理。

由于分类运算后,图像会产生一些孤立点、断点、空穴、毛刺等,会给图像质量、精度带来一些不利影响,为此需要填补空穴,消除断点、孤立点等,结合考虑噪声的消除,可采用数学形态学的膨胀、腐蚀、开运算、闭运算等来消除细小斑块,光滑边界等。

用数学形态学方法来进行分类后处理,是基于灰度级数学形态学(Grayscale Morphology),灰度级影像数学形态学变换是二值影像数学形态变换理论的推广。本影(Umbra)是灰度级数学形态变换的一个基本概念。一幅灰度影像 $f(x,y)$ 在三维欧氏空间可看成是由点 $[x,y,f(x,y)]$ 组成的一个离散的曲面,那么它的本影 $U(f)$ 是定义在三维欧氏空间的一个点集,该点集中任一元素 $P(x,y,z)$ 满足 $z < f(x,y)$。所有的灰度形态变换都是建立在本影的交、并、平移基础上的。

本影相并 $\qquad U[a] \bigcup U[b] = U[\max(a,b)]$

本影相交 $\qquad U[a] \bigcap U[b] = U[\min(a,b)]$

通过本影的相并、相交可定义出灰度级扩张、侵蚀的变换。设结构元 B,则:

灰度级扩张 $\quad f(x,y) \oplus B(a,b) = \max_{(a,b)\in B} \{f(x-a,y-b) + B(a,b)\}$

灰度级侵蚀 $\quad f(x,y) \odot B(a,b) = \min_{(a,b)\in B} \{f(x+a,y+b) - B(a,b)\}$

又由形态扩张、侵蚀可定义 $f(x,y)$ 的断开、合上操作:

灰度级断开 $\qquad f \circ B = (f \odot B) \oplus B$

灰度级合上 $\qquad f \cdot B = (f \oplus B) \odot B$

用灰度级的断开和合上形态算子进行分类后处理,主要在于确定适当的结构元和形态变换顺序。用数学形态学与面积滤波器结合进行分类后结果优化,具有方便、高效的特点,并能较好地保持影像的结构特征,使得分类影像特征更接近于地面真实景观。

2.3.6　分类精度分析

精度分析是遥感影像分类过程中一项不可缺少的工作,通过精度分析,能够确定选择的分类模型的有效性,改进分类模型,同时也为使用者定量获取了分类结果的可靠性。但精度分析过程中,不可能选择所有的像元进行检验,只能通过抽样的方法,选取一定数量的样本来作检验。精度分析过程中涉及到许多理论与方法,如精度的表示与计算、样本的数量以及抽样方法、结果检验方法等。

分类结果的精度可以用抽样像元中分类正确的像元数和误分像元数来表示,也可用实际类型与分类类型的二维表(分类精度矩阵)来表示。其中分类精度矩阵是目前研究者使用较多的一种方法。分类矩阵是一 N 阶方阵,它表示抽样单元中被分到某一类而经过检验属于该类的数目。矩阵中列一般表示参考数据,行表示分类数据,分类结果的总精度是所有分类正确的像元数与总的抽样数之比。此外,每一类的精度也可用类似的方法计算,但在选择总像元数时有一点复杂。通常,每一类中分类正确的像元数与参考数据中对应的像元数(即列数据之和)之比,这个精度表示参考数据中某一类的像元被正确分类的概率,对应的误差实际上是漏分误差(Omission Errors),这个精度称为分类者精度,因为分类者感兴趣的是某一区域分类结果如何;相应地,一个类中分类正确的像元数与分到这一类的像元数(行数据和)之比,这类误差为错分误差(Commission Errors),精度称为使用者精度,或可靠性,它表示分类图上一个像元的类型与实际类型相一致的概率。

2.4 基于遥感影像综合理解模型的土壤侵蚀强度信息提取研究

土壤侵蚀是土地退化的根本原因,也是导致生态环境恶化的重要原因。当前,土壤侵蚀已成为全球性的公害,严重威胁着人类的生存与发展,土壤侵蚀的快速调查和动态监测是水土保持工作的基础[2]。长期以来世界各国开展了许多有关土壤侵蚀的研究工作。我国是世界上土壤侵蚀最严重的国家之一,近十多年来,尽管在土壤侵蚀综合治理方面做出了很大努力,取得了举世瞩目的成就,但由于环境条件限制再加上人为干扰,土壤侵蚀状况依然严峻。近年来不断的洪涝灾害,对水土保持工作提出了更高的要求。要查明土壤侵蚀现状及空间分布规律,回答什么地方侵蚀是严重的,强度如何等问题,多年来一直困扰着各级水土保持部门,迫切需要引进新的技术予以解决。而遥感与地理信息系统技术的发展,为从宏观研究土壤侵蚀提供了工具与可能性。以遥感为信息基础的土壤侵蚀研究,主要目的在于划分土壤侵蚀类型,把握与监测不同土壤侵蚀类型发生的数量和区域空间分布特点,以及侵蚀类型的空间变化规律,了解影响土壤侵蚀的环境要素及其相互关系,确定土壤侵蚀强度、分析侵蚀现象和防治措施,为科学、合理的区域开发提供科学依据,为土壤侵蚀强度研究和环境动态遥感监测奠定基础,同时土壤侵蚀的快速调查和动态监测也是水土保持工作的基础。

黄河流域,特别是黄土高原,作为我国生态环境最为脆弱的地区之一,严重恶化的生态环境已经成为当地社会经济可持续发展的极大障碍,日趋严重的沙漠化、水土流失以及水资源短缺等问题,使得土地生产力不断降低,甚至使土地资源遭到彻底破坏。黄土高原的生态环境问题主要是由自然因素和人类活动共同影响的结果,但日益强化的人类活动使得生态环境恶化不断加剧已是不争的事实。人类活动对环境的影响表现在很多方面,但对于黄土高原来说,其方式主要是不合理的土地利用,特别是陡坡地开垦,坡地一经开垦,原有的自然平衡遭到破坏,坡面能量及物质循环发生变化,使得地表水和土壤迁徙转化向灾害方向发展,导致严重的水土流失,结果使得土地利用方式成为引起水土流失的根本原因,坡耕地水土流失治理成为黄土高原生态环境恢复和农业可持续发展的关键。大面积的坡耕地退耕还林还草是创建黄土高原"山川秀美"的前提,是实现黄河流域生态环境良性循环的重要保证。令人欣慰的是,随着"数字黄河"和"数字水保"工程建设的逐步展开,通过现代科学技术,黄河流域的水土保持治理进入到一个新的阶段。目前,如何进行土壤侵蚀的快速调查已成为"数字黄河"和"数字水保"工程建设中信息采集的重点和难点。自20世纪70年代中期遥感技术最早在我国应用以来,由于在资源与环境调查、监测中具有强大的生命力,受到了各级政府及生产部门的高度重视,也引起了广大科技工作者和水土保持专家的极大兴趣。遥感技术在资源与环境调查与监测中的应用研究,由于其所具有的独特优势,通过遥感地学分析、解译调查和制图可以准确查明区域土壤侵蚀现状,与常规方法相比,土壤侵蚀遥感调查具有视阈广、信息量大、翔实可靠、成本低的特点,因而自20世纪80年代以来得到了迅猛的发展。然而,长期以来,基于遥感图像进行土壤侵蚀的识别一直是以人工解译为主的。这样既费时费力,又难以保证质量。而如何实现土壤侵蚀的自动识别一直是水土保持工作者梦寐以求的事。因此,本项目尝试性地开展土壤侵蚀自动识别系统的研究具有重要的意义。

随着计算机技术、遥感与地理信息系统技术的发展,从 20 世纪 80 年代开始,我国开展大范围的土壤侵蚀遥感研究。如我国分别于 80 年代末和 90 年代末开展了全国范围内的土壤侵蚀遥感调查。由于我国是土壤侵蚀最严重的国家之一,政府十分重视水土保持与土壤侵蚀的治理工作,并在《中华人民共和国水土保持法》中明确规定,为了加强对我国土壤侵蚀的保护和治理,必须对全国土壤侵蚀现状进行定期调查和发布土壤侵蚀状况。因此,大尺度土壤侵蚀遥感调查是一项例行性的重要工作。而目前土壤侵蚀遥感解译主要是通过人机交互式进行的,即在 GIS 软件支持下,由经验丰富的土壤侵蚀和遥感专业人员进行遥感信息全数字解译,这是一种通过人脑和电脑相结合,对计算机存储的遥感信息和人所掌握的知识、经验进行推理、判断的过程[9]。因此,目前的土壤侵蚀遥感调查普遍存在调查周期长、调查费用高、调查精度参差不齐等,而研究如何从遥感影像中快速提取土壤侵蚀信息,进行遥感影像土壤侵蚀的自动解译,成为一项迫切的任务。综观遥感和地理信息系统技术在土壤侵蚀研究中的发展历程,其方法可以概括为目视解译法、遥感光谱分析法、参数化遥感定量法和人机交互式解译法四种主要研究方法及其相互的混合。土壤侵蚀遥感信息自动识别提取是计算机根据土壤侵蚀类型 – 专家分类规则的支持下对区域遥感图像提取土壤侵蚀信息的自动识别过程。随着以后该算法的逐步完善,土地利用自动识别精度的提高,将会取得重大的经济效益和社会效益。首先,通过计算机对遥感图像进行自动处理及对土地利用信息进行提取,而后通过土壤侵蚀经验模型,通过信息复合,生成土壤侵蚀强度图,必将提高工作效率,节约大量的人力、物力,同时也可以达到对生态环境的真正实时监测;其次,运用现代信息技术,包括航空遥感、GIS 和网络技术对土壤侵蚀进行动态监测与灾情评估,与常规方法相比,无论是经济效益还是社会效益都是非常明显的,同时它具有的速度快、精度高、成本低的特点,是进行土地规划、生态环境评估的有效手段。

2.4.1 影响土壤侵蚀强度的主要土壤侵蚀因子提取

2.4.1.1 影响土壤侵蚀因子分析

影响土壤侵蚀的因素可分为两大类,即自然环境和人类的社会经济活动。其中自然环境是影响土壤侵蚀的根本因素,在土壤侵蚀中起决定性作用,而人为活动则属一般因素,起减缓或加剧作用。

1)主要自然环境因素分析

影响土壤侵蚀的自然环境因素主要有植被、表土类型、地形、降雨及地质因素等。

(1)植被。植被是影响土壤侵蚀的最主要因素。网状的植物根系可起到固持土壤的作用,使土壤的抗雨水冲刷能力得到增强;其密实的茎叶保护地表免于或减弱雨滴的直接击打。同时,它对雨水击打地表的缓冲作用有利于雨水下渗,从而减少地面径流量,保护土层免遭强烈冲蚀。因此,植被覆盖度越高的地方,同等条件下,其土壤侵蚀越轻微。

(2)表土类型。表土类型决定地表土的性状。不同性状的表土,其质地、结构、矿物成分等差异很大,表现在土壤侵蚀强度上有明显的差异。黄河流域广泛分布的厚层黄土状土,其结构疏松、质地较软,又具有湿陷性,故极易遭受降雨冲蚀。分布于山区的棕壤土,因其具有棕色黏化层,尽管结构较疏松,但仍具较好的抗冲蚀能力。另一类淡栗钙土,厚度大,含砂砾多,结构疏松,黏结力差,故其抗冲蚀能力很差。

(3)地形。地形对土壤侵蚀的影响主要表现在坡度和坡长两个方面。在一定坡度范围内,同等条件下,随着坡度增大,土壤侵蚀强度也增大。坡长对土壤侵蚀的影响,主要表现在坡长越长,其汇聚的地表径流量越大,土壤侵蚀也就越严重。

(4)降雨。大气降雨对土壤侵蚀的影响作用表现在降雨量大小、降雨过程和降雨形式。黄河流域多年平均降雨量偏少,且降雨主要集中于6~9月三个月内,其降雨过程多为历时短暂的暴雨。偏少的降雨量,导致该区土地干旱、疏松;强烈集中的季节性暴雨,为本区土壤侵蚀提供了强大动力。

(5)地质因素。地质因素主要指成土母岩和断裂发育密度,它们对土壤侵蚀的影响作用主要表现在提供松散物能力上。一般易风化岩石类型区以及断裂密度高的地区,其地表松散物丰厚,为土壤侵蚀的发生提供了物质基础。

2)人为影响因素分析

人为活动对土壤侵蚀的影响,在黄河流域主要表现在对生态环境的破坏而导致土壤侵蚀的加剧。如不合理的土地利用方式、草场过牧、樵采过度、采矿修路等。这些人为活动对土壤侵蚀的影响大都可以通过植被覆盖度、地表坡度、裸露松散物多少来间接体现。

2.4.1.2 影响土壤侵蚀主要因素确定

由于影响土壤侵蚀的因素非常多,影响机制又非常复杂。按类型可将这些因素分为两大类:自然因素和人类活动因素。这两大类别下又包括很多具体因子。韦中亚等对参加评价的12个因子与侵蚀强度及它们之间的相关性进行统计分析发现,土地覆盖、坡度分级、植被覆盖度与土壤侵蚀强度相关系数较大。因此土壤侵蚀模数的调查可以转化为对土地覆盖、地表坡度以及植被覆盖度等间接指标的调查。《全国土壤侵蚀遥感调查技术规程》规定,全国土壤侵蚀强度分级主要通过植被覆盖度、地表坡度、植被结构、地表组成物质、海拔高度、地貌类型等间接指标进行综合分析而实现,这些间接指标均可以通过陆地卫星影像、地形图结合相关成果资料等判读分析而获取。因此,土壤侵蚀遥感解译系统采用土地覆盖、地表坡度以及植被覆盖度等间接指标,通过数学建模来计算获取土壤侵蚀强度信息。而地面坡度图和植被覆盖度可以分别通过 DEM 自动生成和遥感影像计算生成,而土地覆盖信息则通过基于遥感影像综合理解模型的遥感影像分类来自动提取。

2.4.2 植被指数计算

所谓的植被指数(或绿波指数)就是由多光谱数据,经过线性和非线性组合构成的对植被有一定指示意义的各种数值,除了缨帽变换中的"绿度"组分能够指示植被特征外,近红外波段与可见光的一些简单的比值与差值组合也具有植被指示功能。

(1)归一化差值植被指数。归一化差值植被指数又称为标准化植被指数,它被定义为近红外波段与可见光波段的数值之差与这两个波段数值之和的比值。对于 MSS 图像,标准化植被指数的计算公式为:

$$ND = \frac{MSS7 - MSS5}{MSS7 + MSS5} \tag{2-6}$$

式中　ND——标准化植被指数;

　　　$MSS5$、$MSS7$——MSS 传感器的两个通道数据。

(2)比值植被指数。比值植被指数被定义为近红外波段与可见光红光波段的比值。例如对于陆地卫星的 *MSS* 数据,比值植被指数的计算公式为:

$$ND = \frac{MSS7}{MSS5}$$

(3)环境植被指数。环境植被指数被定义为近红外波段与可见光波段数据的差值。例如陆地卫星 MSS 图像的环境植被指数计算公式为:

$$ND = MSS7 - MSS5$$

当采用 NOAA AVHRR 图像数据时,第一通道相当于红波段,第二通道相当于近红外波段;当利用陆地卫星 TM 数据时,第三通道相当于红波段,第四通道相当于近红外波段。利用像 AVHRR、MODIS、SPOT4-VEGETATION、SeaWiFS 和 GLI 等这些中低分辨率的传感器进行观测时,由于太阳光照角度和观测视角以及云的条件的变化等,因此得到的是来自地表的双向反射率信息。而要构造植被质数的季节性的时间曲线,需要把给定时间段内的几张植被指数图像合成为一张晴空的植被指数图,并要使大气效应和角度效应的影响最小。目前,人们所接受的 AVHRR-NDVI 合成产品处理方法是最大值合成方法(MVC),该方法通过云检测、质量检查等步骤后,逐像元比较 NDVI 图像并选取最大的 NDVI 值为合成后的 NDVI 值。一般人们认为 MVC 倾向于选择最"晴空"的(最小光学路径)、最接近于星下点和太阳天顶角最小的像元。

2.4.3 地形坡度信息计算

在土壤侵蚀遥感自动识别中,高程、坡度、坡向等地形要素的计算来自于 DEM 数据。DEM 数据可以来源于已有的数字化的高程数据,也可以来自于地理底图的数字化,也可以是对地形图进行直接数字化输入。目前通用的 DEM 的空间分辨率主要有 1:100 万、1:50 万、1:25 万、1:10 万、1:5 万和 1:1 万。高程数据、坡度数据和坡向数据均由 DEM 数据生成。可以利用 ARCINFO 等软件实现这些功能。

利用栅格 DEM 数据,可以生成坡度、坡向等级图。假定函数 $F(x, y, z)$ 定义的曲面为整个研究区域的地形曲面,其上定义一切点 $A(x_0, y_0, z_0)$,通过该切点 A,可以定义坡度、坡向等地形属性。点 A 处的切面方程为:

$$(\partial F / \partial x)|_{x - x_0}(x - x_0) + (\partial F / \partial y)|_{y - y_0}(y - y_0) + (\partial F / \partial z)|_{z - z_0}(z - z_0) = 0$$

设
$$a = (\partial F / \partial x)|_{x - x_0}; b = (\partial F / \partial y)|_{y - y_0}; d = (\partial F / \partial z)|_{z - z_0}$$

则切点 A 处的切平面方程为:

$$a(x - x_0) + b(y - y_0) + d(z - z_0) = 0$$

令 $c = -ax_0 - bx_0 - dz_0$,则切平面方程又可写为 $ax + by + dz + c = 0$。

当 DEM 为正方形栅格时,切平面与通过切点 A 的水平面($z = 0$)间的交角即为最大坡度角,其值由下式计算:

$$\cos(\alpha) = \left| \frac{d}{\sqrt{a^2 + b^2 + c^2}} \right|, \quad \tan(\alpha) = \left| \frac{\sqrt{a^2 + b^2}}{d} \right|$$

切点 A 处的坡向为通过该切点切平面的切线在水平投影面内投影线的方向与正北方向的夹角,用顺时针自北进行度量的坡向可以表示为:

$$\beta = 180 - \arctan(b / a) + 90(\alpha / |a|)$$

将产生的坡度信息进行分级,即可作为一个地学因子进行土壤侵蚀强度的计算。

2.4.4 土壤侵蚀强度信息计算

土壤侵蚀强度是指地壳表层土壤在自然营力(水力、风力、重力及冻融等)和人类活动综合作用下,单位面积和单位时段内被剥蚀并发生位移的土壤侵蚀量。土壤侵蚀强度的强弱通常用土壤侵蚀模数来表示。考虑到全黄河流域大部分地区还难以获取足够的侵蚀模数,只能通过间接方式来获取土壤侵蚀强度信息。

目前,土壤侵蚀强度信息的自动识别提取是自动解译系统建设的难点,也是当前国际遥感界研究的难点。土壤侵蚀强度等级的生成主要是通过人机交互图像判读生成。而在进行人工判定时则主要是根据表 2-1、表 2-2、表 2-3 等进行判定。鉴于以上分析,土壤侵蚀遥感解译系统通过采用目前水利部较为成熟的判定模型,即二要素法来确定土壤侵蚀强度信息。在进行侵蚀强度等级的判定时,根据表 2-1,通过地面坡度信息、土地利用类型信息和植被覆盖信息来自动生成土壤侵蚀强度信息。因此,基于专家分类功能,可以将侵蚀强度分级图的生成转为生成地面坡度图、土地利用图和植被覆盖度图来求解。其中,地面坡度图和植被覆盖度图可以分别通过 DEM 自动生成和遥感影像的计算生成,而土地利用则通过前面基于专家知识的遥感影像综合理解模型来自动提取。

表 2-1 二要素法确定土壤侵蚀强度等级

植被等级		坡度等级				
		2	3	4	5	6
非耕地	1	1	1	1	2	2	3
	2	1	1	2	2	3	3
	3	1	2	2	3	3	4
	4	2	2	3	3	4	5
	5	2	3	3	4	5	6
坡耕地		1	2	3	4	5	6

表 2-2 水力侵蚀沟蚀分级指标

分级	沟壑密度(km/km²)	沟谷面积(%)
1 微度	< 1	< 10
2 轻度	1 ~ 2	10 ~ 15
3 中度	2 ~ 3	15 ~ 20
4 强度	3 ~ 5	20 ~ 30
5 极强度	5 ~ 7	30 ~ 40
6 剧烈	> 7	> 40

表 2-3　风力侵蚀型侵蚀强度分级

级 别	床面形态 (地表形态)	植被覆盖度(%) (非流沙面积)	侵蚀模数 (t/(km²·a))
1 微度	固定沙丘,沙地和滩地	>70	<200
2 轻度	固定沙丘,半固定沙丘,沙地	70~50	200~2 500
3 中度	半固定沙丘,沙地	50~30	2 500~5 000
4 强度	半固定沙丘,流动沙丘,沙地	30~10	5 000~8 000
5 极强度	流动沙丘,沙地	<10	8 000~15 000
6 剧烈	大片流动沙丘	<10	>15 000

2.5　土地利用/土地覆盖信息与土壤侵蚀强度信息自动提取试验——以孤山川流域为例

2.5.1　孤山川流域土地利用/土地覆盖信息与土壤侵蚀强度信息自动提取

　　选用 1987 年和 1997 年的两景孤山川流域的遥感图像进行土地利用/土地覆盖信息与土壤侵蚀信息提取试验。图 2-11 和图 2-14 分别为 1997 年和 1987 年孤山川部分流域 TM5 波段、TM4 波段与 TM3 波段假彩色合成影像,该影像为经过影像的几何纠正、影像增强与滤波处理后的结果。首先引入地形因子,包括 DEM(图 2-19)、坡度信息(图 2-20)等,经过基于遥感影像综合理解模型的专家知识分类,由于地形复杂、遥感影像分辨率较低,故按土地利用分为四类,分类结果如图 2-12、图 2-15 所示,经过分类结果的优化处理,即经过面积滤波与数学形态学滤波,合并细小图斑,得土地利用提取最终结果图 2-13、图 2-16。而后导入孤山川流域 1997 年与 1987 年植被覆盖分级图(图 2-17、图 2-18)、坡度等级图(图 2-20),依据土壤侵蚀强度模型进行土壤侵蚀计算,得 1987 年与 1997 年土壤侵蚀强度等级(图 2-21、图 2-22),土壤侵蚀强度随颜色加深而递增,共分为 6 级。图 2-23 为 10 年来土壤侵蚀强度的变化,可以看出,大部分区域土壤侵蚀强度变化不大,部分区域土壤侵蚀增加一等级,也有部分区域土壤侵蚀强度减少一到两个等级。

图 2-11　1997 年孤山川区域原始遥感影像

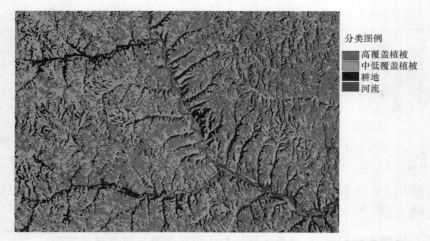

分类图例
高覆盖植被
中低覆盖植被
耕地
河流

图 2-12　1997 年影像经过面积滤波与数学形态学滤波前的分类影像

分类图例
高覆盖植被
中低覆盖植被
耕地
河流

图 2-13　1997 年影像经过面积滤波与数学形态学滤波后的分类影像

图 2-14　1987 年孤山川原始遥感影像

分类图例

██ 高覆盖植被
██ 中低覆盖植被
██ 耕地
██ 河流

图 2-15　1987 年影像经过面积滤波与数学形态学滤波前的分类影像

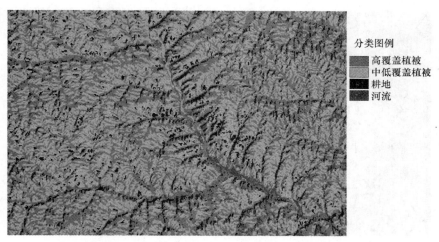

分类图例

██ 高覆盖植被
██ 中低覆盖植被
██ 耕地
██ 河流

图 2-16　1987 年影像经过面积滤波与数学形态学滤波后的分类影像

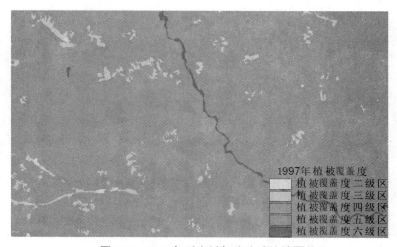

1997年植被覆盖度

植被覆盖度二级区
植被覆盖度三级区
植被覆盖度四级区
植被覆盖度五级区
植被覆盖度六级区

图 2-17　1997 年孤山川部分流域植被覆盖图

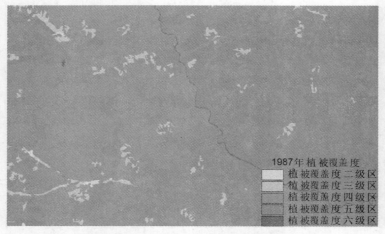

1987年植被覆盖度
植被覆盖度二级区
植被覆盖度三级区
植被覆盖度四级区
植被覆盖度五级区
植被覆盖度六级区

图 2-18 1987 年孤山川部分流域植被覆盖图

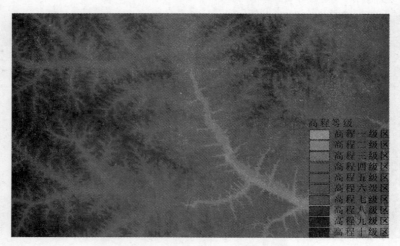

高程等级
高程一级区
高程二级区
高程三级区
高程四级区
高程五级区
高程六级区
高程七级区
高程八级区
高程九级区
高程十级区

图 2-19 孤山川部分流域高程等级图

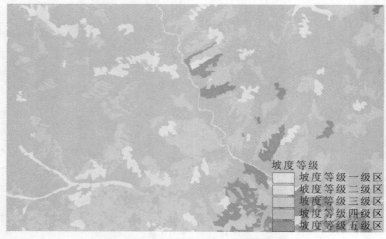

坡度等级
坡度等级一级区
坡度等级二级区
坡度等级三级区
坡度等级四级区
坡度等级五级区

图 2-20 孤山川部分流域坡度等级图

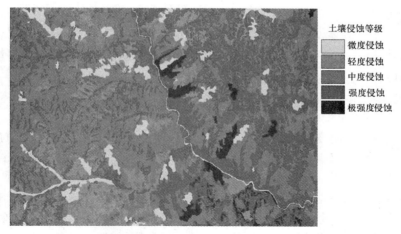

图 2-21　基于遥感影像解译的 1997 年孤山川区域土壤侵蚀强度图

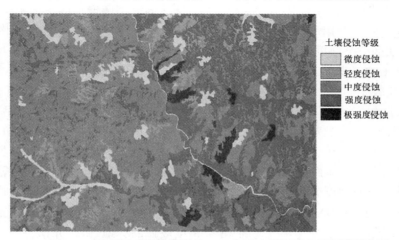

图 2-22　基于遥感影像解译的 1987 年孤山川区域土壤侵蚀强度图

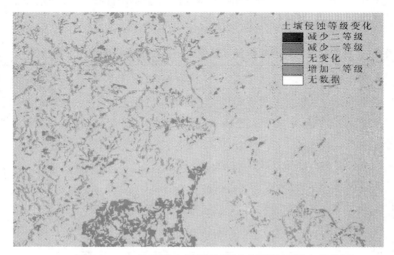

图 2-23　10 年间孤山川部分区域土壤侵蚀强度变化图

2.5.2 试验精度分析

精度分析是遥感影像分类过程中一项不可缺少的工作,通过精度分析,能够确定选择的分类模型的有效性,改进分类模型,同时也为使用者定量获取了分类结果的可靠性。但精度分析过程中,不可能选择所有的像元进行检验,只能通过抽样的方法,选取一定数量的样本来作检验。精度分析过程中涉及到许多理论与方法,如精度的表示与计算、样本的数量以及抽样方法、结果检验方法等。

土壤侵蚀遥感解译精度检验,考虑到区域土壤侵蚀量的数据获取具有一定的困难,同时基于两要素法模型计算生成土壤侵蚀具有一定的模型误差,故暂不以土壤侵蚀结果作为精度检验的标准。由于土地利用数据从遥感影像和实地采样可以很容易获取,选用相对易于获取的土地利用数据作为精度检验标准。本次试验则以孤山川流域基于航片的人工解译土地利用结果作为标准土地利用分类结果,同时结合航空影像进行精度检验,在标准土地利用分类结果上随机选取 500 个点记录其土地利用类型,在相应位置上读出基于遥感影像综合理解模型的分类图像与基于最大似然法的分类图像上的土地利用/土地覆盖分类类型,进行土地利用/土地覆盖类型对比,统计其结果得表 2-4 和表 2-5。图 2-24 为基于最大似然法的分类结果和基于遥感影像综合理解模型的分类结果,两图像比较可以看出,对于最大似然分类法,由于仅仅依靠遥感影像的光谱特征进行地物分类,当两类地物的光谱特征比较相似时,由于在遥感影像上光谱特征比较相近,最大似然法便不能很好的区分。而基于遥感影像综合理解模型,通过纳入地形地貌数据,经过知识规则推理判决,使得分类影像有很大改观。从表 2-4 和表 2-5 计算出的样本综合分类精度可以看出,基于遥感影像综合理解模型的总分类精度为 67%,而基于最大似然法的总分类精度为 60%,基于遥感影像综合理解模型的分类方法要优于基于最大似然法的分类方法。同时对各土地利用类型的精度分析可以看出,土地利用类型为水域的分类精度最高,其 CE(Commission Errors)和 OE(Omission Errors)分别为 90% 和 100%,这主要由于该土地利用类型在遥感影像上反映明显,分类精度较高;分类精度较低的林地,由于光谱特征与草地类似,分类精度较低,但通过引入地形辅助信息,通过专家规则推理,使得基于遥感影像综合理解模型的分类精度要高于基于最大似然法的分类精度。

表 2-4　检验样本的误差矩阵及其精度——基于遥感影像综合理解模型

项目	耕地	林地	草地	水域	未利用地	行之和	CE(%)
耕地	102	11	9	0	6	128	80
林地	28	49	5	0	4	86	57
草地	42	11	96	0	19	168	57
水域	0	0	0	18	1	19	90
未利用地	22	0	7	0	70	99	71
列之和	194	71	117	18	100	500	
OE(%)	53	69	82	100	70		

注:总分对率67%。

表 2-5　检验样本的误差矩阵及其精度——基于最大似然分类法

项目	耕地	林地	草地	水域	未利用地	行之和	CE(%)
耕地	99	3	18	0	15	135	73
林地	33	53	10	0	11	107	50
草地	62	1	81	0	10	154	53
水域	1	0	0	16	1	18	89
未利用地	28	3	3	1	51	86	59
列之和	223	60	112	17	88	500	
OE(%)	44	88	72	94	59		

注:总分对率60%。

图 2-24　基于最大似然(左)法与基于遥感影像综合理解模型(右)分类影像对比

从以上分析也可以看出,仅仅通过纳入地形辅助信息,就使得基于遥感影像综合理解模型的分类精度比基于最大似然法的分类精度高出 7%,但如果能够得到精度可靠、数量充足的地学辅助信息,通过建立合理的专家知识规则,使得规则能够准确表达出地学辅助信息作用于土地利用/土地覆盖类型的规律,则基于遥感影像综合理解模型的分类精度可以得到更大提高。如通过纳入以前的土地利用/土地覆盖信息作为参考信息,可望使得基于遥感影像综合理解模型的土地利用/土地覆盖分类精度达到较高的精度。

2.6　本章小结

本章从遥感影像理解模型出发,探讨了遥感信息的知识发现、特征提取问题,特别针对土地利用/土地覆盖和土壤侵蚀研究领域,对土地利用/土地覆盖信息和土壤侵蚀强度信息的自动识别、特征提取进行了深入研究,提出了纳入 GIS 信息的遥感影像综合理解模型,基于该模型,开发了相应软件系统,对土地利用/土地覆盖信息与土壤侵蚀信息进行自动识别与提取。通过本章的研究,可得出以下结论:

(1)遥感影像理解的研究仍处于发展中,各种新方法新工具不断引入到分类系统中,但各种方法各有其优缺点及适用条件,目前构造的纳入 GIS 信息的遥感影像综合理解模型,由于引入地学辅助信息以及专家规则,通过各种地学信息的融合,有望提高影像理解的精度。

（2）在遥感影像理解过程中，针对影像的光谱特征进行空间直方图调整，使得从遥感影像上获取的地物光谱特征更具有针对性，减少地物影像特征的相互混淆，从而能有效地提高影像理解精度。该方法具有操作简单、高效的特点，对于地物反差较大的区域，不失为一种比较好的方法。

（3）基于数学形态学的分类结果优化，具有简单易用、效果明显的特点。当前，基于数学形态学、小波理论、分形理论在图像处理的应用应该引起重视，有必要深入研究。

（4）选择孤山川流域的原始遥感影像为例，通过选择最大似然分类法和基于遥感影像综合理解模型的分类法进行分类比较，可以发现，基于遥感影像综合理解模型的分类法可以很好地区分一些在最大似然分类法中难以区分的地物类别，从而提高影像理解的精度。

（5）基于遥感影像综合理解模型进行遥感影像理解，其理解精度与选择的地学辅助信息的多少以及是否具有针对性有关，也与构筑的专家知识规则的好坏有关，通过选择具有针对性的地学辅助信息，同时构筑较好的专家知识库，可以显著提高影像理解精度，从而该模型具有很大的实用性。

（6）进行土地利用/土地覆盖变化与水土保持监测研究，一般研究区域较大，信息获取较难，若通过人工进行判读解译，需要消耗大量的人力、物力，同时判读周期较长，精度参差不齐。所以，从长期的遥感变化监测来看，必须走遥感影像半自动与自动解译之路，通过遥感影像的自动判读，来及时发现变化区，进行土地利用/土地覆盖变化与水土保持的快速监测。

参 考 文 献

[1] 周成虎,骆剑承,杨晓梅,等.遥感影像地学理解与分析.北京:科学出版社,1999

[2] 陈述彭,童庆禧,郭华东.遥感信息机理研究.北京:科学出版社,1998

[3] 陈述彭,赵英时.遥感地学分析.北京:测绘出版社,1990

[4] 李德仁,关泽群.将 GIS 数据直接纳入到图像处理.武汉测绘科技大学学报,1999,24(1)

[5] Peter M.A,Nicholas J.Tate.Advances in Remote Sensing and GIS Analysis.*JOHN WILEY & SONS*,1999

[6] John A.Richards,Xiuping Jia.Remote Sensing Digital Image Analysis.SPRINGER,1998

[7] 朱长青.小波分析理论与影像分析.北京:测绘出版社,1998

[8] 刘咏梅,杨勤科,温仲明.地形复杂地区遥感图像分类方法应用研究——以黄土丘陵沟壑地区坡耕地遥感调查为例.水土保持通报,2003,23(4)

[9] 术洪磊,毛赞猷.GIS辅助下的基于知识的遥感影像分类方法研究——以土地覆盖/土地利用类型为例.测绘学报,1997,26(4)

[10] 甘甫平,王润生,王永江,等.基于遥感技术的土地利用与土地覆盖的分类方法.国土资源遥感,1999,4(4)

[11] 骆剑承,梁怡,周成虎.基于尺度空间的分层聚类方法及其在遥感影像分类中的应用.测绘学报,1999,28(4)

[12] 梁益同,胡江林.NOAA卫星图像神经网络分类方法的探讨.武汉测绘科技大学学报,2000,25(2)

[13] 黄宁,朱敏慧,张守融.一种采用高斯隐马尔可夫随机场模型的遥感图像分类算法.电子与信息

学报,2003,25(1)

[14] 冯春,陈建平.土地利用/土地覆盖研究中遥感图像分类精度的提高方法.地理与地理信息科学,2003,19(3)

[15] 孙炜,王耀南,毛建旭.基于模糊小脑模型神经网络的遥感图像分类算法.测绘学报,2002,31(4)

[16] 邸凯昌,李德仁,李德毅.基于空间数据挖掘的遥感图像分类方法研究.武汉测绘科技大学学报,2000,25(1)

[17] Michael J. Hill, Peter J. Vickery, E. Peter Furnival et al. Pasture land cover in eastern Australia from NOAA-AVHRR NDVI and classified Landsat TM. *Remote Sensing of Environment*, 1999, 67:32 ~ 50

[18] Brian M. Steele. Combining multiple classifiers: an application using spatial and remotely sensed information for land cover type mapping. *Remote Sensing of Environment*, 2000, 74:545 ~ 556

[19] Stuart Barr, Michael Barnsley. Reducing structural clutter in land cover classification of high spatial resolution remotely-sensed images for urban land use mapping. *Computers & Geosciences*, 2000, 26:433 ~ 449

[20] A. Gobin, P. Campling, J. Feyen. Logistic modeling to identify and monitor local land management systems. *Agricultural Systems*, 2001, 67:1 ~ 20

[21] Urmas Peterson, Raivo Aunap. Changes in agricultural land use in Estonia in the 1990s detected with multitemporal landsat MSS imagery. *Landscape and Urban Planing*, 1998, 41:193 ~ 201

[22] John A. Kupfer, Scott B. Franklin. Evaluation of an ecological land type classification system, Natchez trace state forest, western Tennessee, USA. *Landscape and Urban Planning*, 2000, 49:179 ~ 190

[23] Douglas K. Mclver, Mark A. Friedl. Estimating pixel-scale land cover classification confidence using nonparametric machine learning methods. *IEEE Transactions on Geoscience and Remote Sensing*, 2001, 39(9):1959 ~ 1967

[24] Frangju Wang. A knowledge-based vision system for detecting land changes at urban fringes. *IEEE Transactions on Geoscience and Remote Sensing*, 1993, 31(1):136 ~ 145

第3章 黄河流域土地利用/土地覆盖变化分析

随着全球变化研究的深入和发展,作为地球表层系统最重要的景观——土地利用与土地覆盖(Land Use and Land Cover),其演变研究日益成为全球变化研究的热点和前沿课题。1995年国际地圈－生物圈计划(IGBP)和全球环境变化中的人文领域计划(HDP)联合提出了"土地利用和土地覆盖变化(Land Use and Land Cover Change, LUCC)"研究计划,更引起了各国科学家的关注与支持。由于目前对于土地利用/土地覆被变化的机理还不是十分了解,只能从土地利用/土地覆被空间格局及其变化过程的表象出发,通过对外部特征进行多尺度的图谱运算,即通过变化过程来研究土地利用/土地覆被变化及其环境因素之间的规律性的空间关系,为土地利用/土地覆被变化的驱动力诊断与机理模型的构建提供依据。

3.1 黄河流域土地利用/土地覆盖变化的数据基础

3.1.1 数据获取及处理方法

所使用的数据来源于中国资源环境数据库,计有反映黄河流域20世纪80年代后期、90年代中期、90年代末期土地利用的1:10万土地利用数据以及反映黄河流域其他地理信息的数据,如黄河流域地形地貌数据、分省分县行政界限数据以及气象统计数据等。所有土地利用数据都是通过对 LANDSAT TM 图像进行目视判读得到的,在判读过程中,充分利用了如地形地貌图等辅助数据,并进行了实地勘察。

以上几种数据均被整合到统一的坐标系和投影下。所采用的投影为等面积割圆锥投影,并采用统一的中央经线和双标准纬线,中央经线为东经105°,双标准纬线分别为北纬25°和北纬47°,所采用的椭球体为 KRASOVSKY 椭球体。在 ArcGIS 软件环境下,所有数据都被统一栅格化成 100 m × 100 m 的 GRID 数据。

3.1.2 土地利用/土地覆盖数据的分类方案

为了便于进行空间数据之间的地图代数运算和编码重组与提炼、综合,能够在空间上反映出各类土地利用时序变化情况,根据全国《土地利用现状调查技术规程》和土地的用途、经营特点、利用方式和覆盖特征等因素作为土地利用的分类依据,区分差异性,归纳共同性,从高级到低级逐级划分,将土地利用类型分耕地、林地、草地、水域、城乡工矿居民用地和未利用土地共6个一级类型和24个二级类型[1]。该方案与目前中国资源环境数据库中全国土地利用遥感调查分类方案稍有不同,主要考虑到黄河流域土地利用/土地覆盖变化的特殊情况,将部分二级类型进行了新组合,最后综合成6类一级分类编码(表3-1)。

3.1.3 土地利用/土地覆盖变化图谱合成与图谱重建

土地利用/土地覆被系列图谱的生成大体包括几个步骤[2~5]:采样数据的获取、数据编码、空间·属性·过程一体化数据、数据提取、图谱重构、模式提取等。

表 3-1　黄河流域土地利用/土地覆盖分类方案

一级分类	二级分类
1 耕地:指种植农作物的土地,包括熟耕地、新开荒地、休闲地、轮歇地、草田轮作地;以种植农作物为主的农果、农桑、农林用地;耕种三年以上的滩地和海涂。	11 水田:指有水源保证和灌溉设施,在一般年景能正常灌溉,用以种植水稻、莲藕等水生农作物的耕地,包括实行水稻和旱地作物轮种的耕地。
	12 旱地:指无灌溉水源及设施,靠天然降水生长作物的耕地;有水源和浇灌设施,在一般年景下能正常灌溉的旱作物耕地;以种菜为主的耕地;正常轮作的休闲地和轮歇地。
2 林地:指生长乔木、灌木、竹类以及沿海红树林地等林业用地。	21 有林地:指郁闭度 >30% 的天然林和人工林。包括用材林、经济林、防护林等成片林地。
	22 灌木林地:指郁闭度 >40%、高度在 2 m 以下的矮林地和灌丛林地。
	23 疏林地:指郁闭度为 10% ~ 30% 的稀疏林地。
	24 其他林地:指未成林造林地、迹地、苗圃及各类园地(果园、桑园、茶园、热作林园等)。
3 草地:指以生长草本植物为主、覆盖度在 5% 以上的各类草地,包括以牧为主的灌丛草地和郁闭度在 10% 以下的疏林草地。	31 高覆盖度草地:指覆盖度 >50% 的天然草地、改良草地和割草地。此类草地一般水分条件较好,草被生长茂密。
	32 中覆盖度草地:指覆盖度在 20% ~ 50% 的天然草地和改良草地。此类草地一般水分不足,草被较稀疏。
	33 低覆盖度草地:指覆盖度在 5% ~ 20% 的天然草地。此类草地水分缺乏,草被稀疏,牧业利用条件差。
4 水域:指天然陆地水域和水利设施用地。	41 河渠:指天然形成或人工开挖的河流及主干渠常年水位以下的土地。人工渠包括堤岸。
	42 湖泊:指天然形成的积水区常年水位以下的土地。
	43 水库、坑塘:指人工修建的蓄水区常年水位以下的土地。
	44 冰川和永久积雪地:指常年被冰川和积雪覆盖的土地。
	45 滩地:指河、湖水域平水期水位与洪水期水位之间的土地。
5 城乡、工矿、居民用地:指城乡居民点及其以外的工矿、交通等用地。	51 城镇用地:指大城市、中等城市、小城市及县镇以上的建成区用地。
	52 农村居民点用地:指镇以下的居民点用地。
	53 工交建设用地:指独立于各级居民点以外的厂矿、大型工业区、油田、盐场、采石场等用地,以及交通道路、机场、码头及特殊用地。
6 未利用土地:目前还未利用的土地,包括难利用的土地。	61 沙地:指地表为沙覆盖、植被覆盖度在 5% 以下的土地,包括沙漠,不包括水系中的沙滩。
	62 戈壁:指地表以碎石为主、植被覆盖度在 5% 以下的土地。
	63 盐碱地:地表盐碱聚集,植被稀少,只能生长强耐盐碱植物的土地。
	64 沼泽地:指地势平坦低洼、排水不畅、长期潮湿、季节性积水或常年积水,表层生长湿生植物的土地。
	65 裸土地:指地表土质覆盖,植被覆盖度在 5% 以下的土地。
	66 裸岩石砾地:指地表为岩石或石砾,其覆盖面积 >50% 的土地。
	67 其他:指其他未利用土地,包括高寒荒漠、苔原等。

图谱单元的合成与图谱单元的重组,是土地利用/土地覆盖图谱研究进行的基础。因图谱单元是在特定时空尺度下,由具有"相对均质"意义的空间地域单元和时序单元复合而成的"空间·属性·过程一体化数据",所以,对于地域空间和地理过程的"相对均质"的分割是生成图谱单元的关键。本节采用规格网格法,在 ArcGIS 的 GRID 模块中生成均质"空间单元",通过分析社会、经济属性数据确定了三个时序单元。

首先,在 ArcGIS 中,将经过统一投影、标准化后的 3 期土地利用采样数据全部转化为栅格数据,格网单元大小设定为 100 m(原来就是栅格数据的,需要进行重采样,将所有数据的空间分辨率都统一为 100 m × 100 m),其中每个格网单元(CELL)的属性值(VALUE)都是惟一的一个两位数,代表各采样时刻的土地利用/土地覆被类型,其含义见表 3-1。这是图谱运算的数据基础。

其次,图谱单元类型是由每个空间单元的属性值决定的,属性值不同,则图谱单元类型就不同,因为它代表了不同的土地利用变化过程。为了有效地把握土地利用变化的时空演变模式,进一步综合图谱信息、弱化冗余信息,需要将各期土地利用图谱中的图谱单元进行重新分类和综合,进一步提取土地利用类型之间的转化信息,以便更直接地把握土地利用变化的走向或者趋势。土地利用的变化包括两个方面:一是转入(Input),即由其他用地类型转移到本用地类型的部分;二是转出(Output),即本用地类型除了"自留地"外,转移到其他用地类型的部分。上述两类"转移"方式都可以独立地对研究区空间进行完整的分割,它们之间是彼此不能兼容的。所以,为了全面了解土地利用"转移"情况,就需要将图谱单元设定为两个"转移"系列,一个是增长"转移"系列(即"转入"),一个是萎缩"转移"系列(即"转出")。通过设定分类原则,建立重映射表,相应地创建出这两个系列的图谱。

分类的原则非常简单,对 LTP 增长图谱系列而言,就是将所有其他土地利用类型转入 X 类的部分都归并为新增 X 类中;对 WTP 萎缩图谱系列而言,就是将 X 类中除了自身不变的那部分外,所有转移到其他用地类型的部分都归并为萎缩 X 类中。这其中可以对部分不合理的个别用地类型的转移进行调整,将其设定为"不变类型"。

3.1.4 黄河流域土地利用/土地覆盖变化的基本特点

图 3-1 为 20 世纪 80 年代末期、90 年代中期、90 年代末期黄河流域土地利用分布图,从图中可以看出:黄河流域土地利用分布主要以草地为主,占该区土地利用总面积的 47.9%;耕地主要分布在黄河流域的中南部地区,主要以旱耕地为主,占全区域总面积的 26.6%;林地主要分布在黄河流域东南部地区,占全区域总面积的 13.03%;未利用地则多分布于黄河流域东北部地区,主要以沙漠化土地为主,占全区域总面积的 8.67%。图 3-2、图 3-3、图 3-4 为 80 年代末期到 90 年代末期黄河流域土地利用增减势图谱及变化统计图,可以看出:近 10 年来黄河流域草地有大面积减少,共减少 46 万 hm²,主要分布于内蒙古与宁夏两个自治区内;林地也有减少,而耕地面积相应增加了 28 万 hm²,建设用地增加了 13 万 hm²,未利用地增加了 11 万 hm²。由此可见,草地的减少,除大部分开垦为耕地外,也有不少转化为沙漠化土地,可见保护黄河流域的生态环境任重而道远。

3.1.5 黄河流域土地利用/土地覆盖空间格局变化

黄河流域土地利用空间格局分布特征的研究是基于前面生成的土地利用栅格数据库

的基础上,在 ArcGIS 软件支持下,按土地利用分类信息对土地利用栅格数据库进行分层提取,分别生成耕地、林地、草地、水域、建设用地和未利用地 1 km 栅格数据,其中每一栅格像元代表了该种土地利用类型在整个土地利用类型所占百分比的高低。

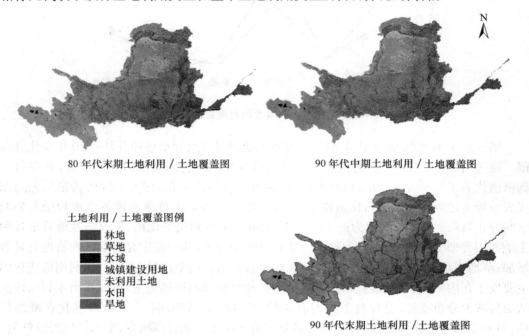

图 3-1 黄河流域不同时期土地利用分布图

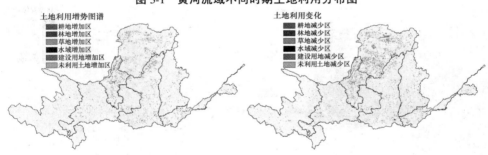

图 3-2 近 10 年黄河流域土地利用变化增减势图

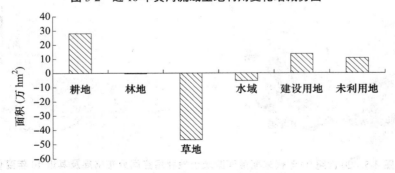

图 3-3 近 10 年黄河流域土地利用变化统计

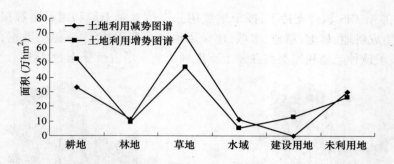

图 3-4　近 10 年黄河流域土地利用变化增减量统计

　　图 3-5 为 20 世纪 90 年代末期黄河流域土地利用空间分布格局及其近 10 年变化分布图。通过图 3-5 左图可以清楚地看出黄河流域各种土地利用类型的分布特征,其中每一栅格值代表了每平方千米的面积该种土地利用类型所占面积百分比,因而栅格颜色越深代表该种土地利用类型所占比重越大,从而可以清楚地看出黄河流域各土地利用类型的空间分布格局。图 3-5 右图为近 10 年黄河流域各土地利用变化图,可以清楚地看出各种土地利用类型变化的百分数,如耕地的变化以增加为主,其中在宁夏自治区内耕地有显著增加;草地变化也较为剧烈,特别在宁夏、内蒙古自治区内草地显著减少;未利用地变化则主要发生在内蒙古自治区内,未利用地主要以沙漠化未利用地为主,可以看出未利用地的增加与减少分布凌乱,也反映了人类活动对沙漠化土地的影响,一方面沙漠化在继续扩展,另一方面通过积极采取治理措施,部分区域沙漠化土地得以减少,生态环境得以恢复。

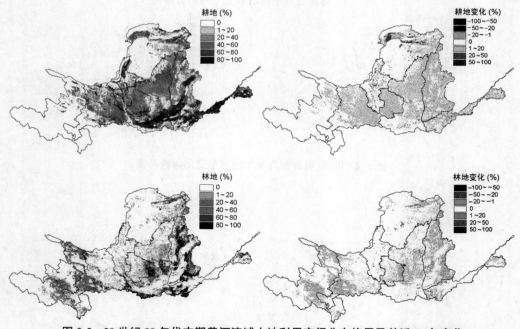

图 3-5　20 世纪 90 年代末期黄河流域土地利用空间分布格局及其近 10 年变化

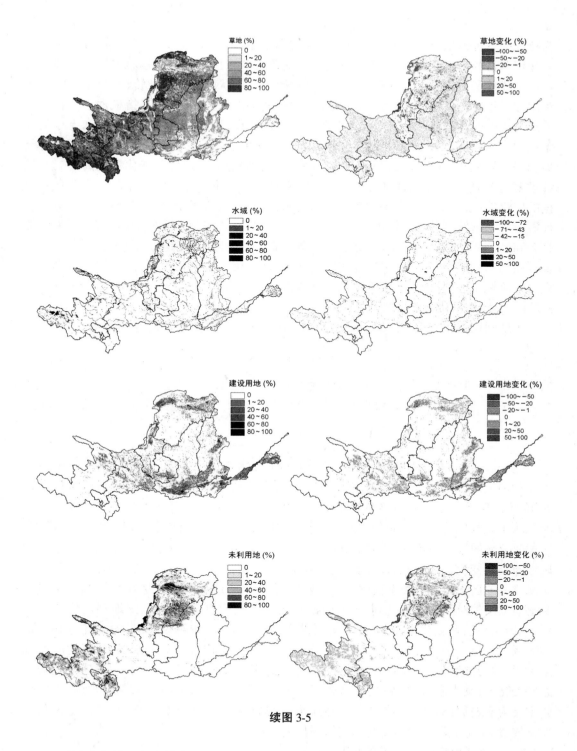

续图 3-5

3.2 黄河流域土地利用/土地覆盖变化建模分析

由于土地利用/土地覆盖的变化涉及因素繁多,过程错综复杂,因而以简化和抽象化为特征的各种模型对于理解和预测土地利用和土地覆盖的格局具有不可替代的作用[6]。其作用和目的可以概括为:对土地利用和土地覆被变化情况进行描述、解释、预测和制定对策。描述是指对土地利用和土地覆被变化历史及现状的反映与评价;解释是阐明土地利用和土地覆被格局与其社会和自然驱动力之间的因果关系;预测是指根据土地利用和土地覆被的变化规律及对自然和社会条件所作的假设,推断未来的土地利用和土地覆被状况;制定对策则是根据一定的标准和诸如环境保护、效率、社会公平等社会目标,进行土地利用规划和制定政策。20 世纪 90 年代以来,土地利用/土地覆盖变化模型的发展有三种重要的趋势[7]:一是时间动态模拟与空间格局分析和地理信息系统相结合;二是遥感数据的广泛使用,由于遥感数据的客观性和高时空分辨率,其对于辨别和分析土地利用/土地覆盖越来越发挥着重要作用;三是自然要素和社会、经济及人文要素的综合,因为人类社会和经济活动是近现代土地利用/土地覆盖变化的最根本的推动力。因此,通过建立土地利用动态度模型、土地利用程度演变模型、土地利用重心变化模型等,来定性与定量研究黄河流域土地利用/土地覆盖变化信息图谱。

3.2.1　土地利用动态度模型

土地利用变化速率的区域差异可以用土地利用动态度模型来表述,即

$$S = \sum_{ij}^{n} (S_{i-j}/S_i) \times 100 \times 1/t \times 100\% \tag{3-1}$$

式中　S_i——监测开始时间第 i 类土地利用类型总面积;

　　　S_{i-j}——由监测开始到监测结束时段内第 i 类土地利用类型转化为其他类土地利用类型面积总和;

　　　t——时间段;

　　　S——与 t 时段对应的研究样区土地利用变化速率,为研究方便,将其扩大 100 倍。

利用土地利用动态度模型分析土地利用类型的动态变化,可以真实地反映区域土地利用/土地覆盖中土地利用类型的变化剧烈程度。图 3-6 为以县作为分析单元计算的黄河流域土地利用动态度空间分布图,从图 3-6 中可以看出,土地利用动态度较大的区域位于黄河流域的宁夏自治区内,同时在内蒙古自治区等部分地区动态度最大,反映了这些地区土地类型变化比较剧烈,而在黄河流域的中部地区,土地利用动态度最小,反映了近 10 年来这些地区土地利用类型变化比较缓慢。同时,按土地利用动态度的大小,可将黄河流域土地利用的时间动态特征划分为 4 种类型:土地利用急剧变化型、土地利用快速变化型、土地利用慢速变化型、土地利用极缓慢变化型。从图 3-6 可以看出,动态度为 15 ~ 57 的区域主要位于宁夏、内蒙古等部分区域,由于人类活动以及自然因素,导致草地的大量减少,耕地与沙漠化土地增加,土地类型变化比较剧烈,因而属于土地利用快速变化型与急剧变化型;动态度为 0 ~ 15 的区域大部分位于黄河流域的中部与西部部分地区,土地变化主要为农村居民地的扩展,以及农业用地的增加等,变化类型分布比较凌乱,土地利用变化缓慢,土地利用为慢速变化型与极缓慢变化型。

3.2.2　土地利用程度时空演变模型

一个地区的土地利用程度变化是多种土地利用类型变化的综合结果,土地利用程度及其变化可定量地表达该地区土地利用的综合水平和变化趋势。土地利用程度变化值可

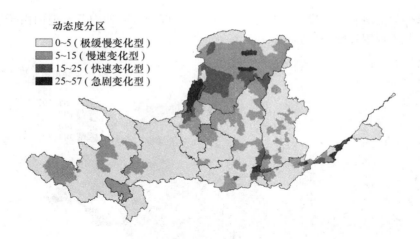

动态度分区
- ☐ 0~5（极缓慢变化型）
- ▨ 5~15（慢速变化型）
- ▨ 15~25（快速变化型）
- ■ 25~57（急剧变化型）

图 3-6　土地利用动态度空间分布图

表达为：

$$\Delta I_{b-a} = I_b - I_a = \left(\sum_{i=1}^{n} A_i \times C_{ib} - \sum_{i=1}^{n} A_i \times C_{ia} \right) \times 100 \tag{3-2}$$

式中　I_b、I_a——b 时间和 a 时间的研究区域的土地利用程度综合指数；

　　　　A_i——第 i 级土地利用程度分级指数；

　　　　C_{ib}、C_{ia}——时间 a 和时间 b 第 i 等级的土地利用程度面积百分比。

如 ΔI_{b-a} 为正值，则该区域土地利用处于发展期，否则处于衰退期，但 ΔI_{b-a} 的大小并不反映生态环境的好坏，然而可以很好地反映人类活动作用下的土地利用变化情况。

在中国资源环境数据库中，刘纪远等从生态学的角度出发，提出了土地利用程度分级标准，将土地利用分为 4 级，如表 3-2 所示。

表 3-2　土地资源利用类型分级

类型	未利用土地级	林、草、水用地级	农业用地级	城镇聚落用地级
土地利用类型	未利用地或难利用地	林地、草地、水地	耕地、园地、人工草地	城镇、居民点、工矿用地、交通用地
分级指数	1	2	3	4

根据土地利用程度变化模型，可以真实地反映区域的土地利用程度时空演变情况。利用土地利用程度变化模型，以县作为分析的基本单元，在 ARC/INFO GRID 模块支持下，可以生成黄河流域土地利用程度空间分布图和土地利用程度变化空间分布图，如图 3-7、图 3-8 所示。从图 3-7 中可以看出，土地利用程度最大的区域主要位于黄河流域的东南部地区，这些区域由于地势平坦，人口居住密集，土地利用主要以耕地为主，人类活动对土地利用影响较大，土地利用程度最高；而在黄河流域的西部青海省以及北部的内蒙古自治区境内，由于人口稀少，人类活动对土地利用影响较小，土地利用主要以草地和沙漠化土地为主，土地利用程度最低。从图 3-8 可以看出，近 10 年来黄河流域大部分区域土地利用

程度变化较小,土地利用程度主要以增大为主,也有部分区域如内蒙古境内由于沙漠化土地的增加,土地利用程度得以减小。

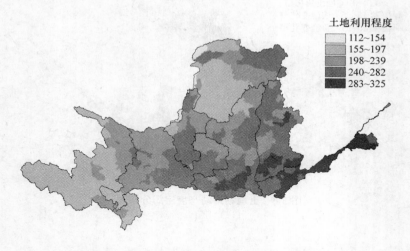

图 3-7　黄河流域土地利用程度空间分布图

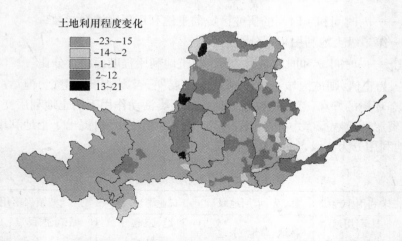

图 3-8　黄河流域土地利用程度变化空间分布图

3.2.3　土地利用重心模型

通过土地利用重心迁移模型可以很好地从空间上描述土地利用主要景观类型的时空演变过程。土地资源分布重心是根据人口地理学中常见的人口分布重心原理求得的,其方法为:把一个大区域分为若干个小区,在大比例尺地图上根据居民点的分布及地形特点确定每个小区几何中心或旗县所在地的地理坐标,然后再乘以该小区该项土地资源的面积,最后把乘积累加后除以全区域该项土地资源总面积。这里,重心坐标一般以地图经纬度表示。

第 t 年某种土地资源分布重心坐标(经纬度)计算方法为:

$$X_t = \sum_{i=1}^{n}(C_{ti} \times X_i)/\sum_{i=1}^{n}C_{ti}, \quad Y_t = \sum_{i=1}^{n}(C_{ti} \times Y_i)/\sum_{i=1}^{n}C_{ti} \tag{3-3}$$

式中　X_t、Y_t——第 t 年某种土地资源分布重心的经纬度坐标;

　　　C_{ti}——第 i 个小区域该种土地资源的面积;

　　　X_i、Y_i——第 i 个小区域的几何中心的经纬度坐标。

　　通过比较研究期初和研究期末各种土地资源的分布重心,就可以得到研究时段内土地利用的空间格局变化规律。利用上述公式,计算得出黄河流域 20 世纪 80 年代末期和 90 年代末期土地利用重心及其变化情况(表 3-3)。从中可以看出,黄河流域耕地、建设用地的重心位于陕西省境内,耕地重心向西偏北偏移 3.55 km,建设用地重心向南偏东偏移 8.14 km;林地重心位于甘肃省境内,林地重心变化较小,仅向北方向偏移 0.5 km;草地、水域的重心位于宁夏自治区境内,草地重心向北偏东偏移 1.12 km,水域重心向西北方向偏移 23.94 km;未利用地重心位于内蒙古自治区,其重心向西北偏移 5.24 km。通过分析两期的土地利用变化可知,由于自然因素与人类活动的影响,黄河流域西部部分草地被开垦为耕地,而黄河流域西南耕地的开垦已经饱和,10 年间变化不大,同时黄河流域内蒙古等省内草地持续退化,逐渐被沙漠化土地侵蚀,最终导致的结果是耕地重心向西偏北方向偏移,草地重心向北偏东方向偏移,而未利用地重心则相应表现为向西北方向偏移。由于黄河流域山西与河南省内水域面积逐年减少,水域的重心向西北方向偏移。

表 3-3　黄河流域近 10 年土地利用重心变化情况统计

分类名称	80 年代末期重心坐标		90 年代末期重心坐标		重心所在地	迁移方向	迁移距离 (km)
	$X(°)$	$Y(°)$	$X(°)$	$Y(°)$			
耕地	109.154 02	36.620 06	109.113 53	36.625 12	陕西	西偏北	3.55
林地	108.157 00	36.179 75	108.151 93	36.184 81	甘肃	北	0.50
草地	105.489 83	36.701 04	105.494 89	36.690 92	宁夏	北偏东	1.12
水域	107.073 93	37.141 35	106.836 06	37.237 51	宁夏	西北	23.94
建设用地	109.958 73	36.989 52	109.958 73	36.913 60	陕西	南	8.14
未利用地	105.287 39	37.758 80	105.226 65	37.773 98	内蒙古	西北	5.24

3.3　黄河流域土地利用/土地覆盖景观格局演变分析

　　土地利用/土地覆盖是由各种类型的斑块组成的,斑块的空间分布称为格局,通过空间格局分析可以把土地利用/土地覆盖的空间特征与时间过程紧密联系起来,从而可以更好地分析土地利用/土地覆盖的时空演变规律。

3.3.1　景观生态格局演变模型

　　由于景观生态学研究的主要对象是景观格局的空间结构、功能、变化以及景观规划管理等,为此,景观生态学家对景观的空间格局定量分析提出了许多不同指标[8~18],如景观斑块个数、斑块面积、斑块周长、分维数、多样性、均匀度、优势度、聚集度、分离度、破碎度等,为景观空间格局的研究奠定了基础。为了研究黄河流域土地利用空间格局演变过程,现选择上述景观指数进行土地利用空间格局演变分析,其计算方法与生态涵义见表3-4。

表 3-4　景观空间格局特征指标及其生态涵义

名称	计算方法	生态涵义
1. 斑块面积(A)与斑块周长(S)	GIS 软件统计获得	景观空间格局分析基础
2. 景观分维数指数(R)	$R = 2\ln(S/4)/\ln A$	表示景观斑块形状的复杂程度
3. 景观多样性指数(H)	$H = -\sum_{i=1}^{m} P_i \times \log_2 P_i$ P_i 为斑块 i 的景观比例,m 为斑块种类	反映景观中各类斑块复杂性和变异性的量度
4. 景观优势度指数(D)	$D = H_{max} + \sum_{i=1}^{m} P_i \log_2 P_i$ $H_{max} = \log_2 m$	反映斑块在景观中占有的地位及其对景观格局形成和变化的影响
5. 景观均匀度指数(E)	$E = (H/H_{max}) \times 100\%$ $H = -\lg(\sum_{i=1}^{m} P_i^2),\ H_{max} = \lg m$	反映景观由少数几个主要景观类型控制的程度
6. 景观破碎度指数(C)	$C = \sum N_i / \sum A_i$ $\sum N_i$ 为景观斑块总个数,$\sum A_i$ 为景观总面积	反映景观的破碎化程度

　　通过计算景观指数中的斑块个数、斑块周长、平均斑块面积以及景观分维数,可以定量地了解该区土地利用景观分布的空间格局。同时,景观指数也直接与人类对自然的影响程度息息相关,例如通过景观多样性指数和破碎度指数的计算,可以反映人类对自然景观的影响过程。景观斑块的形状也与物种种类和栖息地的多样性呈正相关(Burgess and Sharpe, 1981),研究显示斑块面积的大小能够有效地预测鸟或树的种类(Rudis and Ek, 1981)。由于人类活动的加强,致使自然界的景观斑块更为破碎,而当景观斑块变得越来越破碎时,生物种类的减少概率也在逐渐增大,当景观斑块的大小接近或低于某一物种获取充足资源所要求的斑块大小时,该物种数量将逐渐减少,直至最终消失。景观分维数可以表示景观斑块形状的复杂程度,也是衡量景观破碎程度的一类指数。当景观分维数较低时,可以有效保护一些物种免受干扰。景观破碎度指数主要反映景观的破碎化程度,也可以定量衡量一种生态系统中物种的生存能力。多样性指数是反映景观中各类斑块复杂性和变异性的量度,生态学家也认识到,一个生态系统多样性指数的大小并不能完全反映该生态系统稳定性的高低,但对于相似的生态系统,多样性指数的大小可以反映该生态系统修复功能的强弱,同时研究也显示一个多样性指数较低的生态系统更容易受到外来物种所侵扰。基于上述生态学景观原理,生态景观指数的大小不仅可以反映生物种群的格

局变化,也可以反映该区土地利用变化的物理化学过程[19~27]。

3.3.2 土地利用/土地覆盖空间分布格局

表3-5为20世纪90年代末期黄河流域12类土地利用景观格局指数的统计表,从中可以看出,在黄河流域,旱地是第一大景观类型,其面积占土地利用总面积的25.75%,中覆盖度草地(指覆盖度在20%~50%的天然草地和改良草地)为该区第二大景观类型,占该区土地利用总面积的22.23%,土地利用总面积最小的景观类型是其他林地(指未成林造林地、迹地、苗圃及各类园地)和水田,分别占总面积的0.24%和0.85%。土地利用格局斑块数最多的土地利用类型是旱地,斑块数达286 018个,占该区总斑块数的25.21%;其次为中覆盖度草地,斑块数为227 408个,占总斑块数的20.04%;斑块数最少的是水田,其斑块数仅占总斑块数的0.21%。而平均斑块面积最大的是水田,平均斑块面积达2.83 km²,远远高于其他景观类型;其次为未利用地,平均斑块面积为1.32 km²;平均斑块面积最小的是建设用地,平均斑块面积为0.19 km²。景观分维数最大的景观类型是旱地,分维数为1.496,其次为中覆盖草地,最小的是水田,其景观分维数为1.364。这说明,由于人类的活动影响了自然景观类型,使得自然景观类型非常破碎,形成更多的小斑块,从而景观分维数升高。特别是代表人工景观类型的旱地,是人类活动的直接产物,其面积分布非常广且景观格局分散、斑块复杂,其景观分维数最高;其次为分布于耕地与建设用地周围的中、低覆盖度草地,受人类活动影响较大,斑块也较为破碎,其景观分维数也较高;而作为另一人工景观类型的水田,由于在全流域成片分布,分布范围较小,其平均斑块最大,分维数最低。这也说明,在整个黄河流域,由于人类经济活动的影响,已经部分改变了自然景观格局,而形成以人工景观为主的土地利用景观分布格局。

表 3-5 20世纪90年代末期黄河流域土地利用空间格局指数

景观类型	斑块个数	占总斑块比例(%)	斑块周长(km)	平均斑块周长(km)	面积(km²)	占总面积比例(%)	平均斑块面积(km²)	分维数
水田	2 389	0.21	20 327	8.51	6 762	0.85	2.83	1.364
旱地	286 018	25.21	1 156 987	4.05	204 323	25.75	0.71	1.496
有林地	35 010	3.09	151 447	4.33	37 059	4.67	1.06	1.434
灌木林地	82 820	7.30	309 917	3.74	47 807	6.02	0.58	1.477
疏林地	44 995	3.97	132 562	2.95	16 640	2.10	0.37	1.472
其他林地	8 320	0.73	16 961	2.04	1 869	0.24	0.22	1.430
高覆盖度草地	81 870	7.22	393 982	4.81	79 222	9.98	0.97	1.467
中覆盖度草地	227 408	20.04	1 020 210	4.49	176 367	22.23	0.78	1.495
低覆盖度草地	178 930	15.77	752 820	4.21	124 491	15.69	0.70	1.492
水域	46 946	4.14	96 278	2.05	13 163	1.66	0.28	1.459
建设用地	87 746	7.73	157 786	1.80	17 067	2.15	0.19	1.485
未利用地	52 186	4.60	287 165	5.50	68 761	8.67	1.32	1.450

通过计算不同时期各种土地利用类型的空间景观指数,可以计算出黄河流域10年来土地利用景观格局的动态情况。表3-6为20世纪80年代末期、90年代中期和90年代末期土地利用景观指数统计表,可以看出,10年间耕地、林地、草地、水域、建设用地和未利用地斑块个数都有不同程度的增加,景观变得更加破碎,其中耕地从80年代末期斑块283 151个增加到90年代末期的286 972个,增加了1.3%,林地从80年代末期斑块126 909个增加到90年代末期的129 368个,增加了1.9%,耕地所占总面积比例也从26.25%增加到26.60%,林地所占面积比例基本没有变化,其平均斑块面积稍有减小;草地斑块个数增加,从80年代末期斑块289 205个增加到90年代末期的292 064个,所占总面积比例却从80年代末期的48.49%减少到90年代末期的47.90%,同时其平均斑块面积也从1.33 km^{2}减少到1.30 km^2;建设用地的斑块个数增加,同时其所占总面积比例也从1.98%增加到2.15%,平均斑块面积从0.18 km^{2}增加到0.20 km^2;未利用地斑块个数逐渐增加,其所占总面积比例也从8.53%增加到8.67%,平均斑块面积稍有减小。以上分析说明随着人类对自然景观影响的增加,自然景观更加破碎,耕地的持续开垦占用了部分草地,从而耕地斑块增加,面积也增加,由于斑块形状变化不大,耕地的景观分维数变化较小。而林地由于分布较为集中,受人类活动的影响,林地的斑块数增加,平均斑块面积减小,从而景观分维数稍有增加,斑块形状变得更加复杂。草地为黄河流域第一大自然景观类型,分布于居民点及城镇建设用地周围,受人类经济活动的影响最大,10年间耕地与建设用地占用大片草地,景观斑块变得更为破碎,使得草地面积减小而斑块数增加,其景观分维数逐渐增加,也反映了由于人类活动的影响草地的斑块形状变得愈加复杂。建设用地作为主要的人文景观,是人类对自然直接改造的结果。由于城市化的进程,建设用地平均斑块面积逐渐增加,景观分维数相对于其他自然景观类型为大,仅次于耕地,这一方面反映了人工景观形状相对复杂,另一方面也反映了城镇用地的空间集中化特征。未利用地在该区主要为沙地与裸岩地,由于近10年来草地的退化以及沙漠化土地的发展,其面积增加,斑块数也增加,而景观分维数相对变化较小。表3-7为以整个黄河流域为基本分析单元计算的各类景观指数,可以看出整个黄河流域10年间土地利用程度稍有增加,景观多样性指数、破碎度指数逐渐增加,景观优势度指数减小,景观均匀度指数先减小后增加,这也进一步反映了在人类活动和自然环境因素双重影响下的区域景观格局的演变过程。

3.3.3 黄河流域土地利用/土地覆盖景观格局演变

在Arc/Info软件空间数据管理与分析功能支持下,根据黄河流域的土地利用景观类型,通过编制AML宏程序,同时结合大型统计分析软件包SPSS,实现土地利用空间景观格局指数的计算与分析。

图3-9中左图为以行政区县为分析基本单元计算的20世纪90年代末期黄河流域土地利用景观多样性指数、优势度指数、均匀度指数和破碎度指数空间分布图,右图为80年代末期到90年代末期近10年的土地利用景观指数演变空间分布图。土地利用/土地覆盖景观多样性是土地利用类型多样性和复杂性的量度,H值的高低反映了土地利用类型的多少以及各类型所占比例的变化。景观优势度指数用于测度土地利用类型中一种或几种类型支配整个土地利用/土地覆盖的程度,它与景观的多样性指数近似成反比,对于景观类型数目相同的地区,H值越大,其D值越小。从黄河流域土地利用景观多样性指数

和优势度指数空间分布图可以看出,多样性指数与优势度指数空间分布比较有规律,多样性指数为0.783~1.219的区域集中分布在黄河流域的东南部地区,包括周至县、乾县、临猗县、栾川县、汝阳县、延津县、滑县等部分区域,地理位置相对集中且呈条带状分布,而该区域景观优势度指数相对较大,为2.008~2.838,通过分析黄河流域土地利用空间分布格局可以发现,该区域土地利用景观类型主要由耕地、建设用地组成,人口分布密集,由于人类活动的加强,耕地与建设用地已经占绝对优势,从而彻底改变了自然景观而形成了人文景观,土地使用类型相对单一,景观的多样性指数减小,属于人类影响最强区。多样性指

表 3-6 各个时期土地利用空间景观特性(1)

时期	景观类型	斑块个数	斑块周长 (km)	平均斑块 周长(km)	面积 (km²)	占总面积 比例(%)	平均斑块 面积(km²)	分维数
80年代末期	耕地	283 151	1 152 712	4.07	208 267	26.25	0.74	1.494 8
	林地	126 909	497 716	3.92	103 409	13.03	0.81	1.469 9
	草地	289 205	1 457 518	5.04	384 749	48.49	1.33	1.478 0
	水域	39 155	85 052	2.17	13 696	1.73	0.35	1.445 8
	建设用地	85 215	150 297	1.76	15 690	1.98	0.18	1.485 9
	未利用地	45 722	269 674	5.90	67 720	8.53	1.48	1.445 7
90年代中期	耕地	294 200	1 168 030	3.97	209 246	26.37	0.71	1.495 6
	林地	123 956	485 392	3.92	97 877	12.33	0.79	1.471 1
	草地	290 727	1 490 423	5.13	392 295	49.44	1.35	1.478 6
	水域	37 094	80 268	2.16	12 371	1.56	0.33	1.447 1
	建设用地	83 350	150 593	1.81	16 226	2.04	0.19	1.484 0
	未利用地	46 741	263 811	5.64	65 516	8.26	1.40	1.445 8
90年代末期	耕地	286 972	1 172 656	4.09	211 084	26.60	0.74	1.495 4
	林地	129 368	502 494	3.88	103 375	13.03	0.80	1.470 6
	草地	292 064	1 466 934	5.02	380 080	47.90	1.30	1.479 2
	水域	39 524	84 914	2.15	13 163	1.66	0.33	1.448 1
	建设用地	86 714	156 814	1.81	17 067	2.15	0.20	1.484 2
	未利用地	46 975	270 597	5.76	68 761	8.67	1.46	1.445 1

表 3-7 各个时期土地利用空间景观特性(2)

时期	多样性指数(H)	优势度指数(D)	均匀度指数(E)	破碎度指数(C)	土地利用程度
80年代末期	3.131 3	1.512 5	56.866 8	0.222 4	226
90年代中期	3.118 0	1.466 9	56.392 0	0.225 4	226
90年代末期	3.035 7	1.549 3	57.104 5	0.223 4	227

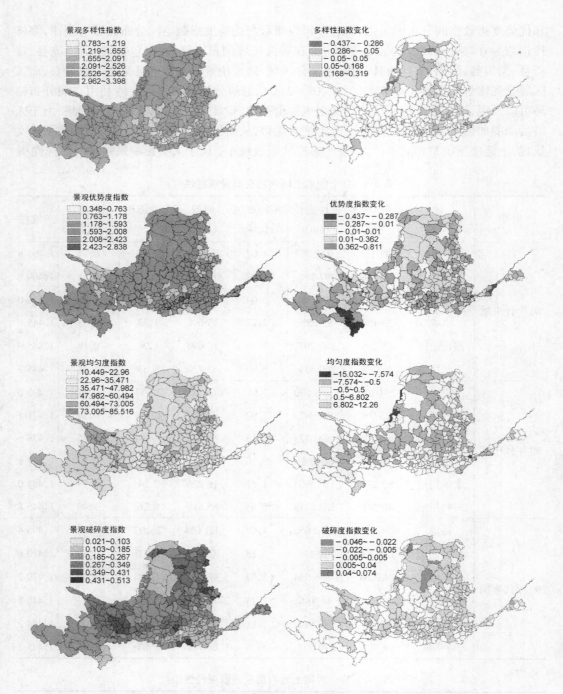

图 3-9　黄河流域土地利用格局景观指数及其演变空间分布图

数为 1.219 ~ 2.526、优势度指数为 1.178 ~ 2.423 的区域主要包括黄河流域的中部大部分区域,行政区县包括环县、海原县、会宁县、定西县、陇西县、通渭县、灵台县、岐山县、达日县、久治县、若尔盖县、红原县、黄锦旗、鄂托克旗、鄂托克前旗、乌审旗等,该区域景观类型主要以草地、未利用地等景观为主,其中草地为主要景观类型,而黄锦旗、鄂托克旗、鄂托克前旗、乌审旗等沙漠化土地也占了较大面积,该区域人口分布较其他区域稀疏,人类对自然景观的影响相对较小,故土地利用景观的复杂性较小,而一种或几种景观类型的优势较明显,属于人类影响较弱区。多样性指数为2.526～3.398、优势度指数为0.348～1.178的区域位于黄河流域外围周边区域,该区域景观类型以林地、耕地、草地主,由于人类活动的逐渐增强,人类对自然景观的影响逐渐加大,导致土地破碎程度增加,景观多样性增加,属于人类影响渐强区域。从右图对应的景观多样性指数与优势度指数的变化可以看出,10年间景观多样性指数增加的区域与减少的区域分布较为分散,多样性指数增加的区域包括鄂托克旗、鄂托克前旗、子洲县、清涧县、安泽县等,指数减少的区域包括黄锦旗、乌审旗、若尔盖县等,而其他大部分区域几乎没有变化,优势度指数变化区域也较为分散,这也反映了人类在黄河流域景观格局演变中的影响作用。

均匀度指数描述了土地利用不同类型分配的均匀程度,破碎度指数反映了土地利用/土地覆盖被分割的破碎程度,它与土地资源保护密切相关。从图3-9左图中景观均匀度指数和破碎度指数分布图可以看出,均匀度指数为0～35.471的区域基本由人类活动影响最强区域组成,在人类活动最强区域由于人类的活动已经彻底改变了自然景观而形成相对单一的人文景观,自然景观也相对单一(耕地及建设用地),从而均匀度指数相对较低,破碎度指数也相对较低,为0.021～0.185。均匀度指数为35.471～60.494的区域占了黄河流域的大部分,而均匀度指数为60.494～85.516的区域分布相对分散,数量也少,主要包括门源县、天祝县、乐都县、曲麻莱县、达拉特旗等区域,其景观破碎度指数也相对较大,在0.349～0.513之间。从图3-9右图即景观均匀度指数和景观破碎度指数变化,可以看出,10年间黄河流域均匀度指数与破碎度指数变化很小,反映了这些地区社会经济发展缓慢,尚处于经济发展的起步阶段。

3.3.4　土地利用/土地覆盖景观类型转移分析

景观类型之间的相互转化情况,可以采用马尔柯夫转移矩阵模型来进一步描述。马尔柯夫链是一种具有"无后效性"的特殊随机运动过程,它反映的是一系列特定的时间间隔下,一个亚稳态系统由 T 时刻向 $T+1$ 时刻状态转化的一系列过程,这种转化要求 $T+1$ 时刻的状态只与 T 时刻的状态有关。这对于研究土地利用景观类型动态转化较为适宜,这是因为在一定条件下,土地利用景观类型演变具有马尔柯夫随机过程的性质:①一定区域内,不同土地利用景观类型之间具有相互可转化性;②土地利用景观类型相互之间的转化包含较多难以用函数关系准确描述的事件。马尔柯夫模型在景观转化上的应用,关键在于转移概率的确定。以基质斑块相互之间面积的转移概率为矩阵中的元素,则转移矩阵模型为:

$$P_{ij} = \begin{vmatrix} P_{11} & P_{12} & P_{13} & \cdots & P_{1n} \\ P_{21} & P_{22} & P_{23} & \cdots & P_{2n} \\ P_{31} & P_{32} & P_{33} & \cdots & P_{3n} \\ \vdots & \vdots & \vdots & & \vdots \\ P_{n1} & P_{n2} & P_{n3} & \cdots & P_{nn} \end{vmatrix}$$

其中 P_{ij} 是景观类型 i 转化为景观类型 j 的转移概率。P_{ij} 具有以下特点：① $0 \leq P_{ij} \leq 1$，各元素非负；② $\sum_{j=1}^{n} P_{ij} = 1$，即每行元素之和为 1。

马尔柯夫转移矩阵模型对于分析土地利用景观类型之间的流向具有重要作用，通过马尔柯夫转移矩阵，不仅可以定量说明土地利用景观类型之间的相互转化状况，而且可以揭示不同景观类型之间的转移速率，从而可以更好地了解土地利用格局的时空演变过程。

从 10 年间土地利用景观类型状态转移矩阵(表 3-8)可以看出，在耕地的减少量中，大部分转变为建设用地和草地，可见 10 年间城市化、工业化发展相当迅速，占用了大量耕地，同时退耕还草政策也开始起到效果，部分耕地退还为草地；林地中有 0.14% 转化为耕地，0.86% 转化为草地，使得森林面积有部分减少；草地减少量中约有 0.99% 的草地转化为耕地，约有 0.53% 的草地转化为未利用地，这也进一步反映了部分区域草地继续被开垦为耕地，同时草场的退化也相当严重；水域的减少量较大，有 5.85% 转化为耕地，1.09% 转化为未利用地，0.96% 转化为草地，可见在黄河流域，人们利用河滩、湖水边开垦耕地比较普遍，河道中种植粮食作物，挤占了较多的水域面积；未利用地有 3.45% 转化为草地，可见黄河流域沙地治理还是初有成效，通过在沙地种植耐干旱、抗风沙的植物，使得部分沙漠化土地重新变为绿洲；建设用地 10 年间变化相对较小。

表 3-8　10 年间黄河流域土地利用景观类型状态转移矩阵(%)

景观类型	耕地	林地	草地	水域	建设用地	未利用地
耕地	98.40	0.11	0.64	0.10	0.56	0.19
林地	0.14	98.91	0.86	0.01	0.03	0.05
草地	0.99	0.15	98.23	0.06	0.03	0.53
水域	5.85	0.21	0.96	91.86	0.03	1.09
建设用地	0.00	0.00	0.00	0.00	100.00	0.00
未利用地	0.70	0.13	3.45	0.11	0.03	95.58

3.4　本章小结

黄河流域地域辽阔，自然资源与社会经济发展的空间差异显著，特别是随着近年来的经济发展，土地资源的利用方式、区域土地利用结构、土地利用程度同样具有明显的区域特点。本章在遥感技术与 GIS 技术的支持下，通过建立各类土地利用时空演变模型，对黄河流域近 10 年的土地利用/土地覆盖的变化图谱进行了研究。同时，本章也从景观生态学的角度出发，对黄河流域近 10 年来土地利用景观格局时空演变图谱进行了研究。结果表明，10 年间土地利用/土地覆盖变化较大的区域位于黄河流域的宁夏自治区内和内蒙古自治区等部分地区，反映了这些地区土地类型变化比较剧烈，而在黄河流域的中部地区，土地利用动态度最小，反映了 10 年来这些地区土地利用类型变化比较缓慢。其中，黄河流域耕地重心向西偏北偏移 3.55 km，建设用地重心向南偏东偏移 8.14 km；林地重心位于甘肃省境内,林地重心变化较小,仅向北方向偏移 0.5 km;草地、水域的重心位于宁夏自治区境内,草地重心向北偏东偏移 1.12 km,水域重心向西北方向偏移 23.94 km;未利用地重心位于内蒙古自治区,其重心向西北偏移 5.24 km。研究结果同时说明:

(1)应用遥感与 GIS 技术,通过建立土地利用/土地覆盖时空数据库,可以客观、快速、准确地把握土地利用/土地覆盖的时空演变过程,支持土地利用/土地覆盖现代过程的研究,进而为整个国家的宏观决策提供支持。

(2)从景观生态学的角度考虑土地利用/土地覆盖变化,不仅可以反映土地利用/土地覆盖变化的自然过程,而且可以更有效地反映人类驱动下的土地利用/土地覆盖变化过程,从而更好地把握土地利用/土地覆盖变化的现代过程。

(3)由于黄河流域地域辽阔,自然资源与社会经济发展的空间差异显著,只有按自然生态背景和社会经济发展背景进行土地资源的空间分区,充分考虑各类驱动因子,在子区域进行土地利用/土地覆盖变化的时空建模,才能从总体上有效把握黄河流域土地利用/土地覆盖变化的现代过程。

参 考 文 献

[1] 刘纪远.中国资源环境遥感宏观调查与动态研究.北京:中国科学技术出版社,1996
[2] 陈述彭.地学信息图谱探索研究.北京:商务印书馆,2001
[3] 陈述彭,等.地学信息图谱研究及其应用.地理研究,2000,19(4)
[4] 陈述彭.地学信息图谱刍议.地理研究,1998(增刊)
[5] 齐清文,池天河.地学信息图谱的理论和方法.地理学报,2001,56(增刊)
[6] 刘纪远,布和敖斯尔.中国土地利用变化现代过程时空特征的研究——基于卫星遥感数据.第四纪研究,2000,20(3)
[7] 史培军,宫鹏,李小兵,等.土地利用/土地覆盖变化研究的方法与实践.北京:科学出版社,2000
[8] Yue Tianxiang, Liu Jiyuan, Sven Erik Jørgensen et al. Landscape change detection of the newly created wetland in Yellow River Delta. *Ecological Modelling*, 2003, 164:21~31
[9] J. C. Luijtem. A systematic method for generating land use patterns using stochastic rules and basic landscape characteristics: results for a Colombian hillside watershed. *Agriculture, Ecosystems and Environment*, 2003, 95:427~441
[10] Christina von Haaren. Landscape planning facing the challenge of the development of cultural landscapes. *Landscape and Urban Planning*, 2002, 60:73~80
[11] Andre Botequilha Leitao, Jack Ahern. Applying landscape ecological concepts and metrics in sustainable landscape planning. *Landscape and Urban Planning*, 2002, 59:65~93
[12] Fivos Papadimitriou. Modelling indicators and indices of landscape complexity: an approach using GIS. Ecological Indicators, 2002, 2:17~25
[13] Elena G. Irwin, Jacquline Geoghegan. Theory, data, and methods: developing spatially explicit economic models of land use change. Agriculture *Ecosystems & Environment*, 2001, 85:7~23
[14] P. H. Verburg, A. Veldkamp, L. O. Fresco. Simulation of changes in the spatial pattern of land use in China. *Applied Geography*, 1999, 19:211~233
[15] K. S. Rao, Pekha Pant. Land use dynamics and landscape change pattern in a typical micro watershed in the mid elevation zone of central Himalaya, India. *Agriculture, Ecosystems and Environment*, 2001, 86:113~123
[16] O. Honnay, K. Piessens, W. Van Landuyt et al. Satellite based land use and landscape complexity indices as predictors for regional plant species diversity. *Landscape and Urban Planning*, 2003, 63:241~250

[17] Isabelle Poudevigne, Sabine Van Rooij, Pierre Morin et al. Dynamics of rural landscapes and their main driving factors: a case study in the Seine Valley, Normandy, France. *Landscape and Urban Planning*, 1997, 38:93 ~ 103

[18] K. A. Ulbricht, W. D. Heckendorff. Satellite images for recognition of landscape and landuse changes. *ISPRS Journal of Photogrammetry & Remote Sensing*, 1998, 53:235 ~ 243

[19] L. Zhang, S. G. Beavis, S. D. Gray. Development of a spatial database for large-scale catchment management: geology, soils, and landuse in the Naboi basin, Australia. *Environment Intenational*, 1999, 25(6):853 ~ 860

[20] Guo Huijun a,1, Christine Padoch b, Kevin Coffey et al. Economic development, land use and biodiversity change in the tropical mountains of Xishuangbanna, Yunnan, Southwest China. *Environmental Science & Policy*, 2002, 5:471 ~ 479

[21] Peter H. Verburg, Youqi Chen. Multiscale characterization of land use patterns in China. *Ecosystems*, 2003,3:369 ~ 385

[22] G. H. J. de Koning, P. H. Verbrug, A. Veldkamp et al. Multi-scale modeling of land use change dynamics in Ecuador. *Agricultural System*, 1999, 61:77 ~ 93

[23] J. M. Schoorl, A. Veldkamp. Linking land use and landscape process modeling: a case study for the Alora region (south Spain). *Agriculture Ecosystems and Environment*, 2001,85:281 ~ 292

[24] Peter H. Verburg, Tom Veldkamp, Johan Bouma. Land use change under conditions of high population pressure: the case of Java. *Global Environment Change*, 1999, 9:303 ~ 312

[25] Anette Reenberg. Agricultural land use pattern dynamics in the Sudan-Sahel-towards an event-driven framework. *Land Use Policy*, 2001, 18:309 ~ 319

[26] Jacqueline Geoghegan, Lisa A. Wainger, Nancy E. Bockstael. Analysis spatial landscape indices in a hedonic framework: an ecological economics analysis using GIS. Ecological Economics, 1997,23:251 ~ 264

[27] Ghazi Walid Falah. Dynamics and patterns of the shrinking of Arab lands in Palestine. *Political Geography*, 2003,22:179 ~ 209

第4章 黄河流域土壤侵蚀变化分析

土壤侵蚀是指土壤或土体在外营力(水力、风力、冻融或重力)作用下发生冲刷、剥蚀、迁移和堆积的现象。土壤侵蚀不仅使土地结构破坏,土层减薄,土壤退化、沙化、肥力下降,甚至使地表破碎、沟壑纵横,土壤资源质量严重下降。通过对区域土壤侵蚀状况的空间分布和严重程度进行遥感调查,有利于指导政府部门对滥伐林木、过度放牧、陡坡开垦等加速土壤侵蚀程度的行为进行宏观控制,对自然资源的开发进行合理的规划。由于受传统观念及人口快速增长等因素的影响,黄土高原地区长期以来,广种薄收、毁林开荒、陡坡耕种现象严重,水土流失逐年加剧,生态环境不断恶化,黄河流域已经成为我国乃至世界水土流失最为严重的地区,严重制约着社会经济的可持续发展。因此,本章选择黄河流域土壤侵蚀景观格局的演变作为研究内容,在遥感与 GIS 技术的支持下,从景观生态学的角度,通过建立数字模型,对黄河流域近 5 年的土壤侵蚀景观格局动态进行研究。

4.1 黄河流域土壤侵蚀研究的数据基础

4.1.1 数据获取及处理方法

土壤侵蚀是指土壤或土体在外营力(水力、风力、冻融或重力)作用下发生冲刷、剥蚀、迁移和堆积的现象。土壤侵蚀不仅使土地结构破坏,土层减薄,土壤退化、沙化、肥力下降,甚至使地表破碎、沟壑纵横,土壤资源质量严重下降。所以土壤侵蚀是环境评价和监测的主要内容。通过对区域土壤侵蚀状况的空间分布和严重程度进行遥感调查,有利于指导政府部门对滥伐林木、过度放牧、陡坡开垦等加速土壤侵蚀程度的行为进行宏观控制,对自然资源的开发进行合理的规划[1~4]。图 4-1 为土壤侵蚀数据遥感解译的技术流程,基于黄河流域的遥感卫星影像,并在充分分析土壤环境、气候环境、植被环境、物质文化环境以及地形地貌等辅助信息基础上,通过专家解译获取黄河流域 20 世纪 90 年代中期和末期的土壤侵蚀数据。本次研究使用的数据计有反映黄河流域 90 年代中期、90 年代末期土壤侵蚀情况的 1:10 万土壤侵蚀数据以及反映黄河流域其他地理信息的数据,如黄河流域地形地貌数据、分省分县行政界限数据以及气象统计数据等。所有土壤侵蚀数据都是通过对 LANDSAT TM 图像进行目视判读得到的,在判读过程中,充分利用了如地形地貌图等辅助数据,并进行了实地勘察。根据《全国土壤侵蚀调查技术规程》,并在充分分析土壤环境、气候环境、植被环境、物质文化环境以及地形地貌的基础上,将土壤侵蚀分为水力侵蚀、风力侵蚀、冻融侵蚀、重力侵蚀、工程侵蚀 5 个一级类型,水力侵蚀与风力侵蚀分别又分为 6 个等级,分别为微度、轻度、中度、强度、极强度和剧烈侵蚀,冻融侵蚀被分为4级,即微度、轻度、中度和强度。气象统计数据通过空间插值、坐标转换,最后生成反映黄河流域温度、降水、湿润度、干燥度等环境背景数据。

以上几种数据均被整合到统一的坐标系和投影下。所采用的投影为等面积割圆锥投影,并采用统一的中央经线和双标准纬线,中央经线为东经 105°,双标准纬线分别为北纬

25°和北纬47°,所采用的椭球体为 KRASOVSKY 椭球体。在 ArcGIS 软件环境下,所有数据都被统一栅格化成 100 m×100 m 的 GRID 数据。

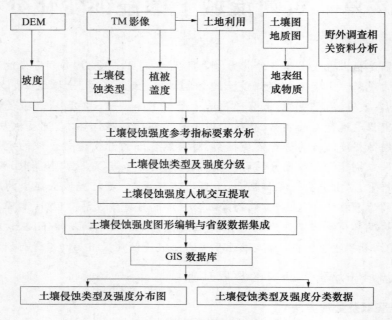

图 4-1　土壤侵蚀遥感调查流程

4.1.2　土壤侵蚀数据的分类方案

土壤侵蚀的分类分级是一个极其复杂的过程,这是由侵蚀作用本身的复杂性所决定的:不同的侵蚀营力作用于不同或相似的下垫面,形成不同的侵蚀形态;同一种侵蚀营力作用于不同的地表,也会产生不同后果;即使同一种营力作用于同一地表,由于作用的时间不同及次营力或其他因素的影响,也会使侵蚀在强度、形态、分布上产生差异。遥感影像是土壤侵蚀遥感调查的主要信息源,而遥感影像受地形、大气、太阳辐射、天气的影响,同物异谱和异物同谱现象十分普遍。土壤侵蚀分类分级的复杂性以及遥感影像的局限性决定了土壤侵蚀分类分级的遥感影像判读指标必须是由遥感和非遥感信息共同组成的综合判读指标。拟定土壤侵蚀分类系统是进行土壤侵蚀分类和强度分级的重要基础。依据全国统一的土壤侵蚀分类系统,并结合黄河流域地理环境和土壤侵蚀的实际情况,依据《水土保持技术规范》,按成因的不同,分为水力侵蚀、风力侵蚀、冻融侵蚀和重力侵蚀、工程侵蚀五大类。

而土壤侵蚀强度是指地壳表层土壤在自然营力(水力、风力、重力和冻融等)和人类活动综合作用下,单位面积和单位时段内被剥蚀并发生位移的土壤侵蚀量。土壤侵蚀强度的强弱通常用土壤侵蚀模数来表示[5,6]。相对于土壤侵蚀的分类,土壤侵蚀强度是按土壤侵蚀模数分为微度侵蚀、轻度侵蚀、中度侵蚀、强度侵蚀、极强度侵蚀和剧烈侵蚀等多种等级。其中,强度侵蚀的多年平均土壤侵蚀模数大于 5 000 t/(km²·a),极强度侵蚀的多年平均土壤侵蚀模数大于 8 000 t/(km²·a),剧烈侵蚀的多年平均土壤侵蚀模数大于 15 000

$t/(km^2 \cdot a)$。本次土壤遥感解译根据一、二级类型构成土壤侵蚀类型及其强度的组合分类系统,并采用二位数编码,第一位数为侵蚀类型,第二位数为该类型下的侵蚀强度级别(表4-1)。

表 4-1　土壤侵蚀等级分类及编码系统

一级类型	强度等级					
1 水力侵蚀	11 微度	12 轻度	13 中度	14 强度	15 极强度	16 剧烈
2 风力侵蚀	21 微度	22 轻度	23 中度	24 强度	25 极强度	26 剧烈
3 冻融侵蚀		31 微度	32 轻度	33 中度	34 强度	
4 重力侵蚀			40			
5 工程侵蚀			50			

4.1.3　土壤侵蚀遥感解译标志建立

(1)微度侵蚀:无侵蚀或者土壤流失不明显。植被覆盖度大于75%的成片林、灌、草地和坡度小于5%的平地;包括滨海、山间、山前平地、河流阶地以及水体、水田、沼泽地等。在遥感影像上,水体呈黑色、浅蓝色,平原、山前平地、河流阶地一般呈红色、浅绿色、浅黄色,颜色的一致性很强,多连片分布。

(2)轻度侵蚀:水土流失比较明显。坡度为5°~8°的坡耕地;或植被覆盖度为60%~75%、坡度为5°~25°的坡地;或植被覆盖度为45%~60%,坡度为5°~15°的坡地;或植被覆盖度为30%~50%,坡度为5°~8°的坡地。在遥感影像上,一般为密林和水平梯田,颜色多为红色或深红色,水平梯田的颜色多为浅红色,丘陵区的果园颜色呈浅红色、褐色等,果园有的也作为轻度侵蚀。

(3)中度侵蚀:土壤侵蚀十分明显。坡度为8°~15°的坡耕地;或者坡度大于25°且植被覆盖度小于30%的坡地;或者坡度为15°~35°且植被覆盖度为45%~60%的坡地;或者坡度大于25°且植被覆盖度为70%~75%的坡地。在遥感影像上,坡耕地的颜色为粉红色,呈散点分布,不连续,有时也呈浅红色;呈淡褐色、淡红色的疏林地,一般作为中度侵蚀。

(4)强度侵蚀:土壤侵蚀强烈。主要分布于丘陵区和植被覆盖度比较小的山区,此类地区农业开发活动比较活跃。植被覆盖度为45%~60%且坡度大于35°的坡地;或者植被覆盖度为30%~45%且坡度为25°~35°的坡地;或者植被覆盖度小于30%但坡度为15°~25°的坡地;坡度为15°~25°的坡耕地,皆可作为强度侵蚀。

(5)极强度侵蚀:土壤侵蚀十分强烈,主要分布于山地高坡。植被覆盖度为30%~45%且坡度大于35°的坡地;或者坡度为25°~35°但植被覆盖度小于30%的坡地。在遥感影像上,呈浅红色或者浅灰色,有些地方透出白色(有裸岩)。

(6)剧烈侵蚀:土壤侵蚀极为强烈,主要是裸岩、裸土地,植被稀少,植被覆盖度小于30%且坡度大于35°的地段及坡度大于35°的耕地。在遥感影像上,呈白色或浅灰色,略带浅红色。

4.1.4 黄河流域土壤侵蚀变化的基本特点

图4-2为通过遥感影像解译的20世纪90年代末期黄河流域土壤侵蚀空间分布图,表4-2为20世纪90年代末期黄河流域土壤侵蚀空间分布的统计表。可以看出,黄河流域土壤侵蚀主要以水力侵蚀、风力侵蚀和冻融侵蚀为主,其中水力侵蚀占总侵蚀面积的73.7%,风力侵蚀占总侵蚀面积的16.6%,冻融侵蚀占总侵蚀面积的9.6%。遥感分析表明,以流水为动力而产生的侵蚀过程是黄河流域最主要的土壤侵蚀,分布非常广泛,总体反映了黄土高原环境下的土壤侵蚀特点;而以风力为动力的侵蚀主要发生在黄河流域东北部地区,主要分布于内蒙古和宁夏境内,侵蚀强度等级以轻度和中度风力侵蚀为主,占黄河流域总侵蚀面积的3.75%和3.41%,同时也要看到,强度以上的风力侵蚀占总风力侵蚀面积的36.9%,该地区风力侵蚀已经非常严重;冻融侵蚀主要分布于黄河流域的西部,由于该地区地势较高、气温较低,冻融侵蚀主要分布于各山体的上部,且以微度冻融侵蚀为主。图4-3为近5年黄河流域土壤侵蚀强度等级变化统计图,可以看出,5年来,微度侵蚀增加了79.4万hm²,但轻度侵蚀却减少了193.4万hm²,除部分通过环境治理转化为微度侵蚀外,也有相当部分水土流失进一步加剧,转化为中度与强度侵蚀;5年中,剧烈土壤侵蚀减少4.5万hm²,但中度、强度、极强度侵蚀都有显著增加,黄河流域的水土流失局部虽有改善,但总体依然在进一步加剧,治理水土流失,改善生态环境仍然是黄河流域重要而迫切的一项任务。

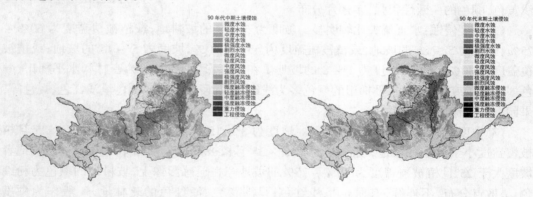

图4-2　20世纪90年代中期与末期黄河流域土壤侵蚀空间分布图

表4-2　20世纪90年代末期黄河流域土壤侵蚀空间分布

土壤侵蚀类型	栅格数	面积(万hm²)	占全区面积(%)
微度水力侵蚀	22 586 360	2 258.64	28.46
轻度水力侵蚀	12 929 480	1 292.95	16.29
中度水力侵蚀	10 947 977	1 094.80	13.80
强度水力侵蚀	6 250 778	625.08	7.88
极强度水力侵蚀	3 684 782	368.48	4.64
剧烈水力侵蚀	2 082 109	208.21	2.62

土壤侵蚀类型	栅格数	面积(万 hm²)	占全区面积(%)
微度风力侵蚀	2 638 536	263.85	3.33
轻度风力侵蚀	2 973 826	297.38	3.75
中度风力侵蚀	2 706 657	270.67	3.41
强度风力侵蚀	1 741 539	174.15	2.19
极强度风力侵蚀	1 594 437	159.44	2.01
剧烈风力侵蚀	1 533 705	153.37	1.93
微度冻融侵蚀	6 112 480	611.25	7.70
轻度冻融侵蚀	1 418 339	141.83	1.79
中度冻融侵蚀	95 677	9.57	0.12
重力侵蚀	4 353	0.44	0.01
工程侵蚀	52 148	5.21	0.07
合计	79 353 183	7 935.32	100

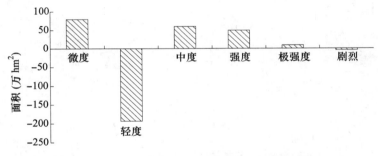

图 4-3 近 5 年黄河流域土壤侵蚀强度等级变化图

4.1.5 黄河流域土壤侵蚀强度格局变化

同黄河流域土地利用空间格局分布特征的研究一样,黄河流域土壤侵蚀强度空间格局是基于遥感解译的土壤侵蚀栅格数据库的基础上,在 ArcGIS 软件支持下,按土壤侵蚀强度对土壤侵蚀栅格数据库进行分层提取,分别生成微度、轻度、中度、强度、极强度和剧烈侵蚀强度的 1 km 栅格数据,其中每一栅格像元代表了该种土壤侵蚀强度类型在整个土壤侵蚀类型所占百分比的高低。

图 4-4 为黄河流域土壤侵蚀强度空间分布格局及其近 5 年变化,从左图中可以看出黄河流域土壤侵蚀强度的空间分布格局,如微度土壤侵蚀代表了水土流失最弱的区域,该区域土地利用主要以各类型的林地、高覆盖度草地和耕地组成,主要分布于黄河流域西部青藏高原区和东北部与东南部部分区域,右图为近 5 年微度土壤侵蚀变化图谱,可以看出在黄河流域甘肃省境内部分区域,微度侵蚀增加(水土流失减小),而微度侵蚀减少的区域主要分布于黄河流域源头等部分区域。同样,黄河流域极强度侵蚀和剧烈侵蚀主要发生于黄河流域的多沙粗沙区内,分布较为集中,多沙粗沙区是黄河流域泥沙的主要来源地之一,受人类活动的影响,当地脆弱的生态环境不断恶化,本已十分严重的水土流失不断加剧,严重制约了工农业生产的发展。近年来,随着人们对生态环境的日益重视,政府治理

水土流失强度的加大,部分区域水土流失得以缓减。从图4-4右图变化图谱可以看出,总体上剧烈侵蚀强度分布区域得以减小,但也有部分区域水土流失在进一步加剧,可见,治理水土流失,改善区域生态环境仍是一项十分艰巨的任务。

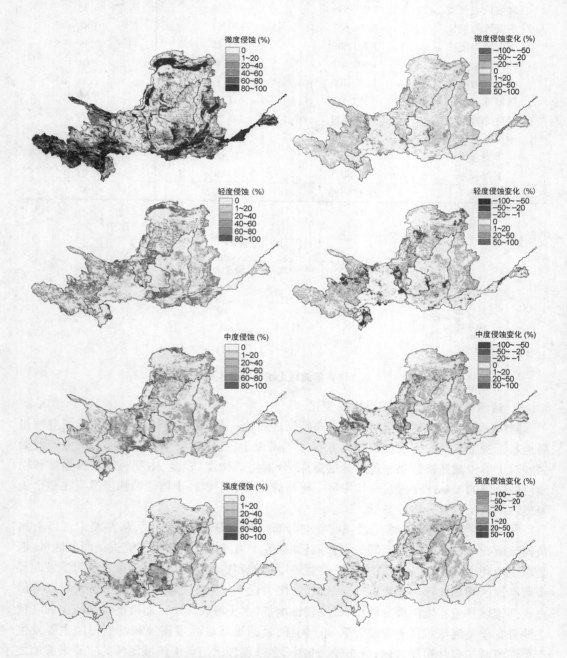

图4-4　黄河流域土壤侵蚀强度空间分布格局及其近5年变化

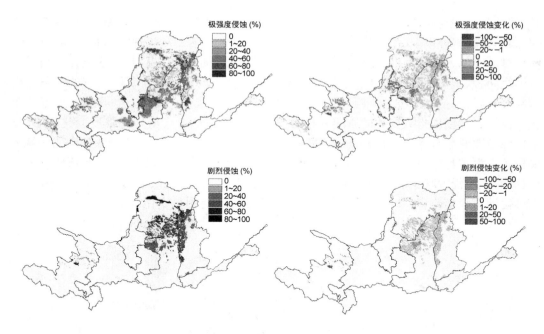

续图 4-4

4.2　黄河流域土壤侵蚀变化建模分析

4.2.1　土壤侵蚀综合指数模型

　　土壤侵蚀强度是不同侵蚀类型作用下区域土壤侵蚀所产生的水土流失强烈程度的综合表现。为了能使不同侵蚀类型之间具有可比性,需要对不同侵蚀类型进行量化分级。依据其对生态环境的影响大小,对其进行量化分级。不同土壤侵蚀类型的不同强度等级的分级值划分如下:水力侵蚀中的微度侵蚀、轻度侵蚀、中度侵蚀、强度侵蚀、极强度侵蚀、剧烈侵蚀的分级值分别为 0、2、4、6、8、10,工程侵蚀的分级值为 4。分级值越大,表示对生态环境影响越大,水土流失越厉害。同时,为了对不同行政单元的土壤侵蚀强度进行比较,可以用土壤侵蚀综合指数的大小来表示。土壤侵蚀综合指数计算公式定义如下:

$$INDEX_j = 100 \cdot \sum_{i=1}^{n} C_i \cdot A_i / S_j \qquad (4\text{-}1)$$

式中　$INDEX_j$——第 j 单元的土壤侵蚀综合指数;

　　　　C_i——j 单元第 i 类型土壤侵蚀的分级值;

　　　　A_i——第 j 单元 i 类型土壤侵蚀所占的面积;

　　　　S_j——第 j 单元所占的土地面积;

　　　　n——第 j 单元土壤侵蚀的类型总数,为了方便统计计算,将其扩大 100 倍。

　　通过式(4-1),以黄河整个流域为分析单位,计算的土壤侵蚀综合指数为 275。

　　在 Arc/Info 软件 GRID 模块支持下,将黄河流域分县行政界限图与土壤侵蚀图相叠加,得到整个黄河流域分县土壤侵蚀综合指数分级图,如图 4-5 所示。从图中可以看出:与土壤侵蚀空间分布图相对应,土壤侵蚀指数最高的区域位于中东部地区,特别是府谷县、偏关县、河曲县、佳县、临县、靖边县、永和县、大宁县等,土壤侵蚀指数在 660～791 之间,属于强度侵蚀以上,水土流失最为严重;土壤侵蚀指数在 396～659 之间的区域位于黄河流域的中部大部分地区,主要包括内蒙古、甘肃、陕西的部分区县,属于中度侵蚀与强度侵蚀之间,水土流失较为严重;土壤侵蚀指数在 0～131 的区域位于黄河流域的西部与南部部分区域,包括青海省与陕西、河南部分平原区,为土壤侵蚀最弱区。图 4-6 为近 5 年黄河流域土壤侵蚀指数变化的空间分布图,可以看出,总体上土壤侵蚀强度变化较小,土壤侵蚀指数变化范围在 −100～150 之间,变化不到一个强度等级;土壤侵蚀加剧的区域主要位于青海省与内蒙古自治区部分区域,由于自然环境与人类活动的影响,土壤侵蚀进一步加剧;土壤侵蚀减少的区域分布较为分散,包括杭锦旗、定边县、吴忠市、永登县等区县,土壤侵蚀有轻度改善;其他大部分区域土壤侵蚀强度没有明显变化。

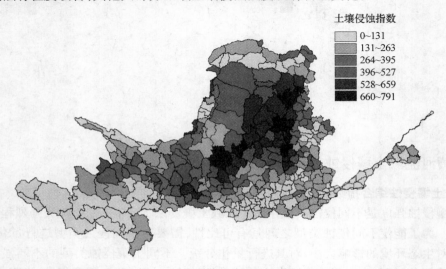

图 4-5　20 世纪 90 年代末期黄河流域土壤侵蚀指数空间分布图

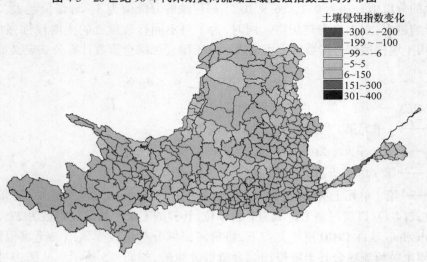

图 4-6　近 5 年黄河流域土壤侵蚀指数变化空间分布图

4.2.2 土壤侵蚀景观结构的变化分析

表4-3为20世纪90年代中期和90年代末期黄河流域土壤侵蚀强度景观结构统计表。从90年代末期土壤侵蚀强度景观结构可以看出:黄河流域景观类型以微度侵蚀景观为主,其面积占总黄河流域面积的40.48%,而景观斑块数最多的景观类型是轻度侵蚀和中度侵蚀景观,其斑块数分别为25 278和24 342,两者总和占黄河流域总斑块数的47.59%;景观平均斑块面积最大的是微度侵蚀景观,平均斑块面积为16.32 km²,其次为剧烈侵蚀景观,平均斑块面积为7.23 km²,而强度侵蚀与极强度侵蚀平均斑块面积较小,分别为4.52 km²和4.84 km²,这主要由于微度侵蚀作为黄河流域土壤侵蚀景观的主体,其面积最大,且绵延成片,平均斑块面积最大,剧烈侵蚀景观分布相对集中,平均斑块面积较大,而强度侵蚀与极强度侵蚀斑块相对破碎,平均斑块面积较小,其景观分维数较大,分别为1.879 4和1.873 7。5年间微度侵蚀、轻度侵蚀、中度侵蚀和剧烈侵蚀斑块个数减少,而强度侵蚀和极强度侵蚀斑块个数增加,其中微度侵蚀从90年代中期斑块20 666个减少到90年代末期的19 681个,轻度侵蚀从90年代中期斑块26 101个减少到90年代末期的25 278个,微度侵蚀所占面积比例却从39.48%增加到40.48%,其平均斑块面积从15.16 km²增加到16.32 km²,景观分维数从1.764 0减少到1.757 1,可见这几年由于人们对生态环境日益重视,特别在中国西部地区加大对水土流失的治理力度,使得微度侵蚀景观面积增加、斑块变得较为聚集。轻度侵蚀平均斑块面积减小,其景观分维数从90年代中期1.853 1增加到90年代末期的1.857 6,中度侵蚀平均斑块面积增加,景观分维数减小,斑块呈现聚集的趋势,强度侵蚀、极强度侵蚀平均斑块面积5年间变化不大,其景观分维数略有增加,而剧烈侵蚀平均斑块面积从90年代中期7.09 km²增加到90年代末期的7.23 km²,其景观分维数从1.837 8减小到1.835 8,这也进一步反映了在人类对水土流失和荒漠化治理强度加强下,虽然已经取得一定成果,使得剧烈侵蚀面积减少,但由于剧烈侵蚀斑块变得集中、成片分布,这将加大下一步对水土流失和荒漠化治理的难度。

表4-3　各个时期土壤侵蚀强度景观结构

时期	景观类型	斑块个数	斑块周长(km)	平均斑块周长(km)	面积(km²)	占总面积比例(%)	平均斑块面积(km²)	分维数
90年代中期	微度侵蚀	20 666	281 568	13.62	313 321	39.48	15.16	1.764 0
	轻度侵蚀	26 101	285 664	10.94	173 208	21.83	6.64	1.853 1
	中度侵蚀	25 115	251 292	10.01	137 532	17.33	5.48	1.867 6
	强度侵蚀	17 683	161 370	9.13	80 248	10.11	4.54	1.878 2
	极强度侵蚀	10 892	105 800	9.71	52 874	6.66	4.85	1.872 6
	剧烈侵蚀	5 125	62 026	12.10	36 340	4.58	7.09	1.837 8
90年代末期	微度侵蚀	19 681	275 460	14.00	321 102	40.48	16.32	1.757 1
	轻度侵蚀	25 278	263 114	10.41	153 952	19.41	6.09	1.857 6
	中度侵蚀	24 342	250 542	10.29	143 498	18.09	5.90	1.860 4
	强度侵蚀	18 897	172 068	9.11	85 323	10.76	4.52	1.879 4
	极强度侵蚀	11 143	108 310	9.72	53 890	6.79	4.84	1.873 7
	剧烈侵蚀	4 920	60 160	12.23	35 550	4.48	7.23	1.835 8

4.2.3　土壤侵蚀景观空间格局演变

从土壤侵蚀角度看,自然生态系统景观由微度土壤侵蚀和其他等级土壤侵蚀强度的地域组成,其景观基本元素有斑、廊、基。在 Arc/Info 软件空间数据管理与分析功能支持下,根据黄河流域的土地侵蚀景观类型,通过编制 AML 宏程序,同时结合大型统计分析软件包 SPSS,计算土壤侵蚀强度景观的多样性指数、优势度指数、均匀度指数和破碎度指数,以实现 5 年间黄河流域土地侵蚀空间景观格局的演变分析。

图 4-7 中左图为以行政区县为分析基本单元计算的 90 年代末期黄河流域土壤侵蚀景观多样性指数、优势度指数、均匀度指数和破碎度指数空间分布图,右图为 90 年代中期到 90 年代末期近 5 年的土壤侵蚀景观指数演变空间分布图。多样性指数反映土壤侵蚀景观类型的多少和各景观类型所占比例的变化,当景观是由单一等级侵蚀强度构成时,景观是均质的,其多样性指数为 0;当景观是由 2 个以上侵蚀强度等级构成,各等级所占比例相等时,其景观的多样性指数最高,若各等级所占比例差别增大,则景观的多样性下降。景观优势度指数表示景观多样性对最大多样性之间的偏差,用以表明水土流失区域中是哪一强度等级的土壤侵蚀景观类型支配该区土壤侵蚀生态系统景观,优势度指数大,表明各种等级所占比例差别大,其中某一种或某几种等级占优势;优势度指数小,表明各类型所占比例相当;优势度指数为 0 表明各景观类型所占比例相等,没有一种景观类型占据优势。它与景观的多样性指数近似成反比,对于景观类型数目相同的地区,优势度指数越大,其多样性指数越小。从黄河流域土壤侵蚀景观多样性指数和优势度指数空间分布图可以看出:多样性指数空间分布比较有规律,多样性指数为 0 ~ 1.085 的区域分布在黄河流域的南部地区,包括周至县、柞水县、临猗县、夏河县、甘德县、达日县、延津县、滑县等部分区域,地理位置相对集中且呈条带状分布,而该区域景观优势度指数相对较大,为 1.731 ~ 2.6,通过分析黄河流域土壤侵蚀空间分布图可以发现,该区域土壤侵蚀类型主要以微度水力侵蚀为主,而土地利用则以耕地为主,由于地势平坦,水土流失微弱,土壤侵蚀类型相对单一,景观的多样性指数较小;多样性指数为 1.085 ~ 2.169 的区域包括黄河流域的大部分区域,侵蚀类型以各类水力侵蚀与冻融侵蚀为主;多样性指数为 2.169 ~ 3.254 的区域分布相对集中,集中分布于内蒙古自治区内,行政区县包括杭锦旗、鄂托克旗、鄂托克前旗、乌审旗、达拉特旗、神木县、榆林市、靖边县等,该区域景观类型主要以风力侵蚀以及风水侵蚀交错景观为主,植被覆盖稀疏,生态环境脆弱,而人类不合理的经济活动对当地的环境也有较大影响,直接影响了该区域生态环境的恢复,该区域的景观优势度指数则介于 0.005 ~ 0.863 之间。从右图对应的景观多样性指数与优势度指数的变化可以看出,5 年间景观多样性指数增加的区域基本呈带状分布,多样性指数减小的区域呈环状分布,分布较为分散,多样性指数减小的区域包括鄂托克旗、吴忠市、盐池县、景泰县、永靖县等区域,指数增加的区域包括神木县、榆林市、托克托县、同心县、海原县、固原县等以及黄河流域的西部大部分区域,而其他大部分区域变化较小,优势度指数的变化则以减小为主,减小的区域在黄河流域东边相对分布集中、连绵成片,而优势度指数增加的区域分布较为分散,这也反映了人类在黄河流域土壤侵蚀景观格局演变中的影响作用。均匀度指数描述了土壤侵蚀不同等级类型分配的均匀程度,破碎度指数反映了土壤侵蚀等级被分割的破碎程度,它与土地资源环境保护密切相关。从图 4-7 中左图中景观均匀度指数和破碎度指数分布图可以看出:均匀度指数为 0.282 ~ 16.636 的区域包括临猗县、平陆县、滑县、封丘县等,其土地利用类型为耕地,土壤侵蚀以微度水蚀为主,是人类活动影响的最强区

域。在人类活动最强区域,由于人类的活动已经彻底改变了自然景观而形成相对单一的人文景观,自然景观也相对单一,从而均匀度指数相对较低,破碎度指数也相对较低,为0~0.007;均匀度指数 16.636~65.696 的区域占了黄河流域的大部分,而均匀度指数为65.696~98.403 的区域分布相对集中,成片分布于黄河流域的中东部地区,其景观破碎度指数也相对较大,在 0.014~0.043 之间。从图 4-7 右图即景观均匀度指数和景观破碎度指数变化可以看出,5 年间黄河流域均匀度指数与破碎度指数变化很小,均匀度指数趋势以增加为主,而破碎度指数则以减小为主,分布都比较分散,反映了 5 年间在自

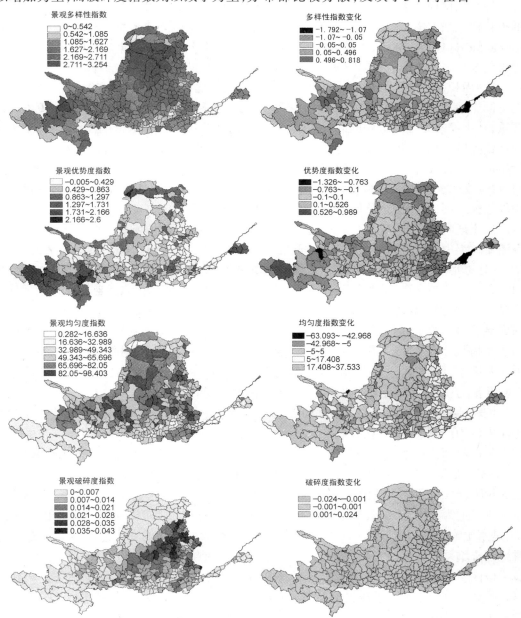

图 4-7　黄河流域土壤侵蚀格局景观指数及其演变空间分布图

然和人类活动影响下的土壤侵蚀景观的演变动态。

4.3 黄河流域土地利用与土壤侵蚀耦合分析

4.3.1 不同土地类型土壤侵蚀的时空分异

4.3.1.1 不同土地利用方式土壤侵蚀的时空分异

土壤侵蚀是一个复杂的时空过程,若气象条件相同,土地利用的类型组成、空间配置等土地利用格局就成为土壤侵蚀的主控因子之一[7~12]。因此,研究不同土地利用方式下的土壤侵蚀强度的时空过程,可以更好地把握土地利用与土壤侵蚀的耦合关系[13]。在Arc/Info Grid 模块支持下,将黄河流域土地利用与两期土壤侵蚀数据进行空间叠加分析,可得到 5 年间不同土地利用方式下土壤侵蚀强度指数的空间分布,统计结果如表 4-4 所示,其中面积(%)表示每种土地利用类型所占面积的比重。可以看出:20 世纪 90 年代末期不同土地利用方式中,在黄河流域由于未利用地主要以沙漠化土地为主,水土流失最为严重,其土壤侵蚀强度指数也最大,为 349,其次土壤侵蚀强度递减的土地利用类型依次为低覆盖度草地、中覆盖度草地、旱地、疏林地、高覆盖度草地、灌木林地、水域、有林地、建设用地、水田;在整个黄河流域,旱地、中覆盖草地、低覆盖草地分别占总流域面积的25.75%、22.23% 和 15.69%,而其土壤侵蚀强度指数分别为 243、251、296,介于轻度侵蚀与中度侵蚀之间,使得整个流域水土流失较为严重,特别是黄土高原,由于自然因素以及不合理的土地利用方式,成为全国乃至世界水土流失最为严重的地区。在土壤侵蚀 5 年时空演变过程中,土壤侵蚀强度显著降低的土地利用类型为水田、有林地、灌木林地、疏林地、其他林地和建设用地,其中用地类型为林地的区域土壤侵蚀强度显著降低,这主要是由于近 5 年在国家"保护西部生态环境,再建秀美山川"的号召下,执行退耕还林还草政策初见成效,使得在林地面积增加区域水土流失减轻、土壤侵蚀强度降低;5 年间土壤侵蚀强度显著增加的土地利用类型为低覆盖度草地、中覆盖度草地和高覆盖度草地,其土壤侵蚀强度指数分别从 90 年代中期的 284、246、163 增加到 90 年代末期的 296、251、170,这一方面是由于自然因素以及人为因素,草场持续退化,沙漠化土地增加,同时也由于部分草地被开垦为耕地,造成水土流失的增加、土壤侵蚀强度的提高。

坡耕地是指具有不同倾斜程度的农耕田,产量低,水土流失严重。而黄河流域作为水土流失较为严重的地区,在长期的滥垦、滥伐与滥牧过程中,使得坡耕地从 3°~5°的缓坡农田到地面倾斜角大于 35°的"挂牌地",无处不垦,无处不种,是水土流失的主要来源地。因此,需要把坡耕地单独列出来,分析不同坡耕地区的土壤侵蚀时空演变过程。表 4-5 为近 5 年不同坡耕地区土壤侵蚀强度变化的统计表,可以看出,总趋势是随着坡度的增大,水土流失愈为严重,土壤侵蚀强度逐渐增大,耕地区的侵蚀强度远远高于全区的平均水平,是水土流失的重点区域。在近 5 年坡耕地区土壤侵蚀强度的变化过程中,除了8°~15°耕地区土壤侵蚀强度略有增加、5°~8°耕地和 15°~25°耕地区侵蚀强度没有变化外,其他坡耕地区土壤侵蚀强度 90 年代末期要比中期有轻微减小,这主要归功于国家退耕还林(草)政策的执行以及水土流失治理强度的加大,使得坡耕地区水土流失得到部分的遏制与控制。

表 4-4　近 5 年不同土地利用方式下土壤侵蚀强度变化统计

土地利用类型	面积（hm²）	面积（%）	90 年代中期侵蚀强度指数	90 年代末期侵蚀强度指数
水田	675 476	0.85	116	109
旱地	20 430 538	25.75	244	243
有林地	3 705 828	4.67	145	138
灌木林地	4 781 563	6.03	155	145
疏林地	1 664 050	2.10	231	222
其他林地	186 820	0.24	151	144
高覆盖度草地	7 919 323	9.98	163	170
中覆盖度草地	17 638 157	22.23	246	251
低覆盖度草地	12 449 797	15.69	284	296
水域	1 316 547	1.66	137	138
建设用地	1 705 871	2.15	140	131
未利用地	6 879 182	8.67	350	349

表 4-5　近 5 年不同坡耕地区土壤侵蚀强度变化统计

坡耕地类型	面积（hm²）	面积（%）	90 年代中期侵蚀强度指数	90 年代末期侵蚀强度指数
0°～5°耕地	15 978 003	75.77	212	210
5°～8°耕地	1 034 855	4.91	279	279
8°～15°耕地	2 344 850	11.12	328	330
15°～25°耕地	1 434 472	6.80	354	354
25°～35°耕地	250 367	1.19	362	358
35°～90°耕地	45 525	0.22	353	348

从以上分析再一次说明，不同土地利用方式对土壤侵蚀的发育有着不同影响，不合理的土地利用方式对土壤侵蚀的影响表现为破坏土壤生态系统的平衡、降低土壤渗透性、增加地表径流、减少植被覆盖，最终导致严重的水土流失[14,15]。同时也要注意到，坡耕地区的水土流失要远远高于平耕地区。因此，加强坡耕地区的水土流失治理，在经济效益低下的坡耕地区执行退耕还林（草）政策显得尤为重要。

4.3.1.2　不同坡度下土壤侵蚀的时空分异

在黄河流域中诸如黄土高原这种植被覆盖较低的地区，坡度与坡长也成为土壤侵蚀的主要影响因子之一。一般地，土壤侵蚀强度随着坡度的增大而显著增大。表 4-6 为黄河流域近 5 年不同坡度区土壤侵蚀强度变化统计，可以看出，在坡度小于 15°时，随着坡度的增大,侵蚀强度增大,而当坡度大于 15°时,随着坡度的增大,侵蚀强度减小。这主要由于在整个黄河流域,在坡度小于 15°时,有很多坡地开垦为耕地,使得水土流失加剧、土壤侵蚀强度增加,而当坡度大于 15°时,随着坡度增加,土壤开垦难度加大,土地利用也主要以林地与草地为主,人类经济活动影响逐渐减小,从而土壤侵蚀强度逐渐减弱。同时也要看到,在各坡度区,90 年代末期土壤侵蚀强度要高于 90 年代中期,水土流失还在逐步加剧。因此,在黄河流域治理水土流失、保护生态环境仍然是一项艰巨而迫切的任务。

表 4-6 近 5 年不同坡度区土壤侵蚀强度变化统计

坡度类型	面积 (hm²)	面积 (%)	90 年代中期 侵蚀强度指数	90 年代末期 侵蚀强度指数
0°~5°	52 569 601	66.30	236	238
5°~8°	3 663 249	4.62	251	253
8°~15°	9 508 184	11.99	258	261
15°~25°	9 616 672	12.13	228	230
25°~35°	3 139 104	3.96	195	197
35°~90°	792 709	1.00	180	183

4.3.2 土地利用与土壤侵蚀强度耦合关系分析

研究土地利用变化与土壤侵蚀强度变化的耦合关系,对于研究土壤侵蚀发生机制、更好治理水土流失具有重要意义。根据近 5 年土地利用动态变化情况,可将黄河流域土地利用分为六大动态区域:耕地动态区、林地动态区、草地动态区、水域动态区、建设用地动态区和未利用地动态区,在这些土地利用动态区域中,由于土地利用类型发生了不同的转换过程进而影响到土壤侵蚀强度的变化。在 Arc/Info Grid 模块支持下,将黄河流域土地利用动态数据与两期土壤侵蚀强度数据进行空间叠加分析,可得到 5 年间不同土地利用动态区土壤侵蚀强度指数的空间分布,统计结果如图 4-8 所示。在耕地动态区域中(图 4-8(a)),侵蚀强度发生明显变化的区域主要位于耕地到林地、耕地到水域、建设用地和未利用地的转换过程中,其中从耕地到林地、水域、建设用地转换过程中,侵蚀强度指数从 90 年代中期的 199、112 和 129 减小到 90 年代末期的 176、108 和 123,而耕地转换为未利用地的过程中,侵蚀强度指数从 147 增加到 160,这主要由于黄河流域耕地以旱作耕地为主,特别是大范围的坡耕地成为水土流失的主要发生区域,由于人类活动与自然因素的影响造成耕地区土地利用方式发生变化,从而导致土壤侵蚀强度的响应变化。同样,在林地动态区、草地动态区、水域动态区、建设用地动态区和未利用地动态区(图 4-8(b)、(c)、(d)、(e)、(f)),随着土地利用方式的改变,相应影响到土壤侵蚀强度的变化,如在林地动态区,随着林地的被砍伐和开垦,土壤侵蚀强度发生不同程度的增加,如在林地被砍伐荒芜为草地的区域,土壤侵蚀强度指数从 90 年代中期的 199 增加为 90 年代末期的 206,而在林地被砍伐而荒芜为未利用地的过程中,土壤侵蚀强度指数显著增加,从 90 年代中期的 189 增加到 90 年代末期的 310,侵蚀强度指数增加121,代表该区域由于土地利用变化

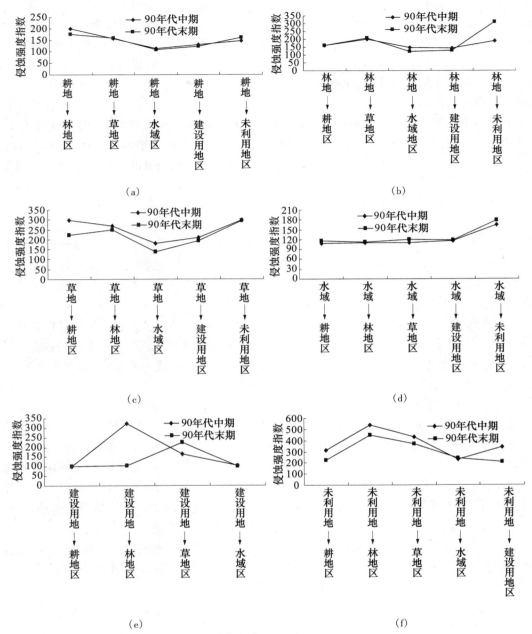

图 4-8　近 5 年土地利用动态区土壤侵蚀强度指数变化统计

发生了严重的水土流失;草地动态区,由于草地的动态主要发生在低覆盖度草地区,在黄河流域,低覆盖草地区属于水土流失非常严重的区域,在该区域由于草地的过度使用导致土壤板结、草质下降、草地生产力低下,引起了严重的草场退化和沙化。因此,随着草地利用方式的变化(除向未利用地转化外),土壤侵蚀强度呈现不同程度的减少,如在草地开垦为耕地的过程中,土壤侵蚀强度指数减少 73,而在草地变为林地的过程中,土壤侵蚀强度从 90 年代中期 268 减小为 90 年代末期的 248;水域动态区 5 年间土壤侵蚀强度出现轻微增加;建设用地动态区中,在建设用地向林地转换过程中,土壤侵蚀强度指数显著减小,从 90 年代中期 324 减小到 90 年代末期的 106,而在其向草地转换过程中,土壤侵蚀强度指数从 164 增加到 227;在黄河流域中,未利用地主要由沙漠化土地构成,随着水土治理力度的加大与各类水保措施的完善,未利用地的使用方式发生变化,部分变为了林草地,使得土壤侵蚀强度得以减小。总之,从土地利用方式与土壤侵蚀的耦合关系可以看出,土壤侵蚀发生的一个主要原因是土地利用不当,如耕地的开垦不仅破坏植被覆盖,而且扰动土体、破坏土壤结构,最终增大产流而加剧侵蚀的作用。因此,优化土地利用结构,选择合理的土地利用方式,对于高效利用土地资源,控制水土流失,实现经济的可持续发展具有重要意义。

4.4 本章小结

遥感技术与 GIS 技术相结合,是进行国土调查与研究的有效工具,不仅可以节省财力、物力,而且可以对土地利用与土壤侵蚀演变过程进行快速监测,从而从总体上把握土地利用与土壤侵蚀演变与分布情况,为政府及时决策提供依据。本章在遥感与 GIS 技术的支持下,对黄河流域土壤侵蚀演变进行了研究。结果表明:

(1)黄河流域土壤侵蚀主要以水力侵蚀、风力侵蚀和冻融侵蚀为主,5 年间在自然和人类活动影响下,微度、中度、强度、极强度土壤侵蚀面积增加,轻度、剧烈土壤侵蚀面积减少,黄河流域的土壤侵蚀总体虽有改善,但局部土壤侵蚀仍在进一步加剧,治理水土流失,改善生态环境仍然是黄河流域重要而迫切的一项任务。

(2)除以沙漠化为主的未利用地外,中低覆盖度草地、旱作耕地都是黄河流域水土流失较重的区域,特别在坡耕地,由于其土壤性状的改变又具有不同的倾斜坡度,成为黄河流域水土流失的主要来源地;同时通过对土地利用变化与土壤侵蚀强度耦合关系的研究,再次说明不同土地利用方式对土壤侵蚀的发育有着不同影响,不合理的土地利用方式由于其对土壤性状的破坏,最终会导致严重的水土流失。因此,当前在黄河流域除了要优化土地利用结构,实现土地利用的综合规划、合理利用外,还要做好黄河流域的退耕还林、退耕还草工作,这些对于防治水土流失、治理土地沙漠化,恢复生态环境具有重要意义。

(3)研究结果同时说明,应用遥感与 GIS 技术,通过建立土壤侵蚀时空数据库,可以客观、快速、准确地把握土壤侵蚀的时空演变过程,进而为整个国家或区域的宏观决策提供支持。

参 考 文 献

[1] 吴亚宁,张虎林,杨丽萍. 黄河流域甘肃片土壤侵蚀遥感普查的初步分析. 遥感技术与应用,2002,17(6)
[2] 李忠锋,王一谋,冯毓荪,等. 遥感与 GIS 在准格尔旗土壤侵蚀监测中的应用. 遥感技术与应用,2002,17(6)
[3] 尹民,赵善伦,孙希华. 山东省土壤侵蚀遥感调查与空间分析. 水土保持学报, 2002,16(5)
[4] 杨胜天,朱启疆,李智广. 智能化土壤侵蚀遥感解译系统. 水土保持学报, 2002,16(1)
[5] 赵晓丽,张增祥,周全斌,等. 中国土壤侵蚀现状及综合防治对策研究. 水土保持学报,2002
[6] 唐政洪,蔡强国,许峰,等. 不同尺度条件下的土壤侵蚀实验监测及模型研究. 水科学进展,2002,13(6)

[7] 符素华,段淑怀,李永贵,等 . 北京山区土地利用对土壤侵蚀的影响 . 自然科学进展,2002,12(1)

[8] 张燕,张洪,彭补拙,等 . 不同土地利用方式下农地土壤侵蚀与养分流失 . 水土保持通报,2003,23(1)

[9] 魏天兴,朱金兆 . 黄土残塬沟壑区坡度和坡长对土壤侵蚀的影响分析 . 北京林业大学学报,2002,24(1)

[10] 陈松林 . 基于 GIS 的土壤侵蚀与土地利用关系研究 . 福建师范大学学报,2000,16(1)

[11] Woldeamlak Bewket, Geert Sterk. Assessment of soil erosion in cultivated fields using a survey methodology for rills in the Chemoga watershed, Ethiopia. *Agriculture Ecosystems & Environment*, 2003, 97:81 ~ 93

[12] David J. Eldridge, John F. Leys. Exploring some relationships between biological soil crusts, soil aggregation and wind erosion. *Journal of Arid Environments*, 2003, 53:457 ~ 466

[13] 王思远,刘纪远,张增祥 . 不同土地利用背景下土壤侵蚀分析 . 水土保持学报,2001

[14] A. Lufafa, M. M. Tenywa, M. Isabiryeb et al. Prediction of soil erosion in a Lake Victoria basin catchment using a GIS-based Universal Soil Loss model. *Agricultural Systems*, 2003, 76:883 ~ 894

[15] John Boardman, Jean Poesen, Robert Evans. Socio-economic factors in soil erosion and conservation. *Environmental Science & Policy*, 2003, 6:1 ~ 6

[16] Elation to sheep grazing and government subsidies. *Environmental Science & Policy*, 2003, 6:105 ~ 113

[17] C. Kosmas, St. Gerontidis, M. Marathianou. The effect of land use change on soils and vegetation over various lithological formations on Lesvos (Greece). *Catena*, 2003, 40:51 ~ 68

第5章 黄河流域生态环境演变分析

当前,在信息高速公路和"数字地球"计划已成为众多国家政府行为的情况下,地理信息系统的发展有了更大的机遇与挑战。随着计算机技术的飞跃发展以及社会对信息化需求的扩大,地理信息系统应用的广度与深度得到了进一步的加深。特别是高分辨率遥感卫星的研制与投入使用,以及遥感、GIS(地理信息系统)等空间信息技术的飞跃发展,使得利用遥感、GIS等技术手段监测资源环境的变化成为可能。同时,由于土地利用/土地覆盖的特点对气候、全球生物地球化学循环、陆地生物种类的丰度和组成有重要的影响,不同的土地覆盖类型具有不同的生态系统结构、群落组成以及生物量。因此,任何土地利用/土地覆盖的变化都与一定的环境后果相联系。在几十年甚至上百年尺度上,由自然因素引起的环境变化幅度相对较小,而由人类活动产生的环境变化,在强度上甚至超过了自然因素引起的环境变化,成为环境变化的主要因素。为此,本章在阐述环境监测信息系统建设中信息集成、处理和分析中的一些关键技术问题的基础上,开发了相应的生态环境监测信息系统,并对黄河流域生态综合环境进行了评价分析。

5.1 环境监测信息的处理与组织

5.1.1 环境监测专题信息编码

资源环境是一个涵盖多种自然要素和人文要素的复杂系统,其综合状况及其演变过程受到大气、土壤、植被、水域以及人类活动的共同影响[1]。因此,资源环境动态监测信息容纳了众多专题不同时期的大量数据。这些数据不仅包括的专题层面多,以便于环境状况的综合分析,而且,为实现区域环境状况的动态监测,几乎每一专题层面都拥有多时相的数据。可见,资源环境监测系统,不仅数据的获取是一项艰巨的工程,对数据的系统处理与管理也提出了更高的要求[2]。为了实现对各个专题的数据进行统一管理,保证专题分析与综合分析的顺利实现,必须对数据进行统一标准规范下的分类整理、分级整理、分时相整理、标准化处理、统一坐标下的空间管理等。专题数据一般包括基础信息层、专题信息层、综合信息层等3个层面,其中基础信息层包括行政区划等基本地理数据、水文气象观测等站点数据、社会统计数据等原始信息;专题信息层包括土地利用程度数据、土壤侵蚀数据、水热要素数据等专题信息;综合信息层包括水热综合状况、地形地貌综合状况、土壤侵蚀综合状况、环境综合状况等综合信息。

专题信息编码是实现大量数据系统化管理的基础,编码的目的在于区分专题属性和分类数据的内容。考虑到各个专题的特点和应用目的,以及为GIS支持下的专题信息存储、管理与分析和最终进行环境评价与动态监测奠定基础,各专题信息均采用统一的编码方法并形成切实可行的分类体系。专题信息编码包括两方面的内容:①由于专题层面众多,各层面信息依据不同比例尺的标准地形分幅或基本层面为单位分别编码命名;②各层面内部的专题内容均采用相对独立的编码体系,每一编码代表相应的分类结果,形成各自的分类体系。

5.1.1.1 专题层面编码

专题层面编码的主要目的是区分各个层面,以便于分析过程中对专题数据的管理和应用。针对各层面的类型特点和时间序列特性,采用两种编码格式。如表 5-1 所示,对于近期无明显变化而相对稳定的基础层面 DEM、坡度、坡向、行政界限等,采用多位静态编码方式,强调其空间位置和专题属性,第 1 位(或前 2 位)以英文字母表示其专题类型,第 3、第 4 位以数字等表示其所处 1:25 万地形图的标准分带。对于近期随时间变化的专题层面如土壤侵蚀强度、土地利用状况、植被状况、大气环境、地表水文要素等,年度性、季节性,甚至每一天都可能不同,对其采用多位动态编码方式,强调相应专题的时间序列特性和专题属性等,编码第 1 位代表其专题属性,第 2、第 3 位数字码代表该专题层面的相应年度,其余编码同第一种编码方法。

表 5-1   专题层面编码方式

专题类型	专题编码	编码格式	信息获取	时间序列
地形地貌	T45	静态编码	基于 DEM 综合计算	无
基本地理要素	D45	静态编码	源自地形图	无
土壤侵蚀强度	A9545,A0045	动态编码	综合模型分析	1995,2000
土地利用动态	F9545,F0045	动态编码	遥感信息分析	1995,2000
⋮	⋮	⋮	⋮	⋮

5.1.1.2 专题分类及其编码体系

除了区分不同专题层面,每一专题的全部内容更需要进行细致的类型划分和逐一编码表示,每一信息层面形成各自的专题图件,符号表示是其重要处理方法之一。因此,根据每一专题的具体类型构成,进行每一专题的分类与编码。

5.1.2 专题信息处理

专题信息处理包括坐标系统的统一化、数据标准化、专题信息的数量化。

5.1.2.1 坐标系统统一化

为了实现不同专题图件的空间叠加分析,以及实现单一专题层面空间区域上的连接,必须使各专题层面具有统一的空间地理位置,即统一的坐标系统。

5.1.2.2 数据标准化

进行多指标评价对比,需克服指标量纲的不一致性,故需进行数据的标准化。数据标准化是开展空间叠加分析和动态对比的基础,包括多专题数据的统一标准量化和统一管理分析。本项研究主要采用标准差标准化方法,即:假设样本容量为 N,每一个数据项均取得 m 个指标,第 i 个个体的第 j 指标的观测值为 x_{ij},第 j 指标观测在 N 个个体中的平均值和标准差分别为 $\bar{x}$ 和 S_i,则第 i 个个体的第 j 指标的标准化值为 X_{ij}:

$$X_{ij} = \frac{x_{ij} - \bar{x}_i}{S_i} \quad (i = 1,2,3,\cdots,n; j = 1,2,3,\cdots,m) \tag{5-1}$$

其中，$\bar{x} = \dfrac{1}{N}\sum\limits_{i=1}^{N} x_{ij}$，$S_i = \sqrt{\dfrac{1}{N-1} \cdot \sum\limits_{i=1}^{N}(x_{ij} - \bar{x}_i)^2}$ 。

5.1.2.3 专题信息量化

专题信息的定量化表达主要是针对各个专题层面的原始数据进行分级划分后，由于分级本身仅体现专题层面内部差异，不便于各个专题之间的等级分区，实现统一标准下的定量化表达，使其在参与多专题要素综合分析计算时，不至于因为其分级数量的不同而失去专题要素间的公平与合理性。例如，无论专题内容划分为多少级，其整体标准化定量值均居于 0～10 之间，这样可避免因原始数据绝对值差异较大而无法进行专题要素间的相互对比与综合分析。表 5-2 为大于 0℃积温的分级量化表及其含义。

表 5-2　大于 0℃积温的分级量化

大于 0℃积温(℃)	分类代码	标准分级值	含义
0～500	1	1	无农业
500～1 500	2	2	纯牧业
1 500～2 100	3	2	以牧业为主，牧农林结合
2 100～3 000	4	3	作物一年一熟，林、牧结合
3 000～3 900	5	3	作物一年一熟，林、牧结合
3 900～4 000	6	3	作物一年一熟，林、牧结合
4 000～5 500	7	4	作物一年两熟或三熟(稻+稻+麦,稻+稻+油菜)
5 500～5 700	8	5	作物一年三熟，林、牧结合
5 700～6 000	9	5	作物一年两熟，农、林、牧结合
6 000～6 100	10	5	作物一年三熟
6 100～7 000	11	6	全年可种植喜温作物
7 000～8 200	12	7	全年适宜各种热带作物生长
8 200～9 000	13	8	全年适宜各种热带作物生长
9 000～10 000	14	9	灌溉或旱作可一年一熟，牧业占一定比重
10 000～10 460	15	10	灌溉可一年两熟，牧业占一定比重

5.2　环境监测信息系统集成平台的设计与实现

环境监测信息系统软件集成包括数据集成和功能集成两个方面，数据集成包括系统数据组织、数据库构建、数据安全等；功能集成包括系统各功能模块的设计，如数据浏览功能、空间分析功能、结果统计以及辅助决策功能等。环境监测信息系统的设计总体框架如图 5-1 所示。

5.2.1　环境监测系统数据库集成

上节描述的环境监测系统的信息处理与组织，为建立环境监测数据库打下了基础。由于环境监测涉及的数据具有信息量大、多比例尺、时间跨度大等特点。因此，一个完整

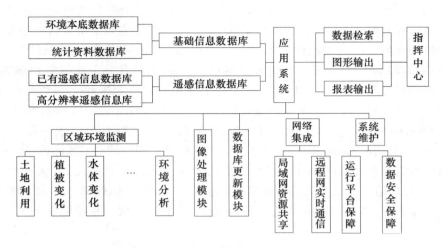

图 5-1 环境监测信息系统总体框架

的环境监测数据库设计一般包括以下几个方面:

(1)空间数据库设计。对不同比例尺的地理数据建立不同层次的地理数据库,在不同库之间依据空间位置和属性特征建立联系。其中,各不同比例尺数据库应根据实际情况和用途分别建立多个子专题库。

(2)属性数据库设计。所有属性数据在系统中用关系数据库系统统一管理,数据以表格的形式进行存储,空间地物及其属性通过惟一的表识码相互连接,空间地物通过表识码来获取其对应的属性。

(3)遥感影像数据库设计。环境监测的遥感数据源主要有中低分辨率的 NOAA 、TM、SPOT 以及高分辨率的 QuickBird 数据。影像数据按空间分布和标准分幅进行分块压缩,对影像的空间位置及其分辨率进行编码。同时建立影像数据索引,通过索引进行影像数据检索。

(4)多媒体数据库设计。各种多媒体数据独立存储,进行统一压缩并建立数据索引,通过索引与相应地物建立联系。

(5)元数据库设计。元数据是对地理空间数据的定量与定性描述,是用于描述数据的内容、定义、空间参考、质量及地理数据管理等方面的数据。它是地理信息数据描述的关键技术之一,主要包括标识信息、数据集概述、数据质量信息、空间参照信息、时空信息、空间数据表示信息、分类信息、元数据参照信息等。因此,元数据库的建立为数据的长久保存和持续使用提供了保证。环境监测信息系统的元数据库的内容包括数据类型、原始数据编号、内容描述、数据库编码、数据的空间与时间分辨率、数据生产时间、空间范围、投影方式、数据存储格式、数据提供格式、数据精度说明、数据生产部门、数据的更新日期、数据的所有者等。

5.2.2 环境监测信息系统的设计与实现

GIS 应用系统的集成包括松散式集成和紧密式集成。前者是建立在多平台 GIS 基础上的,是 GIS 软件之间优势功能的集成,其优点是可获得统一的运行环境,同时充分利用

GIS 的空间分析和统计功能。后者又称嵌入式集成,主要基于单个大型商业软件开发平台提供的功能和二次开发语言进行系统集成[3,4]。本次软件集成采用了目前最先进的软件开发思想——基于面向对象的技术和部件对象模型(COM)为基础的软件集成方法。COM 对象在体系结构上类似于自动化服务器和控制器,它包含一个或多个 COM 接口,可以有或没有用户界面。基于 COM 协议,可以把若干组件组合起来建立一个更大、更复杂的系统。COM 技术已经成为 GIS 软件发展的潮流。例如 ESRI(美国资源系统研究所)推出的 Map Objects(MO)提供了 35 个控件对象,其最新开发的 ArcGIS8.3 也是基于 COM 技术的;Intergraph 公司的 GeoMedia 提供 11 个类 30 个控件。同传统的 GIS 比较,这一技术能够实现高效无缝的系统集成,并具有无需专门的二次开发语言、标准化、大众化、低成本等特点。为此,环境监测信息系统的开发采用了这一技术,基于 ArcGIS8.3 和 MO 的控件,利用可视化开发语言 Visual C++、Visual Basic 进行了系统集成。系统集成模式如图 5-2 所示。

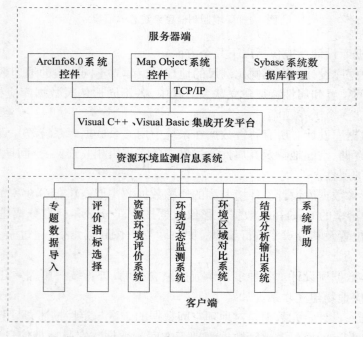

图 5-2　环境监测信息系统集成模式

　　由于 VC 语言具有使用灵活、执行效率高等特点,故系统整体界面、系统各个功能模块组织用 VC++语言编写;VB 语言具有编程简单、编程速度快等特点,因而一些功能控件由 VB 语言开发。环境动态监测主要功能模块有土地利用动态监测模块、植被变化监测模块、水体变化监测模块、水土流失监测模块和环境综合分析模块。土地利用动态监测模块掌握土地资源开发利用的空间特点和时间序列变化过程信息,分析土地利用类型的变化、土地利用结构和土地利用程度的变化;植被变化监测模块主要掌握森林植被的动态变化与监测;水体变化监测模块主要对湖泊等地表水体面积动态分析与变化趋势预测;水土流失监测模块掌握区域土壤侵蚀强度,水土流失面积等;环境综合分析模块结合社会经济统计信息、自然环境观测与监测信息,采用多种数学模型,开展区域生态环境综合分析与评价。实践表明,上述集成方案在功能上集成了大型 GIS 软件系统的功能与效率,并针对具体项目要求添加了相应功能控件,改善了用户界面,使系统成为针对该项目的一个完整的应用系统,强化了系统的针对性,更好地满足用户需求(图 5-3 为系统界面)。同时,上述集成方案也为在短期内实现对一个较复杂应用系统的开发提供了一种思路。

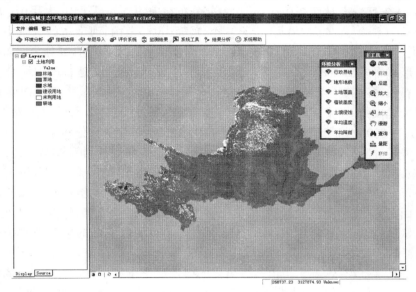

图 5-3 环境监测信息系统系统界面

5.3 系统运行实例分析——黄河流域生态环境综合评价

5.3.1 黄土高原生态环境现状

本节重点介绍黄河流域黄土高原的生态环境状况。

黄河流域黄土高原地区(以下简称黄土高原地区)西起日月山,东至太行山,南靠秦岭,北抵阴山,涉及青海、甘肃、宁夏、内蒙古、陕西、山西、河南 7 省(区)50 个地(盟、州、市)317 个县(旗、市、区),全区总面积 64 万 km²,水土流失面积 45.4 万 km²(水蚀面积 33.7 万 km²,风蚀面积 11.7 万 km²),多沙粗沙区面积 7.86 万 km²。全区年均输入黄河泥沙 16 亿 t,是我国乃至世界上水土流失最严重、生态环境最脆弱的地区。黄土高原水土流失类型区大致可分以下三种情况。

(1)严重流失区:包括黄土丘陵沟壑区与黄土高塬沟壑区,面积约 25 万 km²,水土流失最为严重。每年输入黄河泥沙约占黄河总输沙量的 90%。其中黄土丘陵沟壑区面积约 21 万 km²,主要分布于陕北、晋西、晋南、豫西、陇东、陇中、陇南,内蒙古南部以及青海东部、宁夏南部等地。该类型区丘陵起伏,沟壑纵横,黄土覆盖较薄,地形破碎,植被稀少,面蚀、沟蚀均很严重,年土壤侵蚀模数高达 1 万 ~ 3 万 t/km²。黄土高塬沟壑区包括陇东的董志塬、旱胜塬、合水塬,渭北的长武塬,陕北的洛川塬,晋南的万荣、乡宁、隰县一带,面积约 4 万 km²。区内塬面平坦,黄土深厚,洛川塬、董志塬的黄土厚度都在 170 m 以上;沟壑区地形破碎,坡陡沟深,相对高差 100~200 m,沟壑密度 0.5~2 km/km²,土壤侵蚀形态主要是沟头前进,沟岸扩张,沟床下切,年侵蚀模数 5 000~10 000 t/km²。

(2)局部流失区:包括土石山区、林区、草原区和风沙区,面积约 31.7 万 km²。大部分地面有不同程度的林草覆盖,水土流失轻微,在林草遭到破环的局部地方,流失也很严重,每年输入黄河泥沙约占黄河总沙量的 9%。其中土石山区和林区总面积为 15.3 万 km²(土石山区 13.3 万 km²,林区 2.0 万 km²),主要分布在山西省的吕梁山、太岳山、中条山,陕西、甘肃两省的秦岭、六盘山、黄龙山、子午岭、兴隆山、马衔山,河南省的伏牛山、太行山,内蒙古的大青山、狼山,宁夏的贺兰山等地。土石山区一般多是山脊部分为岩石或岩石的风化碎屑,形成石质山岭,山腰、山麓等部位有小片黄土分布,或是岩屑中混合有大量泥土,形成土石山区。其特点是石厚土薄,植被较好,水土流失较轻,大暴雨时常有山洪发生,年土壤侵蚀模数 1 000~5 000 t/km²。林区气候高寒湿润,林草茂密,人口稀少,土壤侵蚀模数 100~1 000 t/km²。高地草原区土地面积 3.6 万 km²,主要分布于甘肃省南部和青海省贵德、海晏、门源以西等地,高地草原区地势高亢,气候寒冷,植被较好,地广人稀,水土流失轻微,土壤侵蚀模数在 200 t/km² 以下。风沙区和干旱草原区总面积 12.8 万 km²(风沙区 7 万 km²,干旱草原区 5.8 万 km²),主要分布于内蒙古的伊克昭盟和长城沿线等地,区内地面宽阔平缓,有轻度起伏,历史上多为游牧区,地广人稀,气候干旱,植被不良,风蚀剧烈,水蚀轻微,人口密度 10~20 人/km²。干旱草原区北部的地形由和缓的波状平原与封闭的风蚀洼地组成,部分地区保留着剥蚀残丘与梁状丘陵,地表多堆积着薄层风沙;南部是毛乌素沙漠区,堆积了由砂岩风化的第四纪中细沙层,厚约 100 m,地形主要由固定及半固沙丘、流动沙丘和水草丰茂的丘间低湿滩地组成,流动沙丘以每年 1~4 m 的速度向东南移动。无定河、秃尾河、窟野河等河流上游的流沙可直接进入河道,成为这些河道的泥沙来源之一。

(3)轻微流失区:包括黄土阶地区与冲积平原区,面积 7.7 万 km²。除阶地上有少量沟蚀外,大部地面平坦,水土流失轻微,每年输入黄河泥沙约占黄河总输出沙量的 1%。黄土阶地区主要分布在山西的汾河、陕西的渭河和河南的伊洛河两岸,面积 2.4 万 km²,地面广阔与平原相似,但有少量类似高塬地区的侵蚀沟。冲积平原区包括宁夏、内蒙古黄河两岸及渭河、汾河和伊洛河流域的川地,土地面积约 5.3 万 km²,有 50 多个县(旗、市、区)。区内地面平坦,土壤肥沃,耕垦历史悠久,人口稠密。宁夏和内蒙古境内黄河两岸平原区,海拔 400~1 400 m,是我国北方有名的灌溉农业区,人口密度 100~500 人/km²。汾河、渭河和伊洛河平原区,海拔 300~800 m,地下水埋藏较浅,一般数米至十多米不等,潜水蕴藏量丰富,灌溉条件好,农业生产水平高,人口密度 400~600 人/km²,这个地区的土壤侵蚀主要形态是暴雨洪水冲塌堤岸。

严重的水土流失不仅加剧了干旱、荒漠化的发展和其他灾害的发生,而且造成了黄土高原地区贫困,制约了经济社会的可持续发展,特别是大量泥沙淤积在下游河道,使河床不断抬高,成为"地上悬河",大大加大了洪水威胁。同时,为了减轻下游河道淤积,还必须保证有一定的水量输沙入海,又加剧了水资源供需矛盾。

5.3.2 评价指标体系的选择

影响生态环境质量的因子是多方面的,既有自然因素也有人为因素,是自然环境和人文环境之间进行能量交换和物质循环的动态平衡系统[5~11]。而指标体系的建立则是为了科学、系统地实现对研究目标的综合分析,故指标群的选取应充分考虑科学性与区域特殊性的紧密结合[12~14]。在环境评价指标体系确定原则的指导下,运用层次分析方法,同时在定性分析黄河流域生态环境特点的基础上,考虑到数据的可获取情况,针对黄河流域不同的地理特征以及空间尺度,从气候环境、水文环境、土壤环境、土地覆盖、土壤侵蚀、土地利用和地形地貌等方面选择评价指标,建立能反映黄河流域生态环境特点的综合指标体系。

在进行黄河流域的生态环境综合评价时,选取了 14 个评价指标:大于 0℃积温、大于 10℃积温、年平均温度、湿润指数、年均降水量、干燥度、水力侵蚀、风力侵蚀、冻融侵蚀、植被指数、土地利用程度、海拔高度、坡度和坡向,如表 5-3 所示。

表 5-3　黄河流域生态环境综合评价指标

一级指标	二级指标	三级指标	数据获取
气候环境(水热)	热量	>0℃积温	气象站点实测资料
		>10℃积温	气象站点实测资料
		年平均温度	气象站点实测资料
	水量	湿润指数	气象、水文站点实测资料计算
		年均蒸发量	气象、水文站点实测资料计算
		年降水量	气象、水文站点实测资料计算
土壤侵蚀	各类土壤侵蚀强度等级		遥感资料解译
植被覆盖	NDVI		遥感资料计算
土地利用程度	土地利用		遥感图像解译
地形地貌	海拔高度		DTM 数据
	坡度		DTM 数据计算
	坡向		DTM 数据计算

5.3.3　生态环境的评价方法

在环境评价中,如何将多指标综合为一个综合评价指数始终是环境评价的重点环节,也是较难解决的问题[15,16]。目前,环境评价中常用的方法有指标权重法、层次分析法(Analytical Hierarchy Process,AHP)、群组决策特征根法(Group Eigenvalue Method,GEM)、模糊综合评价法等。资源环境监测系统提供了三种生态环境综合评价方法,分别为专家系统权重法、层次分析法与主成分分析法。

5.3.3.1　专家系统权重法

由于在环境综合评价中,确定各项评价因子的权重(权系数)是环境评价的重点。根据权的定义,权具有随机性,又具有模糊性。确定权重的方法有很多种,但归纳起来,主要有两大类:群体方法和个体方法。群体方法的特点就是通过对一定数量有关专家的调查咨询,取得测试样本资料,然后进行统计处理,求得各个因子的权重,此方法体现了权重的随机模糊性,是确定因子权重的正确途径。个体方法是通过决策者个人根据因子在系统中的客观地位,判断确定权重分配的方法,严格地说,这种方法不符合权重的基本性质,但能体现决策者的主观意愿,可随时修正调整,比较灵活。专家权重法就是通过选择有权威性和代表性的专家进行咨询,充分利用专家的知识和经验,形成生态环境评价的专家知识库,而后对这些知识进行统计分析,在此基础上确定各因子的权重。

5.3.3.2 层次分析法

层次分析法是美国运筹学家、匹兹堡大学教授 Saaty 于 20 世纪 70 年代提出的一种多指标综合评价定量分析方法,是一种定性与定量相结合的决策方法,在理论中涉及 Perron-Frobineus 理论、Fuzzy 数学、数理逻辑、统计推理、度量理论等多个数学分支,具有系统决策特点,把问题看成一个系统,研究其中各组成部分的相互关系,然后进行决策分析。此方法理论严谨,便于操作,是在定性方法基础上发展起来的确定因素重要性的一种科学方法。

用层次分析法需要用超矩阵方法解决系统的排序问题,具体步骤如下。

1)确定问题的递阶层次结构

首先,把复杂问题分解为各个元素的组成部分,把这些元素按属性分成若干组以形成不同层次,同一层次的元素作为准则,对下一层的某些元素起支配作用,同时其又受上一层次元素的支配,这种从上到下的支配关系形成了一个递阶层次,处于最上层次的通常只有一个元素,一般为分析问题的预期目标或结果,中间层次一般是分析准则或子准则,最低一层为决策方案。

2)构造判断矩阵

在建立递阶层次结构的基础上,上、下层次之间的隶属关系就被确定了。假设上一层次的元素 C_k 作为准则,对下一层的 U_1、U_2、$\cdots$、U_n 有支配关系,为了在 C_k 之下按其重要性赋予 U_1、U_2、$\cdots$、U_n 相应的权重,层次分析法使用两两比较的方法,根据准则 C_k 中两个元素 U_i 和 U_j 哪个重要,重要多少赋予一定的数值。

以 A 表示目标,U_i 表示评价因素,$U_i \in U(i = 1,2,3,\cdots,n)$,$u_{ij}$ 表示 u_i 对 u_j 的重要性数值,$(j = 1,2,3,\cdots,n)$,u_{ij} 取值如表 5-4 所示。

表 5-4 判断矩阵标度及其含义

标度	含义
1	表示因素 u_i 与 u_j 比较,具有同等重要性
3	表示因素 u_i 与 u_j 比较,u_i 比 u_j 稍微重要
5	表示因素 u_i 与 u_j 比较,u_i 比 u_j 明显重要
7	表示因素 u_i 与 u_j 比较,u_i 比 u_j 强烈重要
9	表示因素 u_i 与 u_j 比较,u_i 比 u_j 极端重要
2、4、6、8	分别表示相邻判断 1~3、3~5、5~7、7~9 的中值
倒数	表示因素 u_i 与 u_j 比较得判断矩阵 u_{ij},则 u_j 与 u_i 比较得判断 $u_{ji} = 1/u_{ij}$

判断矩阵具有如下性质：$u_{ij} > 0$；$u_{ji} = 1/u_{ij}$；$u_{ii} = 1$。称 A—U 为正的互反矩阵。

3）计算重要性排序

这一步主要解决在准则 C_k 下，n 个元素 U_1、U_2、$\cdots$、U_n 排序权重的计算问题。对于判断矩阵 A，求出最大特征根所对应的特征向量，所求特征向量即为各评价因素的重要性排序，也即权重分配：

$$AW = \lambda_{\max} W$$

所得 W 经正规化后作为元素 U_1、U_2、$\cdots$、U_n 在准则 C_k 下的排序权重，这种方法称为排序权向量计算的特征根方法。$\lambda_{\max}$ 存在且惟一，W 可由正分量组成，除差一个常数倍数外，W 是惟一的。

4）检验

在判断矩阵的构造中，并不要求判断具有一致性，这是由客观事物的复杂性和人的认识的多样性所决定的。但当判断偏离一致性过大，排序权向量计算结果作为决策依据将出现某些问题时，在得到 $\lambda_{\max}$ 后需进行一致性检验。用公式 $CR = CI/RI$ 来检验，式中 CR 称为判断矩阵的随机一致性比率，当 $CR < 0.10$ 时即可认为判断矩阵具有满意的一致性，说明权重的分配是合理的，CI 称为判断矩阵的一般一致性指标，由下式给出：

$$CI = \frac{\lambda_{\max} - n}{n - 1} \tag{5-2}$$

RI 称为判断矩阵的平均一致性指标，对于 1~9 阶矩阵，RI 值列于表 5-5。

表 5-5　判断矩阵的平均一致性指标

n	1	2	3	4	5	6	7	8	9
RI	0	0	0.58	0.90	1.12	1.24	1.32	1.41	1.45

层次分析法的最终结果是得到相对于总的目标决策方案的优先排序权重，并给出这一组合排序权重所依据的整个递阶层次结构所有判断的总的一致性指标，据此做出决策。

5.3.3.3　主成分分析法

由美国统计学家皮尔逊创立的主成分分析法是从多指标分析出发，运用统计分析原理与方法提取少数几个彼此不相关的综合性指标而保持其原指标所提供的大量信息的一种统计方法。空间主成分分析法则是在地理信息系统软件的支持下，通过将原始空间坐标轴旋转，将相关的多变量空间数据转化为少数几个不相关的综合指标，实现用较少的综合指标最大限度地保留原来较多变量所反映的信息。与层次分析法和群组决策特征根法不同，主成分分析的整个过程不再需要专家打分。其基本原理是：设有 N 个相关变量 X_i（$i = 1, 2, \cdots, N$），由其线性组合成 N 个独立变量 Y_i（$i = 1, 2, \cdots, N$），使得独立变量 Y_i 的方差之和等于原来 N 个相关变量 X_i 的方差之和，并按方差大小由小到大排列。这样就可把 P 个相关变量的作用看做主要由为首的几个独立变量 Y_i（$i = 1, 2, \cdots, K$）（$K < N$）所决定，于是 N 个相关变量就缩减成 K 个独立变量 Y_i，Y_i（$i = 1, 2, \cdots, K$）就是通常所说的主成分。为了进行生态环境综合评价，综合指数定义为 K 个主成分的加权和，而权重用每个

主成分相对应的贡献率来表示。因此,总评价函数可表示为:

$$E = a_1 Y_1 + a_2 Y_2 + \cdots + a_K Y_K \tag{5-3}$$

式中　E——环境综合评价结果;

　　　Y_i——第 i 个主成分;

　　　a_i——第 i 个主成分对应的贡献率。

用主成分分析法进行环境综合评价,分析过程大体包括以下几个步骤。

1)数据的量化分级

因为各个因子间的量纲不统一,没有可比性,即使对同一个参数,尽管可以根据它们实测数值的大小来判断其对环境的影响程度,但也因缺少一个可比的环境标准而无法确切地反映其对环境的影响。为此,必须对所有参评因子进行量化分级处理。量化方法多种多样,比较简单的做法是将其量化分级,依其对环境的重要程度分若干级。依参评因子对生态环境演变的有利与否,将其化分为 10 等级。而后将标准化后的数据作为原始数据,进行下一步的主成分分析。

2)主因子分析

由于各个样本值总能分解成 p 个成分,且 p 个成分能确定地预报 p 个变量(线形变换),其数学模型为:

$$|X| = |A| \cdot |F| + |E| \tag{5-4}$$

式中　A——公因子载荷矩阵;

　　　F——公因子载荷向量;

　　　X——原变量向量;

　　　E——对应方差的影响。

当因子分析中 E 的影响不大可以忽略时,数学模型就变为:

$$|X| = |A| \cdot |F|$$

如果 F 中的各个变量均为正交,则就成为主因子分析。

实际计算中,可以采用如下步骤:

对样本矩阵 $X = [X_1, X_2, \cdots, X_n]$,计算矩阵

$$A = \frac{1}{n-1} \sum_{i=1}^{n} (X_i - \overline{X})(X_i - \overline{X})^{\mathrm{T}}$$

式中 $\overline{X} = \frac{1}{n} \sum_{i=1}^{n} X_i$,计算 A 的特征值 $\lambda_1, \lambda_2, \cdots, \lambda_m$ 与对应的特征向量 $U = [U_1, U_2, \cdots, U_m]$,则有:

$$\left. \begin{aligned} Y_1 &= u_{11} X_1 + u_{12} X_2 + \cdots + u_{1m} X_m \\ Y_2 &= u_{21} X_1 + u_{22} X_2 + \cdots + u_{2m} X_m \\ &\vdots \\ Y_m &= u_{m1} X_1 + u_{m2} X_2 + \cdots + u_{mm} X_m \end{aligned} \right\} \tag{5-5}$$

式中 Y_i 就称为 X 的第 i 个主成分。

$\alpha_i = \lambda_i / \sum\limits_{i=1}^{m} \lambda_i$ 称为主成分 Y_i 的贡献率;$\alpha(t) = \sum\limits_{i=1}^{t} \lambda_i / \sum\limits_{j=1}^{m} \lambda_j$ 称为 $Y_1, Y_2, \cdots, Y_K$ 累积贡献率,它表示这 K 个主成分总共保留原数据总信息量的百分比。实际应用时,根据不同问题的要求,要在 K 与 $a(K)$ 之间进行均衡,使得 K 尽可能得小,而使 $a(K)$ 足够大。通常,当 $K = 3$ 时,$a(K) \geqslant 60\%$,则认为这样的选择可行。

3)构造评价函数进行综合评价

由于进行生态环境综合评价不可能仅仅根据一个评价指标,也不能仅根据一个主成分的大小进行评价,而应根据选定的 K 个主成分进行综合评价。即总评价函数应该是 $Y_1, Y_2, \cdots, Y_K$ 的加权和,而权重可用这个主成分相对应的贡献率 a_i 来表示。因此,生态环境总评价函数可表示为式(5-3)的形式。

5.3.4 生态环境专题信息生成

5.3.4.1 原始数据处理及生态环境综合评价专题数据的生成

1)气候环境专题数据的生成

利用国家气象局采集到黄河流域 250 个站点的气象数据,时间跨度由 1985 年开始到 2000 年,据此形成的原始数据库包括各站点多年的日降水量、日最高温度、日最低温度、日照时数、日蒸发量以及各气象站点的地理坐标等。

原始数据处理首先用 Foxpro 编程计算年均气温 T_a、年平均降水量 P_a、大于 0℃积温 $T_{(>0)}$、大于 10℃积温 $T_{(>10)}$,计算公式如下:

$$T_a = \frac{1}{12} \sum_{i=1}^{12} T_i D_i \tag{5-6}$$

$$P_a = \frac{1}{12} \sum_{i=1}^{12} P_i \tag{5-7}$$

$$T_{(>0)} = \sum_{i=1}^{12} D_i T_{i(>0)} \tag{5-8}$$

$$T_{(>10)} = \sum_{i=1}^{12} D_i T_{i(>10)} \tag{5-9}$$

式中　D_i——每月天数;

　　　T_i、P_i——月平均气温、月降水量。

在以上数据基础上,计算各月降水量、各月平均温度、年平均温度、年降水量、大于 0℃ 积温和大于 10℃ 积温的多年平均值。进一步用 Thornthwaite 方法计算湿润指数(IM):

$$IM = \sum 100(S - 0.6D)/PE \tag{5-10}$$

$$S = P - PE \quad (P > PE)$$

$$D = PE - P \quad (P < PE)$$

$$PE = \sum 16(10t/I)^\alpha \times CF$$

$$\alpha = (0.675I^3 - 77.1I^2 + 17\,920I + 492\,390) \times 10^{-6}$$

$$I = \sum (t_i/5)^{1.514}$$

式中　　　t——月平均气温；

　　　　　CF——按纬度的日长数与每月日数计算的校正系数。

　　上述处理的全国气象站点的各种数据在 ArcView 中转为站点的矢量图层（Coverage），并利用反向距离加权平均内插法（IDW）内插出空间分辨率为 500 m × 500 m 的年平均气温（T_a）、年平均降水量（P_a）、大于 0℃积温、大于 10℃积温、湿润指数（IM，Thornthwaite 方法）。在 Arc/Info 软件系统中完成投影转化，投影采用 Albers 等面积投影，全国统一的中央经线和双标准纬线，中央经线为东经 105°，双标准纬线分别为北纬 25°和北纬 47°，参考椭球体为 Krasovsky 椭球体。

　　由于山区的气象指标在很大程度上受到地形的影响。利用黄河流域 1∶100 万 DEM、以海拔高度每上升 100 m 气温降低 0.6℃的温度递减率为依据，对气温（T_a）、大于 0℃积温、大于 10℃积温等进行了 DEM 校正。其中大于 0℃积温和大于 10℃积温的 DEM 校正是根据 DEM 校正的各气象站点的月平均气象数据插值后计算而得到的。与直接插值相比，DEM 校正的数据与实际情况更为相符。最后，得到的各专题数据以 ArcGIS Grid 的数据格式存储。

　　2）土地覆盖专题数据的生成

　　土地利用/土地覆盖数据：来源于中国资源环境数据库，所采用的数据集有 2001 年采集的反映中国 20 世纪 80 年代中后期土地利用的 1∶10 万土地利用数据和 2000 年采集的反映 20 世纪 90 年代中后期土地利用的 1∶10 万的土地利用数据。土地利用数据是通过对 LANDSAT TM 图像进行目视判读得到的，在判读过程中，充分利用了如地形地貌图等辅助数据，并进行了实地勘察。以中国《土地利用现状调查技术规程》和土地的用途、经营特点、利用方式和覆盖特征等因素作为土地利用的分类依据，区分差异性，归纳共同性，从高级到低级逐级划分，将土地利用类型分耕地、林地、草地、水域、城乡工矿居民用地和未利用土地共 6 个一级类型和 24 个二级类型。

　　垦殖指数专题数据：垦殖指数是指耕地在一定区域面积上所占的比例。垦殖指数及其变化定义的数学模型为：

$$I_{reclaim} = \sum a_i/A \times 100 \quad (\sum a_i \leqslant A) \tag{5-11}$$

式中　　$I_{reclaim}$——研究单元的土地利用垦殖指数；

　　　　a_i——研究单元内耕地所占的土地面积；

　　　　A——研究单元的土地利用总面积。

　　根据式（5-11），以千米格网为分析的基本单元，可以计算中国各县的垦殖指数。

　　土地利用程度专题数据：一个地区的土地利用程度可定量地表达该地区土地利用的综合水平。土地利用程度变化值可表达为：

$$I_{landuse} = \left(\sum_{i=1}^{n} A_i \times C_i\right) \times 100 \tag{5-12}$$

式中　　$I_{landuse}$——研究区域的土地利用程度综合指数；

　　　　A_i——第 i 级土地利用程度分级指数；

C_i—— 第 i 等级的土地利用程度面积百分比。

利用土地利用程度模型,以千米格网为研究基本单位,在 ARC/INFO GRID 模块支持下,可以生成中国土地利用程度空间分布图。

归一化植被指数($NDVI$)专题数据:归一化(或正规化)植被指数($NDVI$)是目前最广泛采用的一种遥感生物量检测方法。其定义为:

$$NDVI = \frac{IR - R}{IR + R} \tag{5-13}$$

式中　IR、R——近红外波段和可见光红色波段的亮度值。

$NDVI$ 在相当程度上减小了外界因素导入的数据误差,可以有效地避免数据结果不合理的随机波动,$NDVI$ 对于绿色植被具有较高的敏感度。$NDVI$ 最大值的生成基于每个季节中最低云量时相的图像数据,所采用的 NOAA/AVHRR 数据时段为 1998 年春季至 2000 年春季共 9 个季相的最小云量中国影像数据集和 1992 年春季至 1993 年冬季共 8 个月最小云量中国影像数据集。原影像数据集已经过一系列的制图处理过程,包括太阳高度角校正、几何精纠正后的地图投影、基于反射率物理量转换基准上的影像增强处理、数字镶嵌等。这些数据像元尺度为 1 000 m×1 000 m。

3)地形地貌专题数据的生成

地形特征计算主要基于黄河流域 1:25 万 DEM 数据,利用栅格 DEM 数据,可以生成坡度、坡向等级图。其计算公式详见 2.4.3 部分。

4)土壤侵蚀专题数据的生成

土壤侵蚀数据是通过对 LANDSAT TM 图像进行目视判读得到的,在判读过程中,充分利用了如地形地貌图等辅助数据,并进行了实地勘察。土壤侵蚀数据根据《全国土壤侵蚀调查技术规程》,并在充分分析土壤环境、气候环境、植被环境、物质文化环境以及地形地貌的基础上,将土壤侵蚀分为水力侵蚀、风力侵蚀、冻融侵蚀、重力侵蚀、工程侵蚀 5 个一级类型,水力侵蚀与风力侵蚀分别又分为 6 个等级,分别为微度、轻度、中度、强度、极强和剧烈。冻融侵蚀被分为 4 级,分别为微度、轻度、中度和强度。

5.3.4.2　生态环境专题数据分级

在获取黄河流域水热要素、土地覆盖、土壤侵蚀和地形地貌特征等相关专题要素数据的基础上,依据参评因子对总体生态环境的有利与否,将其化分为 10 等级(图 5-4 为各环境背景专题信息空间分布图),而后将分级后的数据作为原始数据,进行下一步的生态环境综合评价。

5.3.5　20 世纪 90 年代末期黄河流域生态环境综合评价

在地理信息系统 ArcGIS 的 GRID 模块支持下,首先将大于 0℃积温、大于 10℃积温、年平均温度、平均年降水量、年均蒸发量、湿润指数进行主成分分析,生成气候环境综合指数,将海拔、坡度、坡向进行主成分因子提取,生成地形地貌指数,而后再将气候综合指数、植被指数、土壤侵蚀、土地利用程度和地形地貌进行主成分综合评价,计算出生态环境综合指数。根据表 5-6 和主成分分析综合评价方法的基本原理,各综合指数的计算公式如下。

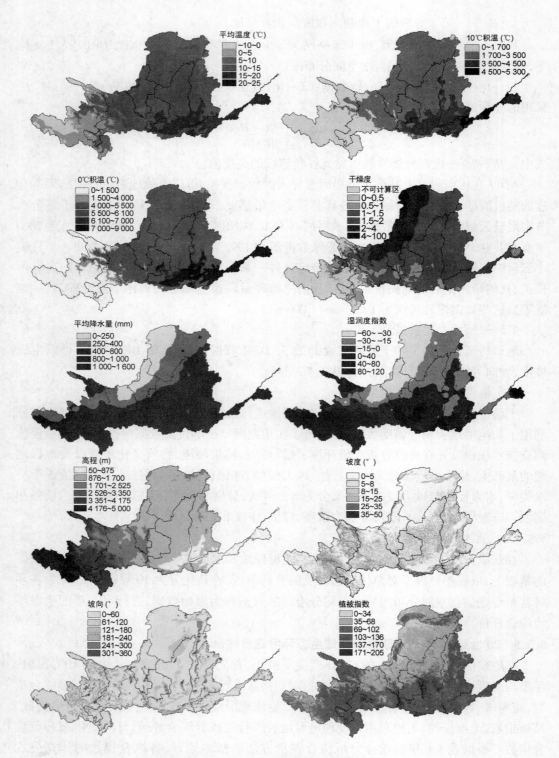

图 5-4 黄河流域各环境背景因子空间分布图

表 5-6 各主成分的特征值、贡献率和累积贡献率

评价指标		主因子一	主因子二	主因子三
气候环境指数	特征值	1.654 15	0.740 26	0.162 69
	贡献率(%)	64.68	28.95	6.37
	累积贡献率(%)	64.68	93.63	100
地形地貌指数	特征值	0.633 79	0.474 95	0.224 37
	贡献率(%)	47.54	35.63	16.83
	累积贡献率(%)	47.54	83.17	100
生态环境综合指数	特征值	3.402 77	1.377 94	0.578 19
	贡献率(%)	63.50	25.71	10.79
	累积贡献率(%)	63.50	89.21	100

气候综合指数的计算公式：

$$\text{Climateprin} = \text{Climateprinc6c1} \times 0.646\ 8 + \text{Climateprinc6c2} \times 0.289\ 5 \qquad (5\text{-}14)$$

式中,Climateprin 为气候综合指数;Climateprinc6c1 为由大于 0℃积温、大于 10℃积温、年平均温度、平均年降水量、年均蒸发量、湿润指数进行主成分分析提取的第一主因子,Climateprinc6c2 为由大于 0℃积温、大于 10℃积温、年平均温度、平均年降水量、年均蒸发量、湿润指数进行主成分分析提取的第二主因子,两个主因子的累积贡献率为 93.63%,只有 6.37% 的信息被损失,可信度较高。

地形地貌指数的计算公式：

$$\text{Demprin} = \text{Demprinc3c1} \times 0.475\ 4 + \text{Demprinc3c2} \times 0.356\ 3 \qquad (5\text{-}15)$$

式中,Demprin 为地形地貌指数;Demprinc3c1 为由海拔、坡度和坡向进行主成分分析提取的第一主因子,Demprinc3c2 为第二主因子,两个主因子的累积贡献率为 83.17%,有 16.83% 的信息被损失,可信度较高。

生态环境综合指数的计算公式：

$$\text{Envprin} = \text{Envprinc5c1} \times 0.635\ 0 + \text{Envprinc5c2} \times 0.275\ 1 \qquad (5\text{-}16)$$

式中,Envprin 为生态环境综合指数;Envprinc5c1 为由气候综合指数、植被指数、土壤侵蚀、土地利用程度和地形地貌指数进行主成分分析提取的第一主因子,Envprinc5c2 为由气候综合指数、植被指数、土壤侵蚀、土地利用程度和地形地貌指数进行主成分分析提取的第二主因子,两个主因子的累积贡献率为 91.01%,说明只有 8.99% 的信息被损失,可信度较高。

表 5-7 和图 5-5 分别为 20 世纪 90 年代末期黄河流域生态环境综合评价结果统计表和综合评价分级图。根据生态环境综合指数的大小将黄河流域划分为 6 级不同的生态环境质量区。其中,四、六级生态环境质量区占全区比例最大,分别占总区域面积的 24.09% 和 21.16%,其次是三级、五级生态环境质量区,各占全区总面积的 18.15%、

18.94%;占全区域生态环境质量区面积比例最小的为一级区,占总区域面积的1.79%。

表 5-7　20 世纪 90 年代末期黄河流域生态环境综合评价结果

环境等级	栅格数	面积(km²)	面积百分比(%)
一	14 158	14 158	1.79
二	125 476	125 476	15.86
三	143 570	143 570	18.15
四	190 577	190 577	24.09
五	149 809	149 809	18.94
六	167 368	167 368	21.16
合计	790 958	790 958	100

图 5-5　20 世纪 90 年代末期黄河流域生态环境综合评价分级图

5.3.5.1　不同行政区域生态环境综合评价

　　分别以县和省为生态环境评价的基本单位,对黄河流域不同县和省的生态环境进行综合评价,结果如图 5-6 和图 5-7 所示,统计其结果如表 5-8 所示。可以看出,黄河流域综合生态环境较好的省份为四川省和河南省,生态环境最差的为内蒙古自治区。从分县综合环境评价图也可以看出,生态环境最好的县主要分布于黄河流域南部地区,而生态环境最差的县集中分布于黄河流域的中部偏东北地区,这一地区植被覆盖率低,水土流失严重,是需要重点治理的区域。

5.3.5.2　不同地貌类型区域生态环境综合评价

　　以不同的地貌类型为生态环境评价的基本单位,对黄河流域不同地貌类型的生态环境进行综合评价,结果如图 5-8 和表 5-9 所示。从中可以看出,生态环境最好的地貌类型为林区与干燥草原区,其环境综合指数为 5 级,而生态环境最差的地貌类型为风沙区,环境综合指数仅能达到 2 级。

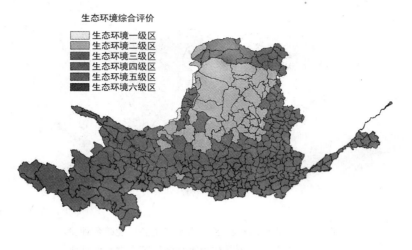

图 5-6 分县黄河流域生态环境综合评价

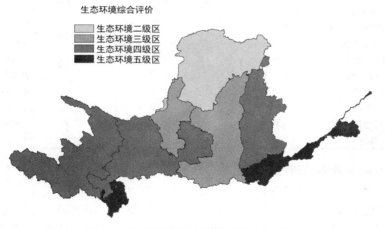

图 5-7 分省黄河流域生态环境综合评价

表 5-8 黄河流域分省生态环境综合评价

省份	综合环境指数	栅格数
四川	5	1 712 700
甘肃	4	14 294 021
山西	4	9 679 530
山东	5	1 239 925
内蒙古	2	15 101 975
宁夏	3	5 125 905
青海	4	15 231 910
陕西	3	13 305 286
河南	5	3 664 900

图 5-8　不同地貌类型区黄河流域生态环境综合评价

表 5-9　黄河流域不同地貌类型区生态环境综合评价

地貌类型	综合环境指数	栅格数
黄土丘陵沟壑区	3	202 374
黄土高塬沟壑区	4	27 089
黄土阶地区	4	33 950
冲积平原区	4	77 703
土石山区	4	191 532
高地草原区	3	108 857
干燥草原区	5	54 727
风沙区	2	78 899
林区	5	22 125

5.3.6　近 10 年间黄河流域生态环境动态分析

5.3.6.1　黄河流域生态环境动态

同 90 年代末期生态环境综合评价一样,进行 80 年代黄河流域生态环境的综合评价,图 5-9 为 80 年代末期黄河流域生态环境综合评价结果图,表 5-10 为近 10 年来黄河流域生态环境综合评价动态结果,图 5-10 为黄河流域生态环境综合评价动态空间分布图。可

图 5-9　80 年代末期黄河流域生态环境综合评价结果

以看出,黄河流域总体生态环境变好,特别是黄河中下游区域,生态环境变好达两个级值,而黄河中游地区生态环境有明显恶化的趋势。

表 5-10 黄河流域生态环境综合评价动态结果

环境综合评价指数	90年代末期的面积(km²)	80年代末期的面积(km²)	10年间的面积变化差值(km²)	90年代末面积比重(%)
1	14 158	21 670	−7 512	1.79
2	125 476	129 164	−3 688	15.86
3	143 570	113 166	30 404	18.15
4	190 577	311 397	−120 820	24.09
5	149 809	143 909	5 900	18.94
6	167 368	72 912	94 456	21.16

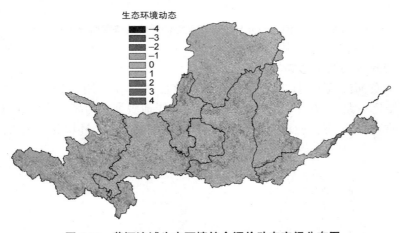

图 5-10 黄河流域生态环境综合评价动态空间分布图

5.3.6.2 不同行政区域生态环境动态

图 5-11 与图 5-12 分别为黄河流域分省与分县生态环境综合评价动态空间分布图。可以看出,黄河流域总体生态环境变好,生态环境变好的省份为甘肃省、山西省、河南省与山东省,生态环境总体好转一级;黄河流域其他省份生态环境没有明显的变化。分县生态环境总体变化不大,有少数县生态环境有恶化的趋势。

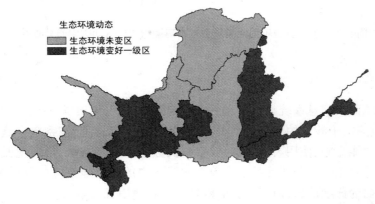

图 5-11 黄河流域分省生态环境综合评价动态空间分布图

图 5-12   黄河流域分县生态环境综合评价动态空间分布图

5.3.6.3   不同地貌类型生态环境动态

图 5-13 为黄河流域不同地貌类型生态环境综合评价动态空间分布图。可以看出,总体生态环境变化不大,生态环境变好的区域主要位于地貌类型为高地草原区、黄土高塬沟壑区与林区的区域,生态环境总体变好一级;其他地貌类型生态环境变化不大。

图 5-13   黄河流域不同地貌类型生态环境综合评价动态空间分布图

5.4   本章小结

通过对环境监测信息系统集成平台的研制与开发,可以得出以下结论与建议:

(1)环境监测由于涉及的数据量巨大,数据的合理组织、存储在系统中起着重要的作用。建立一个功能完善、使用灵活、执行效率高的数据库管理系统,是环境监测信息系统建设中的一项重要工作;同时,元数据在数据库管理中的重要地位应得到重视,它给用户提供了所用数据的详细信息,对于数据的维护、更新、使用意义重大。

(2)面向对象的设计思想和 COM(组件对象模型)技术为 GIS(地理信息系统)软件的

集成奠定了基础,将可视化开发环境与商用 GIS 软件提供的控件依集成目标进行组合,对于提高开发效率、发展复杂的应用软件是一种可行的方法与技术手段。因此,本章的环境监测信息系统,在投入人力、物力资源都比较少的情况下,采用 COM 技术,利用第三方的控件,保证了系统的快速高效开发。

(3)在生态环境监测信息系统支持下,首先分别将大于 10℃积温、大于 0℃积温、年平均温度、湿润系数、年降水量、干燥度分别进行主成分计算,生成水热综合指数,而后再进行主成分变换,生成气候综合环境指数;海拔、坡度、坡向进行主成分计算,生成地形地貌综合环境指数;植被指数(NDVI)、垦殖指数、土地利用程度进行主成分分析,生成土地覆盖综合指数;根据水力侵蚀、风力侵蚀、冻融侵蚀、重力侵蚀和工程侵蚀生成土壤侵蚀综合指数;而后根据水热综合指数、地形地貌综合指数、土壤侵蚀综合指数、土地覆盖综合指数进行主成分分析,生成了黄河流域生态环境综合评价指数,并对黄河流域近 10 年间生态环境及其演变进行了分析。

运用现代信息技术,包括遥感、GIS 和网络技术对环境进行动态监测与灾情评估,与常规方法相比,无论经济效益还是社会效益都是非常明显的。它具有的速度快、精度高、成本低的特点,对于环境监测、灾害评估来说是很重要的。

参 考 文 献

[1] 刘纪远.中国资源环境遥感宏观调查与动态研究.北京:中国科学技术出版社,1996
[2] 张增祥,等.西藏自治区中部地区资源环境遥感监测与综合评价研究.北京:宇航出版社,1998
[3] 李岩,迟国彬,李鹏德.地理信息系统软件集成方法与实践.地球科学进展,1999,14(6)
[4] 钱峻屏,李岩,彭龙军.资源环境信息系统集成平台的设计、实施与应用.热带地理,2000,20(2)
[5] 刘黎明.土地资源调查与评价.北京:科学技术文献出版社,1994
[6] 王华东.环境质量评价.天津:天津科学技术出版社,1991
[7] 赵振纪,杨仁斌.农业环境质量评价.北京:中国农业科技出版社,1993
[8] Riebsame E, Meyer B, Turner II L. Modeling land use and land cover as part of global environmental change. *Climate Change*, 1994,28
[9] C. A. Mucher, K. T. Steinnocher, E. P. Kressler et al. Land cover characterization and change detection for environmental monitoring of pan-Europe. *INT. J. Remote Sensing*, 2000,21(6):1159~1181
[10] A. Kawabata, K. Ichii, Y. Yamaguchi. Global monitoring of interannual changes in vegetation activities using NDVI and its relationships to temperature and precipitation. *INT. J. Remote Sensing*, 2001, 22(7):1377~1382
[11] W. Yang, L. Yang, J. W. Merchant. An assessment of AVHRR/NDVI eco-climatological relations in Nevraska, *USA*. *INT. J. Remote Sensing*, 1997, 18(10):2161~2180
[12] 陈百明.土地资源评价方法现状及发展趋势的探讨.中国土地,1994(4)
[13] 王桥,阎守邕,赵健.地理信息系统中的区域规划模型及其管理.北京:宇航出版社,1998
[14] 陈晓峰.基于遥感和 GIS 的西藏"一江两河"地区环境动态监测与评价方法研究.中科院遥感所博士论文,1997
[15] 王思远,刘纪远,张增祥,等.资源环境监测信息系统集成平台的设计与实现.计算机工程与应用,2002,38(8)
[16] 黄裕婕,张增祥,周全斌.西藏中部生态环境综合评价.山地学报,2000,13(4)

第 6 章 黄河流域生态环境演变与河道历史变迁

河道变化主要受地质地貌、地质构造、人类活动、气候条件等因素影响,黄河河道变迁的原因、决溢改道的演变过程和产生的作用后果都十分复杂,对"淤"、"决"、"徙"的记载和研究充满了史册和各种文献。3 000 年来,黄河下游经常决口、泛滥、冲积变迁于 25 万 km² 的黄淮海平原上,不断改变着水系的面貌。决溢改道的活动大多发生在伏秋大汛期,漫溢是由于洪量增大,决口则主要发生在大溜和险工段,而改道则必须顺其"水性就下",而相对稳定、相对集中的改道只能流经低洼地带。黄河河道演变的特点就是"善淤、善决、善徙",淤、决、徙几乎是黄河常年累月不断进行的活动,而足以称之为改道且有历史意义的也只有二三十次。黄河的频频决口、泛滥和改道,对黄河下游平原的地理环境产生了巨大影响。每一次决口后,先是吞没了大片农田,夺去了百万人民的生命财产,洪水过后,又留下大片流沙,形成许多断断续续的沙丘和沙垅,阻塞了道路交通。并且黄河不断地决口、改道也直接改变了黄淮海平原的水系面貌,河流淤积,湖泊淤浅,进而对环境产生较大影响,黄河下游河道的决口改道和泥沙淤积速率变化是流域环境变化的重要标志。

河道变迁与流域水沙和河道边界条件有关,流域水沙与流域环境有关,流域环境变化影响流域水沙,流域环境与河道变迁关系密切。因此,本章主要介绍黄河流域生态环境演变及其河道历史变迁情况,重点分析黄河流域宁蒙河段、黄河下游游荡河段及河口三角洲的变化规律和特点。

6.1 黄土高原历史时期生态环境变化

生态环境的变化一方面受地带特征影响,另一方面,也受人类活动影响,特别是随着科学技术的发展,人类影响环境变化的能力会越来越强。在环境变化中,植被变化是较敏感的指标。

考察环境变迁 1 万年是一个合适的时间段,它可以较完整地观察气候的波动情况,也可以体现人类活动的全部过程。按摩尔根对人类史的分类[1](余谋昌,1996),前半期(5 000 年)人类处于蒙昧野蛮阶段,此时代表的是生态环境的最初面貌,后半期(5 000 年)人类进入文明社会阶段,人类对生态环境的影响逐渐加剧,此时代表的是叠加上人类活动影响后的生态环境的变迁。

从新石器时代开始的 1 万年以来,距今 3 000~8 000 年间是 1 万年来气候最为美好的时期,国外通称"气候适宜期"(Climatic Optimum)。这是第四纪冰期过后的一个温暖时期,对人类是极具意义的时期。苏美尔文明(两河流域)、古埃及文明(尼罗河流域)、哈拉帕文明(印度河—恒河流域)、华夏文明(黄河流域)等差不多同时在据今 5 000 年前后兴起。"当时全球各地平均温度比现代高 2~3℃,西伯利亚永久冻土带完全消失,代之而起的是喜湿的栎、榆、赤杨等组成的温带落叶阔叶林横贯欧亚大陆的北部"[2](王会昌,

1992)。黄河流域基本上为亚热带气候所控制,与今相比,亚热带气候向北迁移了 2 个纬度以上[3](赵景波,2001)。亚热带北界大约西起关中平原北缘,东渡黄河之后,顺延汾河谷地北上,斜贯山西高原,而后循永定河东去,直至渤海湾西岸。北京、天津均处于亚热带北缘,气候与今合肥、信阳、汉中相类似。黄河中下游地区,生长着茂密的亚热带阔叶林和水蕨科植物,竹类分布也相当普遍,喜热动物出没其间。

总的看来,5 000 年以前的黄河流域气候温暖湿润,森林草原广布,绿野遍地,河湖纵横,动物出没其间。

进入人类历史文明阶段以来,黄河流域的生态环境变迁经历了不同的阶段。植被是生态系统的基础,为动物和微生物提供了特殊的栖息环境。因此,黄河流域 5 000 年来的生态环境主要在植被变化上体现。史念海教授认为,黄河中游主要的植被类型是森林,他系统研究了历史时期植被的变迁过程,并将这一过程分为 4 个时期[4]:

(1)春秋至战国时期,这一时期又可分为前后两个阶段。前一阶段显示黄河流域最早的森林规模,植被覆盖率较高,裸露之地少。后一阶段平原地区森林逐渐被砍伐,到战国末期,平原的森林绝大部分受到破坏,林区明显缩小。

(2)平原地区的森林遭受严重破坏的时代,这一时代行将结束时,平原地区已基本上无森林可言。

(3)森林地区继续缩小,由于远程采伐范围的不断扩大,山地森林受到比较严重的破坏。

(4)明清时代是黄河中游地区森林受到摧残性破坏的时代,严格地说,这种摧残性破坏是从明代中叶开始的。

陈永宗则认为[5],黄河中游尤其是黄土高原的主要植被类型是森林和草原,历史早期的森林覆盖率不可能达到 53%,准确地说,应分出森林草原带和草原带,森林主要分布在周围山地,历史上遭受过不同程度的多次破坏。

尽管对黄土高原历史时期植被情况的研究有不完全相同的结论,但是,都认为由于大规模的人类活动,黄土高原的天然植被曾经遭受过毁灭性的破坏。

黄河流域生态环境的变迁在河湖分布上也有显著的体现。远古黄河流域湖泊众多,据先秦文献统计,有 40 多个,如大陆泽、大野泽等集中分布于今河南、山东与河北接壤地区,并且文献记载还有不少遗漏。除下游外,中游地区同样分布有许多湖泊,例如,在今山西中部的昭余祁,今陕西中部的扬跨、焦获和弦蒲,太行山西的潆泽等[6](陈桥驿,1985)。汉唐时期,影响河湖分布的自然因素变化并不激烈,平原地区的湖泊虽有淤浅趋势,但总体布局却没有发生根本性的变化,先秦时的湖泊在这一时期内基本尚存。《水经注》中记载的湖泊、沼泽共超过 500 处,其中位于黄淮海平原上的湖沼有 190 多个。唐以后,中游湖泊已逐渐干涸,下游湖泊淤浅更为明显。宋以后,中游已基本无湖泊存在,下游湖泊也发生了根本性变化,众多湖泊淤为平地。以开封为例,历史早期,在开封的西北,黄河由大伾山折而北流,北面有济水东流,南濒汴水,与淮泗相通,西有圃田泽,东南有逢泽,附近河湖交错。在战国前后开封是全国重要的经济都会,隋开通济渠,使之成为漕运中心,中唐、五代时,开封水陆交通四通八达,北宋时,河湖已有较大的变化,但汴河漕运仍是京师的生命线。随着气候干旱,水源短缺,汴河又因泥沙淤积,通航条件逐渐丧失,到 14 世纪时,开封已经成为一个不通航的城市。

6.2 生态环境变迁的主导因素

影响生态环境变迁的因素一方面是气候因素,另一方面是人类的生产实践活动。总体而言,气候变化是大背景,如在冷干或暖干气候控制下,植被生长受到影响甚至退化,即使没有人类活动,生态环境也会向坏的方向演化。但随着人类生产实践活动的加强,人类对生态环境变迁的影响越来越大。

冷暖交替、干湿叠加是气候变化的基本规律,而气候波动会影响生态植被。影响气候形成的主要因子有太阳辐射、大气环流、下垫面的性质等,在自然状态下,气候会发生冷暖周期波动。在地质时期(距今 22 亿~1 万年),曾反复出现过 3 次大冰期,冰期期间,气温呈下降趋势;大冰期间为间冰期,气温呈上升趋势。在每次冰期或间冰期之间还会有小的波动。对距今 1 万年至今气候的波动人们知道得较为详细,距今 8 000~3 000 年间属"气候适宜期"。近 5 000 年来的气候变化,竺可桢先生选取温度和降水两个重要指标作了系统的研究,发现气候表现为冷暖交替出现的规律,地质时期出现 3 个温暖期和 3 个寒冷期,历史时期出现 4 个温暖期和 4 个寒冷期[7]。

生态环境尤其植被是气候作用的直接产物。当处于温暖湿润期时,往往风调雨顺,植被生长茂盛,生态环境良好;当处于寒冷干燥期时,植被生长受到严重威胁甚至死亡,随之而来的是灾害频繁。如历史时期的第二个寒冷期(公元初至 6 世纪)时,黄河下游连年发生旱灾,飞蝗蔽日。第二个温暖期(公元 600~1000 年),时间长达 400 年,学术界称为"隋唐暖期",自公元 630 年到 992 年是一个相对湿润的多雨期,尤其是从公元 630 年到公元834 年这 200 多年间,是近 3 000 多年来历时最长的多雨期[8](王邨,1987)。

农牧业生产活动也是影响黄河流域生态环境变迁的主要因素。人类的生产活动对黄河流域的生态环境有正效应,也有负效应,并且,在不同的地区和不同时代,其影响效果也不一样。如在关中、晋西南、豫西北等河谷平原地区,由于地形平坦、土壤肥沃,加之古代气候温暖湿润、河湖众多、水源丰富,很适宜于发展农业生产,所以自原始农业生产之日起,就是我国农业最发达的地区。总的看来,古代劳动人民对这些地区的开发方式是合理的,因此尽管古代的天然植被逐步消失殆尽,但生态环境仍然是良性的。而黄土高原上广大的丘陵山地则不然,其生态环境没有维持良性的发展趋势。

从黄土高原发展历程看,以唐朝为界可划分为前后两个阶段[9,10]。历史时期该地区主要为游牧民族所占据,直到西周这里一直是游牧地区,农业生产以畜牧业为主,种植业很少。到春秋时期,在高原东南部晋国的努力开拓下,才把农耕区的界限由晋西南汾河下游平原地区越过霍山扩展到今太原附近。秦、西汉时期,经过多次大规模移民开发,使今晋陕峡谷流域及泾、渭、北洛河上游地区成为新的农业地区,而且其繁盛程度不亚于关中地区。东汉时,汉族封建王朝对该地区控制削弱,汉族居民锐减,北方游牧民族势力增强,因而农业开垦范围缩小,畜牧业又占据主导地位,到东汉末,农牧地区分界线又回复到战国前的状况,且一直延续到北魏政权统一了黄河流域之后。北魏至隋初,随着北方局势稳定,农业生产有所恢复,农牧业地区分界线由北移到庆阳—富县—离石一线。到隋唐时期,由于封建政权空前强大,因而农牧业地区分界线进一步推进到阴山一线。唐王朝不仅在黄土丘陵地区大力营田,还在盐州(今宁夏盐池县)和夏州(今陕北靖边县)等地兴修水利,使这一地区农业生产再次出现繁荣局面。除种植业外,畜牧业也同样发达。由上述可知,从西周至唐代,黄土丘陵地区虽然农牧业分布地区一再发生变化,但基本上或是游牧为主地区或是农牧并重地区,天然植被虽受到一定程度影响,但尚未遭到严重破坏,生态环境尚属良好,自然灾害也不太多。

唐中期"安史之乱"以后,黄土丘陵地区农业开垦逐步失去控制。从种植业看,首先是贫苦农民为逃避官府的苛捐杂税,采取耕而复弃、弃而复耕的生产方式,扩大开垦范围,造成广种薄收的陋习,并代代相传,加之自唐以后,这一地区汉族居民人口一再猛增,更助长了滥垦滥伐之风的恶性发展;其次是驻军与官府也竭力屯垦,北宋、金、西夏在这里对峙,各方均把屯垦作为备战边防的一项紧急措施,至明代更把军屯制度化,同时,明代还实行商屯。军屯与商屯带有极大的掠夺性。种植业如此,畜牧业也同样粗放。经过千余年的滥垦滥伐,黄土丘陵地区的天然植被遭到极大破坏,生态环境严重恶化,自然灾害频繁出现,农牧业生产也不断衰退,以致由秦汉隋唐时的农业生产发达地区沦为多灾低产的贫困地区。新中国成立后,加强了对黄土高原的治理,但在1978年前,推行"以粮为纲"的方针,因此这一阶段虽然在农田基本建设等工程措施方面取得了较大发展,但没有真正做到综合治理,压抑了多种经营,未能有效地改变单一种植粮食及广种薄收的陋习,也未能根本改变生态环境。1978年后,逐步改变单一种植粮食和广种薄收的生产方式,并大力开展了以小流域为重点的综合治理,目前部分地区生态环境正在逐步改善。

从黄河流域生态环境的演变可以看出,长期以来,黄河流域自然环境十分脆弱。中游黄土高原水土流失严重、风沙危害加剧;下游河床泥沙淤积抬高、洪水肆虐。近50多年来,黄河流域的治理主要表现为兴修水利工程、河道整治以及水土保持等。但是,由于自然和人为的原因,黄河流域的生态环境并没有得到根本改善。特别是黄河中游多沙粗沙区生态环境更是如此。

6.3 黄河流域宁蒙河段河道历史变迁

黄河内蒙河段位于黄河上游下段和中游上段,总长度830 km,自宁夏石嘴山巴音陶亥入境至内蒙古准格尔旗马栅乡出境,平原河流段516 km,山区河流段314 km,其中平原河流段三盛公至托克托为不稳定河床。

内蒙古段河道自古以来演变比较频繁,其中尤以后套为甚。后套平原黄河河道一般指磴口至乌拉特前旗(西山嘴)之间的河道。黄河从宁蒙窄谷进入宽阔的后套平原后,黄河在此大幅度摆动,形成众多的古河道,有的直抵阴山南麓,古河道迁移幅度可达50~60 km。在后套平原西南部的乌兰布和沙漠北部,在没有流沙覆盖的地方往往露出古黄河的遗迹。黄河古河道以顺直型和微弯型河道为主,河道流向分别为北北东至北西向,呈放射状分布于平缓的大型冲积扇平原上。

现代乌加河为古黄河遗留下来的河流,该古河床宽度在0.5 km左右,其两侧宽达10~20 km范围内形成黄河故道群,它是后套平原内规模最大、形态最清楚的一条古河道带。乌加河古河道带河流以弯曲河道和分汊河道为主,它们的主要流向与阴山南麓走向基本一致,即为北东东—近东西—南东东走向,自西而东至现代乌梁素海附近汇合后转向南流,至西山嘴附近再折向东流。

后套平原黄河河道演变是多种因素作用的结果。河道受地质构造影响,后套平原为新生代断陷盆地,第四纪沉积最大厚度达 2 400 m,沿狼山、色尔腾山山前断裂分布[11](杨发,1988)。历史上黄河河道演变与河套及其相邻地区气候环境变化也有一定关系:公元前 2 世纪,后套西部平原黄河南冲积扇停止发育,北冲积扇出现,这与近 3 000 年以来乌兰布和沙漠北部扩展到这一地区有关[12](贾铁飞,1998);公元前 2 世纪后北冲积扇河道发育和屠申泽湖的形成时期本区正处在多雨期[13](史培军,1991);6 世纪屠申泽的消失、北冲积扇上河道东移以及在东部泛滥平原上黄河明显地分南北两汊,这些与本地区乌兰布和沙漠、毛乌素沙地、库布齐沙漠严重沙漠化[14,15,16](侯仁之,1973;王守春,1994;史念海,1980)的时间相当;17 世纪中叶至 18 世纪末黄河"北河"水量渐减,主流逐渐移至"南河",此时正处于小冰期,其中 17 世纪为严寒期[17,18](葛全胜等,2002;王绍武,2002),黄河中游为相对少雨的干旱时期[19](陈家其,1990);19 世纪中叶至今 1 个半世纪黄河维持在与今相近的位置,这与清代康熙之后,后套平原由牧业转向农垦,开渠引水在一定程度上约束了黄河河道摆动有关。

6.4 黄河下游河道历史变迁及其特点

黄河变迁最频繁的河道是下游河道,黄河独特的河性决定了黄河的易变、善徙。黄河下游筑堤之前见之于文献记载的有山经河、禹贡河和汉志河三条。公元前 602 年河徙是大禹治水后有文字记载的第一次河徙。从公元前 602 到 1936 年黄河曾经多次改道,河道变迁的范围,西起郑州附近,北抵天津,南达江淮,纵横 25 万 km²。黄河河道变迁的原因、决溢改道的演变过程和产生的作用后果都十分复杂,据黄河水利委员会不完全统计,2 500 多年来,黄河下游决口泛滥 1 580 余次,较大的改道 26 次,常被提到的重大改道有六七次。

6.4.1 黄河下游河道历史变迁

公元前 21 世纪至公元前 6 世纪黄河下游未形成"地上河",多股河道入海,"导河积石,至于龙门,南至于华阴,东至于砥柱,又东至于孟津;东过洛汭,至于大伾;北过洚水,至于大陆;又北播为九河,同为逆河入于海"《禹贡·导水》。公元前 770～前 476 年黄河两岸筑堤,结束了黄河下游长期漫流的局面,山经河、禹贡河断流,专走汉志河,一直沿袭到西汉末年。黄河筑堤后,并未长期安流,此后 2 000 多年中黄河有 7 次大规模改道。

见之于史载的第一次大改道是在春秋中叶周定王五年(公元前 602 年),《河书·沟恤志》中有记载:"定王五年河徙。"自今河南浚县、滑县一带,再经清丰、内黄、南乐进入卫河,北经沧州、静海、天津入海,这条河稳定了 500 多年,一直至西汉文帝后才出现决口。

第二次大规模改道是在西汉中期,公元前 132 年(汉武帝元光三年),河决瓠子(今河南濮阳西南),"河水迁从顿丘东南流入渤海,五月丙子,复决瓠子"。公元前 109 年,汉武帝征调民工,修复瓠子,使其稳定北流,从章武(今河北黄骅北)入海。

第三次改道是在东汉。西汉末年,黄河决口改道断流,主流南决泛滥于济、汴达 60 余年。东汉明帝时起用著名水利工程专家王景主持治河。王景带领数十万民工,先用"堰流法"修浚仪渠,并从荥阳至海口筑堤千余里,河汴分流。疏浚后的河道就是北魏郦道元《水经注》中记载的河水。这次改道后,黄河稳定了 700 多年。

第四次大改道发生在 11 世纪中期。唐朝后期,在山东惠民、滨州、商河一带多次决堤。到 11 世纪初时,黄河在滑州(今河南滑县)、澶州(今濮阳)等河段多次决口。但屡决屡堵,总能堵住。1048 年,黄河在商胡埽(今濮阳东北)大决口,决口无法人工堵住,造成第四次大改道。黄河自濮阳经山东北部,经釜阳河,夺御河、界河(今海河),由天津入海,历史上通称商胡决口为北流。时隔 12 年后的 1060 年,又在大名府魏县(今河南乐县)决出一条分流,名横垅河,循西汉大河故道和笃马河(今马颊河)入海,称为东流,至此,形成了两流入海的局面,原干流称为东京故道。

黄河第五次大改道发生在南宋初年。1128 年(建炎二年),东京留守杜充人工自李固渡(今河南滑县西南沙店集)以西决河。"自泗入淮,以阻金兵"。河道由李固渡经滑县、濮阳、鄄城、巨野、嘉祥、金乡一带,由泗水取道淮河入海。从此,黄河不再东北流向渤海,而改为东南流经泗水,取道淮河流入黄海。1168 年(金大定八年),黄河又决李固渡,流入今单县一带,经砀山、肖县,在徐州经泗水,取道淮河入黄海,形成了二河分流的局面。

黄河下游第六次大改道发生在金末元初。1232 年,蒙古军在归德凤池口(今河南商丘北)人工决河,河水取道睢河入淮。1234 年,蒙古军又决汴城北的寸金淀,黄河南下夺涡水入淮。1286 年,黄河在原武、阳武、开封、太康等 15 处决口,黄河在原武或阳武境内分三股,由涡入淮。元初形成的三股河道在元代多次决溢。1351 年,由贾鲁主持治河,他主张堵塞北流,修浚了一条新河道。即经今封丘南、开封北,又经今东明、兰考之间,再过商丘北、虞城南、夏邑与砀山之间,然后东经萧县,在今徐州入泗水,并循泗入淮入海。元明之际,战乱不休,河政不理,黄河下游河道变化剧烈,基本上都是夺泗水、颍河、涡河入淮入海。

明代黄河下游流向与元时相同,常有几条同时并存。明初,黄河干流走贾鲁道。1489 年,黄河在开封一带大决口,从弘治三年后开始形成了以汴道为干流的汴水、涡河、颍河三股取道淮河入海的水系。1494 年,刘大夏塞黄陵冈筑太行堤,沿黄河北岸筑内、外两道护堤,迫使黄河夺汴入淮,北流断绝。嘉靖、万历年间,潘季驯治河结束了黄河下游多支并流的局面。1546 年后"南故道尽塞","全河尽出徐、邳,夺泗入淮"。此后近 300 年内基本稳定。

黄河第七次大改道发生在 1855 年(咸丰五年)6 月,河决铜瓦厢(今河南兰考西北)。洪水决口后漫流 20 来年,先北淹封丘、祥符、新乡,又东漫兰封、考城、长垣,后又分二股,穿过张秋镇运河经小清河、大清河,由利津入海。由于这次河决后 20 年来未修,形成了以决口处为顶点,包括北起今黄河北岸的北金堤,南到曹县、砀山一线,直至运河的大面积冲积扇。黄河在此区域内漫流,直到 1876 年菏泽、贾庄工程完成后,黄河才全部从大清河入海(今黄河下游河道)。同治末年到光绪年间(1875～1908 年),新河堤防逐渐建成,黄河北迁注入渤海,基本维持了黄河由山东独流入渤海的局面。

总之,历史早期黄河下游主要流经华北平原,分东西两支流由渤海湾入海,直至 1128 年杜充决河,黄河由淮河入黄海,至 1855 年铜瓦厢决口,其间历 727 年,这期间它在鲁西南地区和淮北平原两个地区经历了金元时期的平地漫流(黄河下游无明确固定的主道)、主干叉流散乱无序摆动阶段和明代万历(1578 年)以前于淮北平原上的分流时期及万历潘季驯治黄河至清代咸丰的独流时期。

6.4.2　黄河下游河道变迁特点

图 6-1 是黄河下游河道变迁图,从图中可看出,黄河下游河道基本上为北流、东流和南流三种形式,变迁的范围,北不出海河,南不出颍河和淮河。北流指黄河下游河道经河

北平原于渤海湾西岸入海,同海河水系混而为一。北流可分为前后两期:前期的上限据文献记载可以上推到公元前21世纪,下限为公元11年,这一时期黄河下游的河道主要有山经河、禹贡河和汉志河;后期为1048～1128年,期间黄河下游曾3次北流,分别发生在1048～1069年、1081～1094年、1099～1128年。

从北流两期河道看,前期三条河道在平面上依次从山前冲积扇前缘向滨海迁移,在流向上由北向东北作扇面转移,后期与前期相反,在平面上呈反方向移动。北流持续时间最长,约2 000年,其中见于史籍记载的约800年。

东流是指黄河下游经古济、漯水流域,后至大清河流域入渤海。东流也可分为前后两期,前期为公元69～1048年,这一时期出现了黄河历史上流经最久的东汉河道;后期为1855年至今,即现黄河下游河道。东流两期河道在平面上的分布特点是两条河道基本平行,前期河道较后期河道偏北。

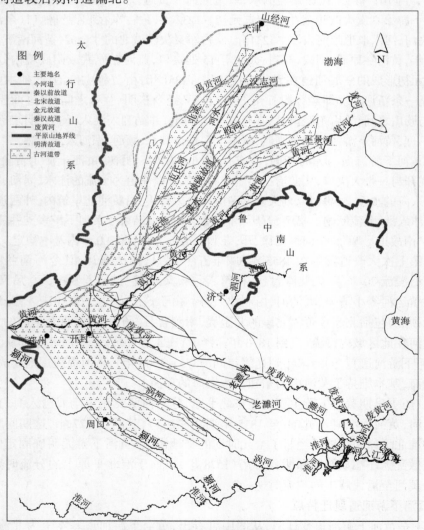

图6-1　黄河下游河道变迁及全新世古河道带分布图

南流是指黄河下游南流入淮注入黄海,时间为 1128～1855 年。南流前期,黄河干流长期摆动在汴河、濉河、涡河、颍河诸水之间,呈多股分流之势。1546 年以后,黄河演变为单股由淮入海。虽然人为在黄河下游两岸高筑堤防,借以"束水攻沙",固定河道,但最终还是控制不住北流趋势,1855 年终于在铜瓦厢决口,从而结束了黄河下游 720 多年南流由淮入海的历史,又回到东流由渤海湾入海的状态。南流持续时间最短,约 700 年。

从有史记载以来的黄河下游河道空间摆动顶点及摆动范围来看,在现行河道以北行河,常以河南浚县与滑县上下为其顶点,河道变迁的空间顺序基本上表现为自东北转为东偏北,再转为东,由东再向东南,作扇状扩展,其摆动范围,西北不出漳河,东南不出大清河,北流的泛道主要是漳河、滹沱河、卫河、漯水和笃马河等,从天津、黄骅等地流入渤海;在现行河道以南行河,常以河南原阳、延津一带为顶点,其摆动范围,北不出大清河,南不出颍河和淮河,黄河泛道为汴河、泗水、涡河、濉河、颍河和淮河,主要从淮河入海口入海。

从黄河下游泥沙淤积—河口延伸—溯源淤积—河床抬高—悬河—原河道废弃—河道改道变迁的历史看,河道变迁改道的生命周期越来越短。公元前 2033～前 1065 年黄河下游采用疏导治河,经过近 900 年的疏导治理,原始地势起伏逐渐被淤平,疏导治河再难继续奏效。

疏导治河方略失效后,公元前 770 年,人们开始采用堤防治水,堤防治水以公元 70 年王景治河最为成功。经王景治理后,黄河下游河道初期比较稳定,到 11 世纪中叶原河道才被废弃,此后,黄河分成东、北两支分别入渤海。从王景治河到黄河河道废弃、分流入海,其生命周期较长,近 1 000 年。

1128 年,黄河在河南滑县李固渡决口,黄河分东、北两支分流入海的局面结束,黄河下游从以东北流入渤海为主变为向东南由淮河入黄海为主。在黄河南泛夺淮入海的最初300 余年(1128～1446 年),黄河在淮北平原上不断摆动,泥沙在入海前就已淤积殆尽。从1446 年起,黄河经刘大夏等治理后主要经汴河入淮河,至 1547 年"全河尽出徐、邳,夺泗入淮",此河道经潘季驯治理后最终固定下来,直至 1855 年黄河北归入渤海止。此阶段黄河下游河道决口集中河段不断向下游迁移,迁移改道频繁,其生命周期大为缩短,河道稳定时段在 100 年左右。

1855 年黄河在铜瓦厢决口,下游河段北徙夺大清河在利津入渤海。在黄河北归后的前 20 年内,无堤防约束,黄河大部分泥沙在河南段淤积,河道决口也只发生在河南段,山东段河道因河南段下泄清水冲刷而变深、加宽。从 1875 年起,决口段逐渐下移到山东境内。铜瓦厢改道之初,黄河下游山东段仍是深切的"地下河",1874 年河岸高出河水面 6～9 m,1875 年河岸高出水面尚有 3～6 m,1886 年仅高出 0.6～1 m,1897 年成为"地上悬河",1990 年堤内河滩高出堤外地面高差局部河段可达 2.3～2.7 m。新河道形成后,前后仅用了不到 50 年的时间就完成了从沿程淤积—河口延伸—溯源淤积—地上悬河的过程。

黄河 1938 年在河南花园口人为决口后,南泛淮北平原并借道淮河入黄海,历时近 10年。新中国成立后,黄河口段曾发生过 4 次流路改变,每条流路平均行水年限为 10 年左右。每条流路在行水初期,因河长较前期缩短而导致溯源侵蚀,溯源侵蚀范围可达泺口,河床下切侵蚀深度可达 1.7 m;行水中、后期因河口向海延长而导致溯源淤积,最后流路被迫改道。河道完成这样一个生命周期大致 10 年。可见,由于人类活动的增强,黄河下游河道完成其生命周期的时间越来越短。

黄河下游如此频繁改道的结果在冲积扇平原上形成了大量沙丘和古河道带。如现在河南省东北部和东部,大致以今郑州、兰考之间黄河河床为脊轴,向东北、东南方向辐射分布的许多沙丘、沙垅和大片盐碱地,就是历史上黄河泛滥的结果。

从古河道看,古河道带在黄河冲积扇平原上呈"掌状"展布,与黄河冲积扇发育方向及黄河流向一致。从图6-1可以看出,古河道带自黄河冲积扇顶点向东北、东、东南三个方向呈放射状展布,各古河道带分支处大致在同一经线上,均匀展布,这反映出黄河下游河道变迁有一定规律,当泥沙淤积到一定程度河道就会发生变迁。

在冲积扇平原的中上部黄河两岸地区存在一对近于对称、面积很大的三角形砂体,其上很难分出古河道带。这是因为位于出山口的黄河冲积扇顶端的三角形区域,坡度陡造成水流速度急剧变化,因而是全新世以来黄河改道决口的必经之地,这里砂层厚度达20~26 m,含砂比一般在80%以上[20]。古河道在此屡次重叠便逐渐发育成厚层扇状砂体。

在黄河以北的古河道区,古河道带呈西南—东北向展布,砂层厚度大,古河道带分布密集。分布在豫北平原,砂层厚度大于10~15 m的古河道带面积约占整个豫北地区的97%,河间带仅占3%。分布在黄河南部及东南部的古河道呈东南—西北方向展布。古河道带分布较稀疏,重叠现象不明显,砂层厚度比北部区要小[21,22]。

从古河道发育上看,黄淮海平原全新世共有3期古河道。第一期古河道,埋深0~8 m,由黄褐色细砂、粉砂和亚砂组成,底部为一侵蚀面,[14]C测年均小于3 000年,为晚全新世古河道。第二期古河道,埋深8~20 m,由深灰—黑灰色淤泥质粉砂夹草炭组成,厚3~8 m,底部为一侵蚀面,[14]C测年多在距今7 500~3 000年间,为中全新世古河道。第三期古河道,埋深20~25 m,由浅灰色含淤泥质的中细砂、细砂、粉砂和上部的亚砂土组成,底部为一侵蚀面,[14]C测年在距今11 000~7 500年间,为早全新世古河道[22]。可见,黄河流域始终在黄淮海平原上淤积,其淤积特点是呈放射状分散淤积。

对比不同期古河道分布范围可以发现,前期古河道发育处必为下期古河道的古河间带,这在豫东地区表现尤为典型。黄河是多沙河流,在其流动过程中,造成河道淤积,随着淤积的加速不断使河床加高,当河流发育达到"老年阶段"时,不可避免地要发生改道,改道后的河流便在两侧低地里重新发育,进入新一轮的淤积发展过程,从而造成不同期古河道趋于"均匀分布"。可见,黄河下游河道演变的一个基本规律就是黄河下游通过决口改道,使大量入海泥沙均匀地分配在整个三角洲,使三角洲平面形态呈现扇形,徐徐向海域推进。

表6-1为黄河下游河道有文字记载以来的变迁状况[23]。从表6-1中可看出,黄河下游河道决溢改道越来越频繁。当然应该指出的是,史料中关于黄河下游河道决、溢、迁徙的次数记载是不可能详尽的,距今时间越久,记载遗漏一定越多,同时,社会动乱期间的记载也不会完全,但从已有资料中仍可以看出问题的概貌。秦以前黄河下游仅泛滥7次,改道1次。这时期河患如此之少,一方面可能是因为远古记载有缺漏,另一方面也可能是因为黄河中游黄土高原森林、草原面积广大,对洪水泥沙有较强的控制能力。但是到了秦汉时期,河患就严重起来,200多年间共发生河患13次,而且每次决溢改道还很严重。这一时期,秦与西汉在黄河中游黄土高原移民屯垦,结果对自然植被造成了极大破坏,导致黄

土高原水土流失加剧,因而使下游河患频繁。新王莽至隋,黄河下游又出现了达600年的安流局面,这时期仅泛滥7次,改道1次,较之西汉时期河患显然大为减轻。造成这种现象的原因之一可能是黄河中游黄土高原又回复到以游牧为主的状况中,结果植被逐渐恢复,水土流失得到了控制。自唐以后,直到20世纪40年代,河患再度严重起来,而且愈往后,决溢改道愈加频繁,为祸也愈烈。到了元明清及民国年间,甚至达到一年数次决溢的程度。这时期,黄河流域中游黄土高原植被遭到极大破坏,造成水土流失加剧,使下游灾害频繁。

表6-1 黄河下游泛滥、决口、迁徙状况(韩昭庆,1999)

朝代与年代	溢	决口	迁徙	合计
夏(公元前21~前16世纪)	1			1
商(公元前16~前11世纪)	5			5
西周与春秋、战国(公元前11世纪~前221年)	1		1	2
秦(公元前221~前207年)	1			1
西汉(公元前206~8年)	3	7	2	12
新王莽(公元9~25年)			1	1
东汉(公元25~220年)	2			2
三国(公元220~265年)	1			1
西晋(公元265~316年)	1			1
东晋、十六国与南北朝(公元317~589年)	3			3
隋(公元581~618年)				
唐(公元618~907年)	23	7	1	31
五代十国(公元907~960年)	6	28	1	35
北宋、南宋与金(公元960~1279年)	68	111	6	185
元(1271~1368年)	77	180	1	258
明(1368~1644年)	138	301	15	454
清(1644~1911年)	83	383	14	480
民国元年至25年(1912~1936年)	9	90	4	103
总计	422	1 107	46	1 575

从上面河道变迁的基本特点可以看出,黄河下游决溢改道的波动变化过程与黄土高原植被破坏程度有一定关联,说明河道变化与黄河流域生态环境的变化过程有着内在的联系。黄土高原生态环境的变化主要是其植被覆盖程度的变化,植被的变化与土地利用方式有极大关系。黄土高原植被的破坏一方面是皇室贵族富商豪强为营建宫室宅邸大肆采伐及战争中的破坏等原因,而长期不断地垦辟农田,搞单一的农业生产却是这一破坏过程的主导原因。与此相关的是黄土高原上植被的恢复也是借助于不合理的农垦的减少。而游牧民族进驻黄土高原,不事农耕,牧养牲畜,客观上起到了恢复植被的作用。

当然,历史上黄河决、溢、迁徙的原因不能完全归咎于黄河中游的土地利用方式和植被状况,土地利用状况仅仅是导致黄河危害的重要条件。

6.5 黄河三角洲及其尾闾河道演变

黄河三角洲的发育演变受周边地形及其变化、地质基底、地壳运动、河道摆动改道和海域条件、人为因素等影响。不同时期，这些因素的作用并不完全相同，因而三角洲的形成与发展并不均衡整齐，各地淤积过程、数量有较大差异。黄河下游河道很长，两岸2 000多年来全靠堤防约束。因此，经常在上下游统一的纵剖面远未塑造完成之前，就因人力维护不支而决堤改道。从河流改道历史看，经天津入海路程最长，比降最缓，入黄海时次之，经利津入海路程最短，比降最大。由于黄河含沙量特大，泥沙沉积速率特快，从上游输送下来的泥沙，总要淤积在下游平原上及邻近的海域内，构成三角洲体，这是人力抗拒不了的，但人力可以影响其淤积分布，从而影响三角洲的形态。如1128年的杜充决河，从而使得黄河南流700多年，结果导致约6 000亿 m^3 泥沙淤积在淮河平原，使其淤高3~4 m。由于下游河道的频繁变迁，因而不同时期形成了不同的河口三角洲。研究不同时期河口三角洲的变化规律，有助于更加深刻了解黄河的演变规律，预测河道的发展趋势。因此，本节重点介绍西汉古黄河三角洲、苏北古黄河三角洲和近现代黄河三角洲及其尾闾河道变迁。

6.5.1 西汉古黄河三角洲演变

黄河自古就是多沙性河流，西周时期就有反映黄河含泥沙的记载，战国时期黄河有了"浊河"之称，至西汉初年黄河名称也见有记载（《汉书·高惠高后文功臣表》）。汉时黄河有"一石水而六斗泥"之说，可见西汉时期河水泥沙明显增多。由于大量泥沙在河道里淤积，导致下游及河口决溢甚多，淤积加重，尾闾河道泥沙的纵向堆积和河道延伸以及横向决口分流堆积的共同结果，建造了西汉古黄河三角洲。

对西汉时期黄河尾闾河道和河口的位置众说纷纭。一种意见认为黄河经高唐、平原、德州、沧州，在沧州东北入海。另一种意见认为公元前602年河徙自宿胥口（今河南浚县西南），东行漯川数十里至长寿津（今濮阳之西北），又与漯别行，东北流至成平（今河北交河东北）与漳水合，又流经禹河故道，在天津小直沽口入海。再一种意见认为战国中期筑堤之前，黄河下游河道在河北平原上决溢改道极为频繁，黄河曾更迭多次，走过汉志河、山经河、禹贡河，当时黄河至少存在2条或3条流路。公元前358年之后，齐与赵、魏各在黄河下游河道两侧修筑绵亘数百里堤防，筑堤后黄河流路归并。谭其骧先生等指出，此时所筑堤防是沿汉志河河岸，筑堤以后河道基本上稳定下来，一直沿袭到汉代。《汉志》对河口位置并没有明确的记载。《汉书·地理志》云："赵又得渤海郡之东平舒、中邑、文安、束州、成平、章武，河以北也。"此句话表明西汉大河在章武之南，即在今黄骅以南。《水经·河水注》云："屯氏河故渎下游注入西汉大河故渎。"因此，后人把西汉大河河口视为屯氏河河口，认为屯氏河"东南至沧州之孟村北，又东迳盐山曾家庄，至盐山城西折……，又东北迳旧城南……，又东过下箧山（即小山）之北。"《盐山县志》记载，西汉黄河口"东北出至章武高城柳县之东，合为一大河入海，南北广二百余里，东西长三百里"。据《汉志》，汉代的柳国在金、元称为海丰镇，清代曾称杨儿庄，今称羊二庄。《盐山县志》还指出，汉时柳国为"河海交通之大埠"，可见汉时柳国为黄河入海口。韩嘉谷认为西汉大河（即黄河）至章武入海，所行路线是《水经注》的浮水故渎。浮水故渎"首受清河于（浮阳）县界，东北迳高城县之苑乡城北。浮水故渎又迳篦山北。浮渎又东北迳柳县故城南"。他再一次指出西汉黄河尾闾流经柳国。从上述资料可以推测,战国中期至西汉时期的黄河流经孟村、旧城等地,在羊二庄附近入海[24]。

西汉时期黄河下游时有决口改道,但历时较短,河口主要在羊二庄一带。西汉末年由于泥沙的长期淤积,河床严重淤高,到公元11年"河决魏郡,泛清河以东数郡"(《汉书·王莽传》),从此,黄河改道东流。据此推算,西汉时期的黄河河口至少维持了300余年。

三角洲范围指河口尾闾摆动、淤积所能达到的地区。《汉书·沟洫志》所记载的黄河摆动范围,在成帝时"自鬲以北至徒骇间,相去二百余里,今河虽数移徙,不离此域"。这里所指的徒骇在汉时为成平的滹池河和参户以下至东平舒入海的滹池别河,成平、参户、东平舒分别在今交河东北、青县西南和东北,而鬲(津)在德州西南,东经吴桥、宁津、乐陵、庆云到海丰大沽河入海。由上可知,西汉黄河口摆动的最大范围向北不超过青县,向南抵达乐陵和庆云县的北部。西汉主黄河尾闾摆动范围可能更小,它被约束在齐、赵、魏所筑的大河河堤(汉时称金堤)之内。后人将齐所筑之堤称齐堤。目前该堤在罗瞳、杨村、石桥、王帽圈等地仍有明显的遗迹。根据齐堤遗迹推测当时黄河河口上段向南摆动可达孟村县的新县、石桥等地,即宣惠河附近。据《汉书·沟洫志》,哀帝初(公元前6年左右)平当使领河堤,奏言"河从魏郡以东,北多溢决,水迹难以分明"。可见哀帝时黄河河口段向北的决口分流甚多,黄河漫溢,尾闾游荡不定。在TM影像图上,青县以南,黄骅与盐山地区的古河道影像清晰可辨,向北的分支河道和汊流众多。另有一些记载所描述的西汉古黄河摆动淤积的范围与上述情况相似,如《盐山新志》认为西汉黄河尾闾摆动的范围"在汉则平舒以南,高城以北,在今则静海以南,盐山海丰以北,水盛则弥漫无际,水衰分为数道"。至今地面上还残留着这一时期的古河道。有些古河道表现为古河道高地,如孟村—旧城—羊二庄的古河道带高出周围地面2~3 m,该带在贾象附近宽2 km,在羊二庄附近宽4~6 km,带内仍保留有自然堤、废弃河床等次级地貌类型。再如孟村—杨龙潭—目龙潭—高马的古河道带呈垄状高地,高出邻近地面0.5~1 m,宽700 m[24]。

孟村、盐山、黄骅和海兴县境内广泛分布的浅埋古河道砂层也为西汉古黄河三角洲的存在提供了证据。古河道埋藏深度一般在10 m以内,多数为3~5 m,大杨村较深为9.5 m,小杨村为8 m。后沙洼东北8 m,个别超过10 m。主要浅埋古河道有:自孟村经旧城、贾象、许官、羊二庄的骨干古河道;由旧城经堤柳、寺东、常庄、入黄骅城关的古河道;自孟村经杨龙谭、吕龙谭、边务、高马、入海兴境内的古河道;自孟村经曾庄、西三里、盐山城关、赵庄至张马村的古河道。据《盐山县水利志》分析,这些古河道是全新世晚期古黄河的尾闾,约距今2 000年形成的。由上推测,这些古河道正是由西汉时期黄河塑造的[24]。

根据上述历史记载、地貌特征、卫星影像图以及浅埋古河道砂层展布特征的分析,可以认为西汉时期由于黄河在河口地区的纵向延伸和横向摆动,形成了典型的扇形三角洲堆积体。该三角洲以孟村为顶点,自西南向东北方向延展,向北可达南大港的西南缘;向东可达傅家庄、刘洪博;向南达宣惠河和明泊洼一带,其面积约2 200 km²。

西汉古黄河三角洲的地势是西南高(孟村附近海拔11.7~9 m)、东北低(武帝台附近海拔2 m)。古三角洲以孟村—高宅—旧城—羊二庄的骨干古河道高地为脊轴,逐渐向两侧倾斜,并过渡到坦荡的扇缘低地,地面坡度0.05‰~0.1‰。其前缘与低洼的海积平原相连。

根据钻孔沉积岩性、沉积相以及 [14]C 测年等资料估计,古三角洲边缘沉积厚 3.5～4 m。根据推算出来的西汉古黄河三角洲面积、沉积厚度和沉积物容重计算,当时进入黄河尾闾河道的泥沙每年在陆上的淤积量为 0.54 亿 t。

西汉黄河三角洲发育过程、古河道展布形式以及三角洲形态与近代黄河三角洲相似,它们均为径流型扇形三角洲。其泥沙在河口区各部位的沉积分配状况可视为相近。当然,在不同时期,近代黄河三角洲泥沙分配变化极大,若采用 1964～1973 年钓口河入海时泥沙分配比例(陆上淤积占 24%、滨海区占 40%、海区占 36%),西汉古黄河三角洲每年淤积总量约 2.7 亿 t[24]。

值得指出的是,西汉古黄河三角洲每年的淤积总量并不等于当年黄河下游向河口地区输移的泥沙总量,因为西汉时在武陟、荥阳以下南岸分流有济水、浪汤渠、汲水、睢河、涡河、鲁渠水、濮渠水、漯河、笃马河等,北岸主要的汊流有屯氏河、屯氏别河、张甲河、鸣犊河等,其中分支河道济水和漯河较大,济水历时最长。在古代,济与河(黄河)、淮、江合称四渎。可见当时黄河下游泥沙并不完全沿骨干河道输送到海洋。

6.5.2 苏北古黄河三角洲及其尾闾河道演变

自晚更新世以后,黄河南徙在江苏形成了不同时期的黄河沉积三角洲,目前从淮阴北至临洪河口、南至射阳河口的三角洲地区内都是黄河改造较频繁的滨海平原。在西岗、中岗和东岗沙堤后缘形成湖泊,南边的下里河湖泊日益缩小,北边的硕项湖和桑墟湖也早已被黄河泥沙填没。

2 000 多年来,黄河水利委员会统计黄河较大的改道有 26 次,其中有 14 次南流入淮。黄河南侵始于公元前 168 年,"河决酸枣,东溃金堤",夺濮水而东。其后公元前 132 年"河决于瓠子,东南注巨野,通于淮泗",此次是西汉黄河南泛历时最久的一次,公元前 109 年才堵合。嗣后黄河多在今河北馆陶以下泛滥纵横。公元 11 年"河决魏郡,泛清河以东数郡",黄河由平原、济南,流向千乘。改道初期,新河两岸尚无完备堤防,大约直至东汉明帝时,王景在此基础上因势利导,浚河筑堤,黄河长期不南流[25]。

宋代黄河数次南侵入淮,如公元 983 年"河大决滑州韩村……。东南流至彭城界(今徐州),入于淮"。再如 1000 年、1019 年、1020 年和 1077 年黄河也曾南流,但不久堵塞复北流。宋、金对峙期间,战争不断,黄河数十年迁徙不定,其中 1128 年,宋东京(今开封)留守杜充为阻止金兵南下,决开黄河,河水自泗入淮。1168 年"河决李固渡,水溃曹州城,分流于单州之境。……新河水六分,旧河水四分……",当时黄河两道分流。之后卫州(今汲县)、延津和原武一带决溢频繁,河势不断南移。公元 1194 年"8 月,河决阳武故堤,灌封丘而东",经长垣、曹县以南,商丘、砀山以北至徐州入泗水,从淮阴注入淮河,从此开始了黄河长期夺淮入黄海的时代[25]。

明、清两代治河兼治漕运。为避免黄河北泛,影响漕运,多控导黄河不使其北流。明朝初期黄河大部分夺淮入黄海,少部分时间东北流经寿张穿运河入渤海,南流河道多支并流,此淤彼决,泛滥为患。1491 年副都御史刘大夏采取遏制北流,分水南下入淮的方针,在北岸修筑数百里的太行堤,塞黄陵岗、荆隆口等口门 7 处,大河"复归兰阳、考城,分流经徐州、归德、宿迁,南入运河,会淮入海"。1578 年潘季驯第 3 次主持治河,在首辅张居正支持下,他对黄河进行了一次较大规模的治理,治理后,河道无大患,从此河口流路基本稳定。

总体而言,黄河下游河口段近 2 500 年来有过 6 次(公元前 132 年,公元 111 年,1048 年,1194 年,1494 年和 1938 年)较大的南徙,河水流经苏北入海。其中前 4 次均系自然迁移,后 2 次系人为影响。据历史记载,较小南徙次数很多,公元 960～1127 年间,黄河曾 10 次破堤南流入海,1128～1193 年间又相继出现过 8 次;最长的一次是 1194 年后,黄河决口于阳武,大部分河水由泗水入淮河,南流不断,直至 1855 年铜瓦厢改道山东入渤海。

黄河对江苏滨海平原地貌的改变起着主要的作用。苏北古黄河三角洲的地貌特点是由西向东、从山地到海边,总高差并不大,因受淮河河道的控制和黄河人工堤的影响,形成了西高东低的地势。淮阴西的杨庄海拔 11.5 m,云梯关为 5.5 m,海口的新淤尖为 1.2 m,地形上都有较明显的坡折,从杨庄至云梯关平均坡降为 0.086‰,从云梯关至新淤尖平均坡降为 0.061‰,杨庄以西地面坡度明显增加,其平均坡降为 0.14‰。废黄河的水下三角洲,水深 17～20 m 间也有较明显坡折,其平均坡降为 1.5‰;在水深 1～7 m 以内的水下三角洲的平面上,其平均坡降仅为 0.1‰。目前在水下三角洲上还残留有旧黄河的古河道,其宽约 10 km,高差 1～2 m,向东伸展至 121°E 附近出现分汊,一支向东北,另一支向东偏南,直至 121°30′ E 附近消失[25]。

从上述地面坡降的变化,结合沉积分布特征,可确定由东向西大的地貌类型为古黄河三角洲、废黄河三角洲、黄淮堆积三角洲及山前河口扇三角洲。在河口两侧地区为现代海滩和盐田湿地、滨海平原及河间淤积平地。这个地区除突起山地外,在滨海平原中,南北突起的是滨海沙堤,其高程一般为 5～8 m。黄河谷地从西向东是分隔南北的地上河,两旁筑有高大的人工堤,堤间的宽度在云梯关以上仅有 1～2 km,以下为 3～6 km,在大四套、界牌和八巨集扩大,分别为 10 km、7.5 km 和 7 km;河床高出地面,一般河谷宽为 509～600 m,因而形成较宽阔的河漫滩[25]。

明、清黄河夺淮南流 600 余年间,河口段主河道在三角洲扇面上摆动不大,主要表现为水沙沿主河道向海输移和淤积及其河口的不断延伸。前期河口泥沙堆积量小,三角洲极不发育,这一过程可能反映了中游产沙输沙状况,但在很大程度上受明代前期治河方略的影响。

自 1495 年(明弘治八年)刘大夏筑太行堤,阻断黄河北支,浚河全流入淮以来,河口特性受整个流域的自然地理条件的影响,又与黄河中游人为加速侵蚀的增强有关。近 2 000 年来,我国最主要的冷期出现在公元 17～19 世纪,一般称之为"小冰潮",当时平均气温比今日低 2～4℃,气温的升降直接影响植被生长,引起流域来水来沙的巨变。这一时期也是黄河中游黄土高原地区人类活动加剧时期,北宋与辽、西夏对抗,在边界地带建筑许多城镇堡寨,招募人民到沿边地带垦种,造成黄土高原土壤侵蚀的加剧。宋代之后的明代继续在黄土高原上进行军事对抗,修建长城,并沿长城建立城镇堡寨,派驻大量官兵戍守,广泛进行屯垦,进一步导致环境恶化,特别是明代中叶,黄河中下游地区森林受到摧毁性破坏,流经黄土高原的汾河、洛河、渭河、沁河、泾河等黄河支流含沙量增大,河水由清变浊,支流入黄泥沙量增大。清代黄土高原人口急剧增加,聚落数量随之上升,土地开垦扩大,水土流失进一步发展。河口泥沙增多的另一原因是在废黄河行水后期,人们提高了河流防洪能力,黄河下游河口段几乎完全约束在两条大堤之内,人为地改变了黄河洪水、泥沙自身调控能力和分配状况,使输移到河口的泥沙增多。

正是由于上述种种原因,造成河口延伸速度、废黄河三角洲发育的前后两期的造陆情况和泥沙淤积差异甚远。表6-2为文献统计的苏北古黄河口演变情况[26]。

表6-2 苏北古黄河口演变情况

三角洲发育	年代	河口延伸蚀退地点	时间间隔(年)	伸退距离(km)	年均伸退速度(m)
发展堆积	1128～1500	云梯关—四套	372	20.0	54
	1500～1578	四套—六套	78	15.0	192
	1591	六套—十套	13	20.0	1 540
	1660	十套—二木楼	69	18.5	268
	1700	二木楼—八滩	40	13.0	325
	1747	八滩—七巨港	47	15.0	320
	1776	七巨港—新淤尖	29	5.5	190
	1803	新淤尖—南、北尖	27	3.0	111
	1810	南、北尖—六洪子	7	3.5	500
	1855	六洪子—望海墩河口	45	13.5	300
侵蚀蚀退	1923		68	4.5	66
	1953		30	2.0	66
	1974		21	1.0	48
	1985		11	0.3	27

从表6-2中可以看出,河口延伸速度在1128～1578年较慢,平均速度每年为78m。1579～1855年,河口延伸速度加快,平均速度每年为300 m。1855年至今,海岸蚀退,最大蚀退速度每年为70 m,现经人工防波堤作用,海岸已趋向稳定。

废黄河口的延伸除受来水来沙、波浪、潮汐作用外,堤防工程等人为因素不可忽视。如1578～1591年,潘季驯在黄河两岸修筑堤防,在河口段修筑淮安西长堤,筑柳浦经高岭(今涟水对岸)至戴百户营的大河南堤,使河口堤防逐步完善,泥沙大量沿河下排,河口淤积严重,河口延伸速率大增,竟达1 540 m/a。

在废黄河尾闾不断向海延伸的同时,尾闾河段也频繁决口。据沈怡统计[27],1494～1855年废黄河尾闾决口计142次,其中淮阴25次,淮安23次,涟水85次,阜宁9次,在这一时期的初期,黄河决口点主要集中在清口附近;明万历以后,受筑堤等人为工程的影响,决口点下移至涟水附近;清康熙以后随着大堤向河口延伸,决口点在河口下段增多,大都集中在阜宁境内,如乾隆十八年(1753年)、乾隆二十五年(1760年)、乾隆三十年(1765年)河均决于阜宁五套,乾隆四十年(1775年)和乾隆五十一年(1786年)河在二套对岸陈家浦决口。这些表明在清口以下的黄河河口段,随着两岸堤防的逐渐形成,摆动轴点下移即亚三角洲顶点下移,河流的挟沙能力在堆积过程中自上而下逐步提高[25]。决口分流在主河道两侧形成泛道,并以扇状漫流形式堆积,构成决口扇形地,尤以北岸突出,这是废黄河三角洲横向扩展的主要方式。今废黄河口段故道两侧还遗留下众多的辐射状分布的决口泛道和串珠状分布的叠置的决口扇,这是黄河横向决口分流泥沙堆积的产物。较大的决口扇形地有淮阴、淮安、涟水、顺河集、苏家嘴、云梯关、滨海等处。

废黄河决口分流泥沙主要淤积在灌河和射阳河之间原地势低平的湖积、海积平原上。随着泥沙淤积，位于主河道两侧的古海湾、古湖泊逐渐缩小或消失，其淤积厚度由扇顶向边缘变薄，如苏家嘴决口扇顶部有厚达 13 m 的粉砂质土，而边缘地带的东沟只有 2.8 m。

废黄河尾闾及其分流河道南北摆动的最大距离即废黄河三角洲范围的最大边界，据记载，乾隆十年(1745 年)"河决南岸阜宁陈家浦，由射阳湖、双阳子、八滩三路归海"，而"射阳湖其入海口有三，南曰斗龙港……"。嘉庆十一年(1806 年)王营减坝泄水过程中"冲开四铺漫口西首民堰，大溜直注张家河，会六塘河归海……，大溜直冲海州之大伊山，从山之东穿入场河，平漫东门，六里、义泽等河会注归海，其尾闾入海之处有三，南有灌河口，中为中图河，北为龙窝荡"。近年来郭瑞祥的研究表明云台山南部、灌云县东部广大范围的陆地迅速向东伸展是受黄河屡次泛滥的直接或间接影响所致。由此可见，废黄河陆上三角洲以清口(即杨庄)为顶点，北界经六塘河、盐河、大伊山至临洪口，南界沿射阳湖，经沙沟、大冈至斗龙港口，面积约 16 000 km²。

河道基准面的变化是影响下游河道特征的因素之一。黄河夺淮南流的 600 余年间，对下游河道的影响具有明显的时段性。

废黄河口演变的前期，特别是明代前期，黄河下游河道除向南的自然分流外，也经常出现人为的向北分流，以便接济运河。明代弘治以后实行北堵南分，分流杀势，分黄保运治河方略，黄河"河分数道，合汝合颍合涡合汴以入淮，浊沙所及上游受其病，清口以下淮岸甚阔而归流甚深，滨淮以海亦渊深澄澈，足以容纳巨流……"。这表明当时泥沙主要淤积在河口以上河段，即黄河干流及其泛区和颍河、涡河、濉河等淮河支流河道及其泛区，进入河口的泥沙甚少，河口段仍为地下河，河口淤积延伸缓慢，这意味着河口基准面变化不大，对黄河下游影响较小，下游河道的冲淤变化、纵剖面调整主要是为了适应中游来水来沙特性，河道淤积的形式为沿程淤积。

废黄河口演变的后期，河口淤积延伸加快，嘉靖十三年(1534 年)"黄河汇入于淮，水势已非其旧，而涧河、马逻港及海口诸套已湮塞，不能速泄，下拥上溢梗塞通道……"，同年自济宁南至徐州数百里间，运河悉淤，闸面有没入泥底者，运道阻绝。为改变此状态，以后的 300 余年，治河方针转变为"束水攻沙"。潘季驯主张"固堤以导河，导河以濬海"，把河堤筑至高岭(今涟水对岸)，并通过对黄河、淮河、运河三者关系的考察，采取了"蓄清刷黄"措施，沿洪泽湖筑高家堰，提高洪泽湖水位，以水刷沙，解决清口淤塞、河口淤积问题。经过潘季驯治河，在一定程度上改变了黄河频繁改道的局面，如常居敬在《钦奉查理黄河疏》中说："数年以来，束水归槽，河身渐深，水不盈坝，堤不被冲，此正河道之利矣。"但"蓄清刷黄"是在对黄河泥沙量和水流输沙能力没有完全作出正确估计的前提下提出的治河原则，在黄河、淮河水盛，洪泽湖蓄水较多的情况下，短时期可冲刷部分泥沙，可长时期看，这不能有效地解决黄河河口及运河河床淤积日趋严重的问题，如万历十三年(1595 年)御史陈邦科建言："固堤束水，未收刷沙之利，而反致冲决……"清朝遵循"筑堤束水，以水攻沙"的方针，康熙十六年(1677 年)靳辅筑缕堤至云梯关，并接筑至海口，清嘉庆、道光年间进一步修筑云梯关外堤防。随着流路的逐日固定，泥沙大量下排，河口向海推进，这就意味着废黄河尾闾增长，比降减小，河口基准面相对抬升，从而引起溯源淤积。

潘季驯大规模筑堤,河水约束于河道之中,水深则不为害,之后在 1595～1642 年又逢枯水时段,堆积也偏低,溯源淤积不显著。至康熙十五年(1676 年)黄河、淮河并涨,河水倒灌洪泽湖,高家堰决口 34 处,河口淤积加速,淤积部位"自清江浦至海口约长三百里,……向日河身深二、三、四丈不等,今则深者不过八九尺,浅者仅有二三尺矣。黄河淤,运河也淤。……今洪泽湖底,渐成平陆矣"。次年靳辅开始治河,黄河下游完全被束缚在两条大堤之间,河口堤防也更加完善,泥沙可直接下排入海,这时又恰遇丰水时段,来水来沙较多,因而河口延伸距离大增,河床堆积加高,溯源淤积逐渐向上发展。靳辅治河 12年,其结果如他本人所言:"下口俱淤势必渐而决于上,从此而桃、宿溃,邳、徐溃,曹、单、开封溃,奔腾四溢。"河流决口的原因很多,重要的原因之一是河床淤积抬高,大堤高度相对降低易冲决,而靳辅所指的溃决正是由于河口延伸,溯源淤积向上发展的结果,可见溯源淤积可达河南开封。自乾隆年间以后,淤积日益严重,至道光六年(1826 年),两江总督琦善调查清口情况说:"自借黄济运以来,运河底高一丈数尺,两滩积淤宽厚……"自道光七年以后,淮水基本不入黄。同年,阮元指出:"运口(即清口)昔日清高于黄,今常黄高于清者,岂非海口日远之故乎? 夫以愈久愈远之海口,行陕州以东之黄水,自中州至徐、淮二府,逐里逐步无不日加日高,低者填之使平,坳者填之使仰,此亦必然之趋也。"并用图解阐明黄河溯源淤积状况。目前,各家对后期废黄河口基准面相对抬升引起的淤积上溯达到的最远距离持不同见解,但从上述历史资料分析,至少可达河南境内。

任美锷先生统计[28],山经、禹贡、西汉、东汉以及唐宋等各个时期所形成的老三角洲海岸平原,南北长 150 km 以上,东西宽 50～60 km,面积约 8 000 km²,造陆速率为 2.55 km²/a,经对比发现,黄河夺淮南流前期的造陆速率与此相比大一倍左右,废黄河三角洲后期造陆速率接近 1855～1909 年间近代黄河的造陆速率,与 1976 年后黄河口的造陆速率差异甚大(表 6-3)。

表 6-3　黄河三角洲成陆速度对比

三角洲	时段	造陆面积(km²)	造陆速率(km²/a)
废黄河	1194～1578 年	2 300	5.98
	1578～1855 年	6 760	24.4
近代黄河	1855～1909 年	1 239	23
	1909～1954 年	588	1.3
	1954～1971 年	270	15.9
	1976～1984 年	261	32.6

1194 年以来废黄河口造陆面积约 9 000 km²,水下三角洲面积约 25 000 km²。各地淤积厚度不等,在射阳河和灌河之间淤积厚为 3～15 m,平均厚度为 9 m 左右,灌河以北、射阳河以南以及水下三角洲地区的平均淤积厚度约 2 m。淤积在滨海地区的泥沙总量约770 亿 t,其中 600 亿 t 是 1578 年以后淤积的;淤积在海区的泥沙总量约 710 亿 t,按照1964～1973 年黄河口不同部位泥沙淤积量(陆上占 24.0%,滨海区占 40%,海区占 36%)推算[29],每年输送到废黄河口的泥沙为 2.60 亿～3.00 亿 t,后期每年输送到黄河口的泥沙增多,估算约 5.5 亿 t。

6.5.3 近代黄河三角洲及其尾闾河道演变

河口段是黄河下游河道变化最复杂的河段,自1855年铜瓦厢决口走现行河道以来,由于自然和人为因素,河道发生了多次改变,表6-4为黄河三角洲尾闾变迁史[30](庞家珍,2003)。图6-2为黄河三角洲河道变迁和海岸线变化图。1855年的岸线在河口渔洼一线。146年后,岸线向东北方向淤进至黄河海港、孤东油田一线,向海推进约40 km,平均0.27 km/a。推进最大的地段是渔洼向东至1996年的黄河入海口处,向海推进了约52 km,平均0.36 km/a;永丰河一带岸线向海推进10 km,平均0.07 km/a;淄脉沟以南的莱州湾岸段变化较小,仅轻微蚀退;洮河口一带岸线向海推进15~20 km;平均淤进0.1~0.14 km/a;弯弯沟一带,淤进13 km,平均0.09 km/a。大口河至套尔河口一带,低潮线附近变化不大,高潮线附近明显向海推进,这是由于护岸及建港等人类活动所致。

现代黄河三角洲海岸淤进速度快、变动大。海岸线的变化与黄河尾闾的改道密切相关。一般来说,行水时河口淤积,停水时河口冲刷。整个黄河三角洲海岸时冲时淤,此冲彼淤,总的以淤为主,不断把海岸线向海推进。

1855年黄河注入渤海以来,尾闾河道共经历了10次大型改道,形成了10个相互叠置的三角洲叶瓣圈。在每次形成三角洲叶瓣过程中,尾闾河道平面河型的演变经历了游荡散乱—归股—单一顺直—弯曲—出汊摆动—再改道游荡散乱的循环过程。

表 6-4　1855~2004 年黄河尾闾历史变迁

序号	改道时间	改道地点	入海位置	至下次改道时距	至下次改道实际行水历时	累计实际行水历时(年)	备注
1	1855年7月清(咸丰五年)	铜瓦厢	利津铁门关下肖神庙牡蛎嘴	33年9个月	18年11个月	19	铜瓦厢决口
2	1889年3月清(光绪十五年)	韩家垣	毛丝坨(今建林以东)	8年2个月	5年10个月	25	决口改道
3	1897年5月清(光绪二十三年)	岭子庄	丝网口东南	7年1个月	5年9个月	30.5	决口改道
4	1904年7月清(光绪三十年)	盐窝	老鸹嘴	22年	17年6个月	48	决口改道
5	1926年6月(民国15年7月)	八里庄	沙石头及铁门关故道	3年2个月	2年11个月	51	决口改道
6	1929年8月(民国18年9月)	纪家庄	南旺河、宋春荣沟青坨子	5年	4年	55	决口改道
7	1934年8月(民国23年9月)	合龙处一号坝上	老神仙沟、甜水沟、宋春荣沟	18年10个月	9年2个月	64	决口改道
8-1	1953年7月	小口子	神仙沟	10年6个月	10年6个月	74.5	人工裁弯并汊劫夺改道
8-2	1960年出汊1962年夺流	四号桩以上1 km,右岸	老神仙沟				
9	1964年1月	罗家屋子	钓口与洼拉沟之间	12年4个月	12年4个月	87	人工暴堤改道
10-1	1976年7月	西河口	清水沟	20年	20年	107	人工截流改道
10-2	1996年7月至今	清8断面	清8下方位角81°30′				人工截流改道

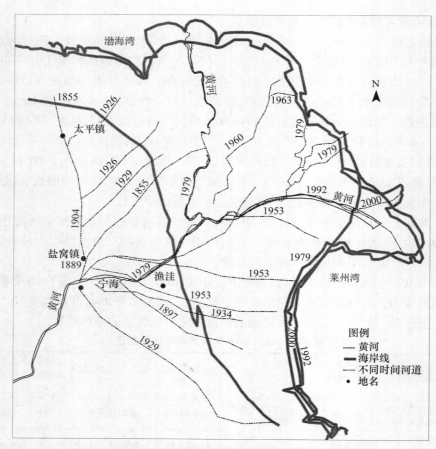

图 6-2　黄河三角洲 1855 年以来河道变迁及海岸线变化图

从现行尾闾河道在三角洲这 100 多年来的演变过程来看,在天然状况下,黄河以三角洲扇轴为顶点,从东北到东南横扫了整个黄河三角洲一遍。改道的顺序大体是:最初行三角洲东北方向,次改行三角洲东或东南方向,然后改行三角洲北部,基本上在三角洲普遍行河一次。而在每一条具体流路的演变阶段上,又是由河口向上游方向发展演变,出汊改道点逐次上移,经过若干小时段的三角洲变迁,从而使流路充分发育成熟以至衰亡,向下一次改道演进。可见,在整个近代三角洲的发育过程中,是由上而下向海推进的,而在每一条流路的具体演变阶段上,三角洲摆动顶点又是从下而上演进的。通过每条具体流路从下而上的演进,构成自上而下三角洲发展的总过程[31]。

黄河三角洲流路改道行水时段不同,但其流路发育有许多共同点,这些共性是:

(1)改道初期,改道点附近形成跌水,局部比降大。改道点以下水面突然增宽数倍,水流散乱,主流不定,漫流入海。此阶段黄河下游产生溯源堆积。

(2)经过淤积造床过程,滩面逐渐淤高,一般均要普淤 2 m 以上的高度,在新的滩面上形成河槽,并形成分汊入海的形势。

(3)各股水流的输水输沙能力极不平衡,各股流路向两极转化,优胜劣汰,逐渐形成单一河道,断面拓宽,滩槽差增大,至此沉积造床过程基本完成。

（4）单一河道形成后，河势开始趋于稳定，口门摆动范围相对变小，河道具有较好的挟沙能力，产生对黄河下游的溯源冲刷。

（5）随着沙嘴继续延伸，河道伸长，河道逐步自上而下地由单一顺直向弯曲型过渡；溯源冲刷又转为溯源堆积，由下而上发展。滩槽高差由大变小，河势由稳定向不稳定过渡。

（6）河道向蜿蜒曲折发展，自上而下使边滩、心滩发育，河道伸长，比降减小，造成淤积壅水，在不能满足泄洪排沙情况下，水流选择河湾凹岸塌岸，漫流行水，有可能发展为出汊夺流，甚至是新的改道。

河口的淤积、延伸、改道，都可以理解为变更河流侵蚀基面的高度，从而引起河流纵剖面的调整以及水流挟沙能力与来沙量对比关系的改变，产生自河口向上发展的溯源堆积和溯源冲刷。这种溯源性质的堆积和冲刷与河流在塑造平衡纵剖面的过程中所产生的沿程淤积和沿程冲刷是性质不同的两种河床变形。前者自下而上发展，变化幅度下大上小，受制于流程的增长和缩短；后者自上而下发展，变化幅度一般上大下小，受制于水流挟沙力与来沙状况的对比关系。

铜瓦厢决口初期，下游无堤防，直至1875年之前，仅部分河段修有民埝御水，洪水极易出槽，黄河所挟泥沙绝大部分沉积在张秋镇以上的冲积扇上。因而自1855年从铜瓦厢决口夺大清河道至1889年韩家坦决口改道毛丝坨，这34年的前期和中期，并不产生明显的溯源堆积。1875年，陶城铺以上泛区开始修筑南北大堤，泺口以下淤积发展严重，决口频繁，直到1889年，黄河为获得输沙能力而对大清河纵剖面所进行的改造大体完成，此时河口演变对黄河下游的影响才相对突出来。这种影响主要反映在泺口以下河段，表现在由改道初期产生的溯源性质的冲刷和由淤积延伸所产生的溯源堆积的交替发展上。应当指出，当相邻两次河口改道所形成的延伸长度大体一致，侵蚀基面的高度并未发生重大改变时，河床这种周期性的抬高和降低并不造成河床的稳定性抬高。只是当河口流路在其顶点所控制的扇面普遍摆动，海岸线普通外延，也就是说，当侵蚀基面的高度发生稳定性抬高之后，下游水位将出现一次稳定性抬高，此后溯源堆积及溯源冲刷的交替变化将在一个新的高度上进行。

现代黄河三角洲从顶点（宁海）到三角洲前缘约100 km。1855～2001年新增陆地面积约为2 980 km²。1855年以来的黄河三角洲地区的造陆面积和造陆速率见表6-5。

表6-5 现代黄河三角洲各阶段造陆面积和造陆速率

时段	年代间隔（年）	造陆面积（km²）	造陆速率（km²/a）
1855～1934年	79	1 725	21.84
1934～1976年	42	365	8.69
1976～2001年	25	890	35.60
1855～2001年	146	2 980	20.41

从研究的结果可知，近代黄河三角洲自套尔河口至淄脉沟口，在1855～2001年的146年中，造陆面积共2 980 km²，时间间隔146年，总造陆速率20.41 km²/a。其中，1855～1934

年,时间间隔 79 年,造陆速率 21.84 km²/a;1934～1976 年,时间间隔 42 年,造陆速率 8.69 km²/a,比 1855 年以来的总造陆速率低得多,这是由于 1938～1947 年黄河从郑州花园口改道走徐淮故道在江苏省海岸入海,那时研究区的现代黄河三角洲海岸带不再淤积而是侵蚀。1976～2001 年,时间间隔 25 年,新造陆地 890 km²,造陆速率 35.60 km²/a,比 1855 年以来总造陆速率高得多。其实,该阶段黄河向渤海的输水输沙量比 1976 年以前并无增加,特别是近几年黄河频繁断流,输水输沙量明显减少。该时期造陆速率之所以比总造陆速率高很多,是由于 1976 年以来(尤其是 1983 年以来),人类对海岸的影响明显加剧。随着改革开放的发展,建港、护岸、围海造田、潮滩油田开发、滩涂养殖、建造虾池鱼池和盐田等人类活动大大增加了岸线向海推进的速率。人类活动不但使某些岸段侵蚀速度减慢,而且围海造出了不少陆地。初步计算,在 1976～2001 年的造陆面积 890 km² 中,其中约有一半属人类活动影响所致。因此,估计仅靠黄河本身的输沙在 1976～2001 年的造陆速率应在 10～20 km²/a 之间[32]。

6.6 黄河下游泥沙淤积速率

从表 6-1 可见,黄河流域在公元 907 年以前,洪水灾害次数较少,而以后却急剧增加,这一方面固然有历史记载的原因,更重要的原因是流域水沙条件发生了变化,造成了黄河下游的淤积加剧。图 6-3 为黄河下游距今 7 500 年以来不同时段的年均沉积量,也即黄河中游的侵蚀量。从图中可看出,由于黄河流域泥沙主要来源于黄土高原,黄土高原的土壤侵蚀越来越严重。其自然侵蚀背景值为每年 6.5 亿～10 亿 t,黄河下游输沙能力大约在 4 亿 t,人类土地利用程度的提高以及不合理的土地利用方式,使黄土高原土壤在自然侵蚀作用下又叠加了人类活动的影响,目前每年输往下游的泥沙达 16 亿 t,加上水利工程拦减的泥沙 6 亿 t,黄土高原年均侵蚀量已达到 22 亿 t 左右,可见人类活动的影响已占总侵蚀量的 50% 以上,明显超过河道的输沙能力,造成了黄河下游河道淤积加积[33]。

图 6-4 是黄河下游距今 16 250 年以来的沉积速率,可看出其沉积速率可分成 4 个台阶[34]。

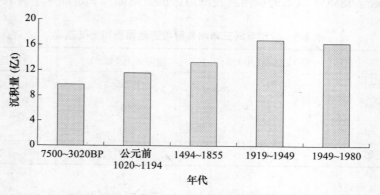

图 6-3　黄河下游距今 7 500 年以来不同时段年均沉积量

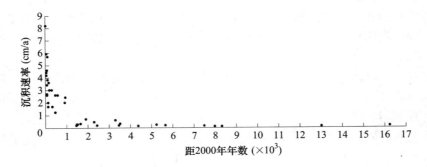

图 6-4 黄河下游河道不同时代距今 16 250 年以来的沉积速率

从全新世早期到距今 4 000 年来，其沉积速率较小，为 0.69 ~ 1.8 mm/a,此阶段几乎没有人类活动，河道演变处于自然阶段；从距今 4 000 年到距今 1 470 年，黄河下游沉积速率仍较小，为 2 ~ 6.1 mm/a,此阶段后期由于逐渐有人类活动，沉积速率随时间变化有所增大，但趋势不明显，说明人类活动影响较弱；从 1000 年至 1850 年，与前一阶段相比，沉积速率发生了阶梯式跃升，反映出公元 7 ~ 10 世纪之间环境的急剧变化，此阶段沉积速率保持在 2.0 cm/a 上下；从 1850 年至 1980 年，黄河下游沉积速率急剧上升，由 2.0 cm/a 左右激增至 8.0 cm/a。这也反映出黄河下游泥沙持续淤积并加积，并且泥沙淤积速率较大阶段、淤积量越多阶段，河道变迁越频繁。

6.7 黄河流域环境与黄河下游持续淤积

黄河的基本特性是水性就下和泥沙淤积。黄河水患及河道频繁变迁的症结在泥沙淤积。影响黄河下游泥沙淤积的主要因素应该是黄河中游河水量变化及其含沙量。最根本的原因是流域环境及其变化。从历史上看，黄河下游一直处于不断的淤积抬升和改道摆动过程中。据研究，黄河中游地区侵蚀背景值超过黄河下游的输沙能力，目前又叠加上人类活动的影响，造成下游河道一直处于淤积状态，显然，如果流域环境没有大的变化，河道的来沙量就不会减少，河道淤积改道就不可避免。

流域环境各要素中，气候是决定流域来水量和河道含沙量的非常重要的因素，但从千年尺度上看，黄河流域近 3 000 年来气候没有太大变化，而从前面河道泥沙淤积速率看，泥沙淤积呈加积趋势，这不能不说人类活动对淤积加积的影响越来越大。近 3 000 年来人类活动一方面影响下游水系，改变河道边界条件；另一方面通过改变中游下垫面条件，使流域来水来沙发生变化，最终导致河道的变迁。

从影响下游水系变化看，大禹治水、公元前 770 年修堤和公元 508 年大运河的贯通对黄河下游水系有较大影响。大禹治水采取疏导方略，哪里地势低下，河流就流往哪里，那时黄河下游分流入海，随着泥沙淤积，地面抬高，河流就改道，此过程反复进行，使泥沙在冲积扇均匀分布。到了公元前 770 年，人类为了保护自己的家园免遭洪水的袭击，修筑了黄河下游的堤防系统，堤防的修筑为"地上河"特别是"地上悬河"的形成提供了必要条件。黄河下游河道两岸连续、完整的堤防系统形成之后，泥沙搬运与堆积的方式发生了很大的变化。筑堤以前，河道可以自由摆动，泥沙可以比较均匀地堆积在广大的冲积扇面上；筑堤以后，泥沙只能在两堤之间的狭小地面向上加积，使河道的沉积速度大为加快。随着河道的不断淤高，河床显著高出于两侧地面而成为"地上悬河"，"悬河"一旦形成又使河道改道成为可能。

公元 508 年，南北大运河全线贯通，淇河、安阳河、漳河、滹沱河、大清河、永定河等注入大运河，形成统一入海水系。人为地将分流入海的水系变成统一入海水系，虽然在沟通南北经济方面起到了一定作用，但南北大运河贯通以后，形成了流域的"上宽下窄，上大下小，尾闾不畅"的局面，因而洪水相互顶托，河流泥沙在河道中大量沉积，形成了"地上河"和"地上悬河"，这又为河流的变迁改道提供了更好的下垫面条件。

下游淤积加积的根本原因当然是流域水沙条件的变化。人类活动影响流域水沙条件的方面主要是通过改变植被覆盖和下垫面状况来实现的。图 6-5 是我国历代森林资源状况。黄河流域有史以来就是我国的政治经济文化中心，因此图 6-5 的情况也代表了黄河流域的情况。对比图 6-5 和表 6-1 可以看出，公元 907 年是一关键时期。此前，全国森林覆盖率高达 37% 以上[35]，而公元 907 年以后，全国森林覆盖率降低到 33% 以下，此时黄河中游地区的森林覆盖率可能降至 20% 以下（根据史念海研究资料估计）[36]。森林植被破坏，导致蓄水力下降，遇大雨，使洪水流量加大；同时，森林的破坏加剧了水土流失，使河水泥沙含量增加，造成淤积，使河床、湖底抬高，河床、湖泊的容积变小，即使水量不很大也会造成决堤危害。因此，上中游山地有水不能蓄持，中下游河道行洪不畅，必然导致雨季洪水泛滥成灾。因此，从公元 907 年以后，黄河下游洪水灾害日益频繁。

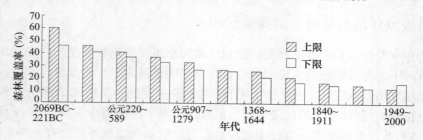

图 6-5　我国不同时代森林覆盖率变化图

图 6-6 为公元 2 年以来黄土高原人口变化曲线[37]。从公元 609 年以来人口数量增加，特别是 1 600 年以来人口数量剧增，其变化曲线与黄土高原植被覆盖率、黄河下游决溢改道变化率是一致的。反映出人口增加，环境压力增大，土壤侵蚀量增加。

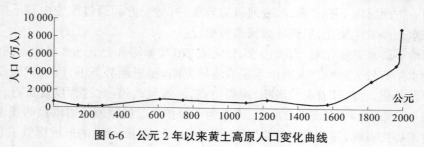

图 6-6　公元 2 年以来黄土高原人口变化曲线

6.8 本章小结

黄河流域河道历史变迁频繁,不同时期,黄河河道变迁和下游河道泥沙沉积速率及三角洲造陆速率不同。在史前时期,河道演变处于自然阶段,泥沙沉积速率较小;从距今4 000年到距今1 470年,此阶段人类活动影响较弱,泥沙沉积速率加大,河道变迁频度有所增加;1000~1980年,生态环境发生了急剧变化,反映出黄河下游泥沙持续淤积并加积,并且泥沙淤积速率较大阶段、淤积量越多阶段,河道变迁越频繁。

流域环境及其变化是黄河下游河道持续淤积的原因,也就是说,上中游来沙量超过了黄河下游河道的输沙能力,造成下游河道持续淤积。7 500~3 000BP以前,人类活动影响较小,平原上的河流基本是分流入海的局面。大约进入距今3 000年以来的历史时期,由于人类活动的影响,一方面影响了黄淮海平原水系的变化,另一方面改变了流域的下垫面条件,加速了下游河道的淤积,从而造成河道变迁越来越频繁。

黄河流域生态环境的变迁主要在植被和水系上体现。5 000年以前生态环境较好,进入人类历史文明阶段以来,黄河流域的生态环境变迁经历了不同的阶段:春秋至战国时期前段黄河流域植被覆盖率较高,裸露之地少;后期,平原地区森林逐渐被砍伐,到战国末期,平原的森林绝大部分受到破坏,林区明显缩小。随着人类文明进程的加快,平原地区的森林遭受严重破坏。随后森林地区继续缩小,并且山地森林也受到比较严重的破坏。到了明代中叶及其以后森林更是受到摧残性破坏。

参 考 文 献

[1] 余谋昌.生态文化的理论阐释.哈尔滨:东北林业大学出版社,1996
[2] 王会昌.中国文化地理.武汉:华中师范大学出版社,1992
[3] 赵景波,陕西黄土高原500kaBP的古土壤与气候带迁移.地理学报,2001,56(3):323~331
[4] 史念海.黄土高原森林和草原变迁.西安:陕西人民出版社,1985
[5] 陈永宗.黄土高原现代侵蚀及治理.北京:北京科学出版社,1987
[6] 陈桥驿.水经注研究.天津:天津古籍出版社,1985
[7] 竺可桢.中国近五千年来气候变迁的初步研究.中国科学,1973,(2):224~256
[8] 王邨,王松海.近五千年来我国中原地区气候在降水方面的变迁.中国科学(B)辑,1987,(1):104~112
[9] 朱士光.水土流失与历史时期之环境变迁.地理学与国土研究,1987(2)
[10] 朱士光.环境变迁研究(第四集).北京:北京古籍出版社,1993
[11] 杨发.河套断陷第四纪活动带特种.见:国家地震局.鄂尔多斯周缘活动断裂系.北京:地震出版社,1988
[12] 贾铁飞.乌兰布和沙漠北部沉积物特征及环境意义.旱区地理,1998,21(2):36~41
[13] 史培军.10000年来河套及邻近地区在几种时间尺度上的降水变化.见:吴祥定.黄河流域环境演变与水沙运行规律研究文集(第二集).北京:地质出版社,1991
[14] 侯仁之.从红柳河上的古城废墟看毛乌索沙漠的变迁.文物,1973,(1):35~42
[15] 王守春.历史时期黄土高原植被变迁、人类活动及其对环境的影响.见:吴祥定.历史时期黄河流域环境变迁与水沙变化.北京:气象出版社,1994
[16] 史念海.两千三百年来鄂尔多斯高原和河套平原农林牧地区的分布及其变迁.北京师范大学学报(社会科学版),1980,(6):1~14
[17] 葛个胜,郑景云,方修琦,等.过去2000年中国东部冬半年温度变化.第四纪研究,2002,22(2):166~173

[18]　王绍武.中国西部环境特征及其演变.见:秦大河.中国西部环境演变评估(第一卷).北京:科学出版社,2002

[19]　陈家其.黄河中游地区近1500年水旱变化规律及其趋势分析.人民黄河,1990(4):30～35

[20]　王文楷,张震宇.黄河冲积平原浅埋古河道带及其与浅层地下水关系初探.河南科学,1990,8(2):89～94

[21]　吴忱,许清海,马永红,等.黄河下游河道变迁的古河道证据及河道整治研究.历史地理,2001(17):1～27

[22]　吴忱,许清海,阳小兰.论华北平原的黄河古水系.地质力学学报,2000,6(4)

[23]　韩昭庆.黄淮关系及其演变过程研究——黄河长期夺淮期间淮北平原湖泊、水系的变迁和背景.上海:复旦大学出版社,1999

[24]　李元芳.西汉古黄河三角洲初探.地理学报,1994,49(6):543～550

[25]　李元芳.废黄河三角洲的演变.地理研究,1991,10(4):29～39

[26]　万廷森.苏北古黄河三角洲的演变.海洋与湖沼,1989,20(1):66～74

[27]　沈怡.黄河问题讨论集.台湾:商务印书馆,1971

[28]　任美锷.海平面上升与地面沉降对黄河三角洲影响初步研究.地理科学,1990,10(1)

[29]　庞家珍,司书亨.黄河河口演变(Ⅰ).见:河口水文特征及泥沙淤积分布.海洋与湖沼,1980,11(4)

[30]　庞家珍,姜明星.黄河河口演变(Ⅱ)K1——(二)1855年以来黄河三角洲流路变迁及海岸线变化及其他.海洋湖沼通报,2003,4:1～13

[31]　庞家珍.黄河三角洲流路演变及对黄河下游的影响.海洋湖沼通报,1994

[32]　尹延鸿.现代黄河三角洲海岸的冲淤及造陆速率.海洋地质动态,2003,19(7):13～18

[33]　吴祥定.历史上黄河中游土壤侵蚀自然背景值的推估.人民黄河,1994(2):5～8

[34]　许炯心.黄河下游2300年以来沉积速率的变化.地理学报,2003,58(2):247～254

[35]　樊宝敏,董源,张钧成,等.中国历史上森林破坏对水旱灾害的影响——试论森林的气候和水文效应.林业科学,2003,39(3):136～142

[36]　史念海.历史时期黄河中游的森林《河山集.二集》.太原:山西人民出版社,1999

[37]　郑粉莉,唐克丽,白红英.黄土高原人类活动与生态环境演变的研究.水土保持研究,1994,1(5):36～42

第7章 黄河流域环境与流域水沙变化

流域水沙是自然界的产物,受流域环境控制,流域环境的变化将或多或少地影响到流域水沙及其过程。流域环境的变化有其自身的变化规律,但随着科学技术的发展和人类改造自然能力的提高,影响自然环境变化的因素中人类活动所占比例越来越大。如兴修各项水利工程、土地利用、城市化、地下水开发以及水土保持措施等,从而使流域自然环境发生了一系列变化,相应地影响流域产流产沙条件,结果导致河道及其冲淤环境等也发生一系列变化。因此,流域环境与流域水沙密不可分,流域环境影响流域水沙,进而影响河道演变。本章重点分析黄河流域环境及其变化对流域水沙的影响、黄河流域水沙输移特性和冲淤环境的演变。

7.1 黄河流域环境及其变化对流域水沙的影响

流域水沙受气象因素和下垫面条件影响,对气象因素,目前人类活动无法改变;对下垫面条件,人类可以通过兴修水利、种草、植树造林等改变其性质,进而影响流域产汇流的变化。因此,本节主要分析黄河流域主要产流产沙区下垫面条件及其变化对流域水沙的影响。

7.1.1 黄河流域水沙特性

黄河流域地处我国腹地,地域辽阔,南北相距 7 个纬距,东西横跨华北平原、黄土高原和青藏高原,相距 23 个经距,地势西高东低。按流域系统观点,黄河流域由受水盆地、输沙通道和河口三角洲等 3 个子系统构成。

黄河受水盆地子系统包括上中游在内,受水盆地面积 73 万 km^2,该系统由不同的自然地理单元构成,其自然条件差别很大,在自然条件综合作用下,造成了该系统的基本特点——水沙异源。上游以产水为主,中游以产沙为主。兰州以上,地势高,气候寒冷,降水变率小,湖沼广布,冰川发育,侵蚀微弱,成为主要来水区,来沙量不大,河口镇以上多年平均水量 250 亿 m^3,多年平均含沙量较小,仅 5.7 kg/m^3,是黄河径流的基流区,其水量占流域径流量的 53.4%。中游流经广大的黄土高原地区,它是流域侵蚀强烈的产沙区。黄河中游地区是一个一头连着黄土高原,一头连着渤海所组成的开放系统。中游河口镇以下据统计多年平均沙量 14.88 亿 t,占流域总沙量的 91.3%。其中,河口镇至龙门区间最为突出,该区间年均水量只有 70.8 亿 m^3,但年均沙量 9.08 亿 t,可见,黄河流域来沙比较集中[1,2]。

黄河输沙通道子系统干流输沙通道长约 5 464 km,从河源至托克托为上游段,河长 3 472 km,落差达 3 463 m,比降 1.01‰;从托克托至桃花峪为中游段,河长 1 205 km,落差 895.9 m,比降 0.73‰;从桃花峪至利津为下游段,河长 664.1 km,落差 81.7 m,比降 0.123‰。其中,黄河青铜峡至托克托、龙门至潼关、渭河下游和桃花峪至利津等 4 个河段均处于断裂凹陷构造带,它们既是黄河的输沙通道,又是泥沙沉积的主要地区。在黄河下游尤其显著,该系统的特点是水少沙多。由于河床上宽下窄,比降平缓,因此黄河下游河道输沙能力有限,结果河道不断淤积抬高,形成长达 700 余 km 的"地上悬河"。

黄河三角洲是黄河流域的沉积带,是渤海凹陷构造和海洋基准面控制的泥沙沉积区。在河流径流泥沙和弱潮海口的相互制约下,进入河口的泥沙通过能量削减和转换,河口泥沙淤积,随着河口拦门沙不断淤积和发展,将造成溯源淤积、水位抬高、加大下游河道淤积速度;当河口改道,河长缩短,将产生溯源冲刷,降低水位。

7.1.2 黄河流域水沙的影响因素

流域水沙的基本影响因素是其所处的环境,流域环境主要指流域地势、地面物质组成及流域所处的气候条件等,这些环境因素是决定流域水沙特性的基本因素。

7.1.2.1 流域地势及地面组成对流域水沙的影响

物质迁移的夷平过程是高地与毗邻的低地之间相互关系的重要方面。流域往往都有较大落差,结果给这种运动的存在和持续发展创造了极为有利的条件。黄河贯穿我国三大地势台阶:兰州以西的青藏高原、兰州以东至孟津的断块山地和黄土台地及孟津以东广阔的华北大平原,总落差大。从宏观上说,以海洋为侵蚀基准面的侵蚀、均夷和堆积过程,是黄河流域基本的地貌过程,并占据统治地位。再加上黄河上、中游干流的形成晚于支流,因此干流的溯源侵蚀和深切都更强烈和明显,至今仍处于旺盛阶段,这给干流泥沙搬运创造了条件。

上中游流经的鄂尔多斯高原和黄土高原,地面物质组成分别是风成沙和黄土。风成沙对黄河泥沙的影响可以归纳为:干流两岸风成沙直接入黄;通过沙漠及覆沙地面的支流,影响黄河的泥沙量;广大内陆区的地表吹蚀物质,不断补给沙漠,经流水、风力作用而间接影响黄河含沙量。

中游黄土土质疏松,堆积深厚,遇水容易分散,抗蚀能力较差,加上黄土高原地区降雨集中以及构造条件的影响,促使冲沟发育迅速。黄土堆积地貌的稳定边坡长度在距今 25 万年左右时已经达到极限。自那时起,下部就发生沟谷侵蚀,其后又经多期强烈发育阶段,至今现代侵蚀过程仍相当活跃。可见,黄河流经地域的地面物质组成为河道淤积提供了沙源。

7.1.2.2 流域气候条件的影响

气候决定着降水量的多少及其分布,也决定着植被类型及覆盖率,它们共同控制着黄河的水沙特征。黄河流域降水不多,但季节性很强,流水作用的季节特点远比我国其他地区突出,这就造成了雨季地面侵蚀与河流泥沙搬运、堆积等进程都很强烈。尤其是黄土高原,全年 85% 左右的泥沙都来自汛期的几场暴雨,雨季沟谷不断蚀深和展宽,暴雨所形成的河流洪峰对黄河下游威胁很大。

流域温度对黄河的影响,首推低温所造成的宁蒙河段和山东河段的凌汛。其基本原因是由于纬度差异,河流封冻期和解冻期上段河道的气温明显高于下段河道。

黄河流域上中游风大且频繁,它加速了土地沙漠化进程,增加了河流泥沙,在风沙分布区,风力侵蚀又往往与水力侵蚀交替进行,结果也影响了流域的水沙条件。在黄土高原,有水土流失面积 45.4 万 km^2,其中水力侵蚀 33.7 万 km^2、风力侵蚀 11.7 万 km^2。可见,风力侵蚀也占有相当大比例。

7.1.3 流域环境变化对流域水沙的影响

流域集水盆地是流域内部产流产沙的地表物质来源区,是干流通道水沙运行和河道冲淤演变的决定因素。黄河流域集水盆地特殊,下游河道是受人工堤防控制的"地上河",除右岸大汶河和左岸天然文岩渠和金堤河以外,均无较大支流的汇入。所以,黄河的集水盆地主要集中在中、上游的广大地区。因此,本节重点分析上、中游环境变化对流域水沙的影响。

7.1.3.1 上游产水环境的变化对流域水沙的影响

黄河上游是流域集水盆地最大的区域,从青海约古列宗盆地至内蒙古托克托河口镇,汇入较大的支流有 43 条,其中左岸 14 条、右岸 29 条,主要支流有白河、黑河等。集水盆地内地形地貌格局和河湖分布状况,是流域产水的制约因素。龙羊峡以上高寒地区由于降水丰沛,气温低,蒸发弱,其径流模数高达 5.0 L/(km²·s),为全流域平均值的 2 倍。兰州以上径流量占全流域径流量的一半以上,但多年平均含沙量小,仅 5.7 kg/m³。由此可见,上游水多沙少,是黄河输沙入海的主要动力。但随着流域水利事业的发展,人类活动加诸于河流的作用日益加强,给中下游河道径流锐减和挟沙能力削弱造成了较大的影响。

首先,引黄灌溉对黄河流域水沙产生了较大影响。上游河道引黄灌溉农田历史悠久,早在秦汉时期,河套地区就利用秦渠、邗渠等工程引黄灌溉,1920～1949 年期间,河口镇以上年均灌溉水量 44.4 亿 m³,到 1949 年,灌溉面积达 26 万 hm² 左右,随着灌溉农田面积的扩大,1970～1989 年间年均灌溉水量为 106.3 亿 m³。不言而喻,灌溉引水量的大发展,对黄河灌区农业生产的发展起着积极的作用,但也造成了黄河干流水量的减少和挟沙能力的削弱。

其次,干流水利工程对黄河流域水沙也会产生较大影响。上游 20 世纪 60 年代和 80 年代分别修建的刘家峡和龙羊峡大型水利枢纽工程,对黄河防洪、发电、灌溉等事业发展的积极作用是肯定的。但汛期调蓄洪水作用,则引起了干流水沙的较大变化。如刘家峡水库的运用,减少了干流汛期水量,增加了非汛期水量,改变了黄河上中游天然径流过程,在调节径流的同时也拦截了部分泥沙,使干流泥沙条件也发生了变化。

7.1.3.2 中游侵蚀产沙环境变化对流域水沙的影响

黄河中游从托克托南流经潼关后,折向东流,至郑州的桃花峪,流域面积 34.4 万 km²,就其流域面积来说,其集水盆地仅次于上游。汇入较大的支流有 30 条,主要支流有来自多沙粗沙区的窟野河、皇甫川、无定河、汾河、渭河(泾河、北洛河)、伊洛河和沁河等。中游主要位于黄土高原区,地貌轮廓除了周边山地外,多表现为广大的黄土丘陵沟壑区,以及川地和峡谷相间区。黄土高原土层深厚,结构疏松,地形破碎,植被稀少,暴雨频繁,水土流失严重,是黄河泥沙的主要来源区。

黄土高原侵蚀产沙环境的变化首先是体现在人类活动加速了土壤侵蚀。虽然远在人类社会以前,黄土高原就是千沟万壑,水土流失现象在其自然环境中早就存在,但到了人类历史时期,特别是近 2 000 年来,随着黄土高原农业耕垦活动的不断强化,滥垦滥伐之风日益严重,土壤侵蚀更加剧烈。也就是说,除自然侵蚀继续进行外,还叠加了人为侵蚀,使土壤侵蚀的强度与速度都有所增加,造成的危害也更为严重。近年由于人类对黄土高原认识的深刻,特别是对黄河流域黄土高原进行了水土保持专项治理,取得了一定成果,黄河流域黄土高原的侵蚀产沙环境有所改善。

其次是现代构造运动加剧了黄土高原的水土流失。黄土高原现代构造运动表现为大面积抬升，它是水土流失的主要内营力。1951～1986年水准测量揭示，府谷至吴堡—延川之间，黄河两岸平均抬升速率为3～4mm/a，最大超过5mm/a，相应地这些粗沙区的自然加速侵蚀更加活跃。

再其次是气候和植被变化造成了水土流失的进一步加剧。气候与植被变化是侵蚀产沙的外营力。黄河中游植被的变化，史念海认为，大致经历了4个阶段：春秋、战国时代的前期，黄河中游有大片森林覆盖，到了后期，平原多被开垦，林区显著缩小；秦、汉以及唐、宋时期，采伐范围不断扩大，山地森林已受到严重破坏；明、清时期，黄河中游森林更受到毁灭性破坏。陈永宗则认为，黄土高原在历史上森林覆盖率不可能达到53%，准确地说应分出森林草原带和草原带，现在强烈侵蚀区和历史上强烈侵蚀区都分布在草原带，森林主要分布在周围山地，历史上遭受过不同程度的多次破坏，目前仍保留森林的雏形。尽管对黄土高原历史时期植被情况的研究有不完全相同的结论，但是，大家仍然一致认为，由于大规模的人类活动，黄土高原地区的天然植被曾经遭到毁灭性的破坏，从而造成了黄河下游河患频繁。

7.2 黄河流域泥沙输移特性与河道冲淤环境的演变

河道泥沙的输移过程与冲淤环境的演变主要取决于流域自身的水沙条件和边界条件。流域水沙条件与流域环境有关，同时也与人类的大量水利工程活动有关，并且，水利工程对河道泥沙短期就有较大影响。因此，了解人类修建大型水利工程前和大型水利工程运用后河道泥沙输移特性和河道冲淤环境演变对分析流域环境变化及其河道演变有较大意义。

7.2.1 修建大型水利工程前泥沙输移特性及河道冲淤环境

在20世纪60年代之前，黄河流域干流河道尚未修建大型水利工程，河道泥沙和冲淤环境基本不受水利工程的影响，此时的河道泥沙输移过程和河道冲淤环境可近似代表天然演变过程。

不同河段在天然状况下，河道泥沙输移特性与河道冲淤环境有较大差异。据研究（赵业安等，1998），在20世纪60年代之前，黄河上游宁、蒙冲积平原河道冲淤规律是大水冲刷、小水淤积，长期以来，河床的冲淤变化不大，基本处于冲淤动态平衡。

中游上段龙门至潼关区间，其泥沙输移过程与上游宁、蒙段相反，其规律是大水淤积、小水冲刷，每年汛期河口镇至龙门区间来的洪水峰高量小、含沙量大，出峡谷后大量泥沙落淤。非汛期来自河口镇的小水，含沙量低，导致河道冲刷，年际冲淤结果，总的趋势是淤积。中游下段潼关至三门峡段为黄河峡谷，天然状态下，河床组成多为砾或砂砾石，河道水流集中，挟沙能力强，基本上属于冲淤平衡性的河道。

下游冲积平原河道是一条强烈堆积性河道，它流经地域广阔的华北凹陷构造区，自黄河发育以来，一直处于地体下沉和泥沙堆积环境中，而人类的修堤又导致了下游河道的更强烈堆积，终于形成了举世闻名的"地上悬河"，导致黄河下游经常泛滥和决口改道。黄河下游水流中的含沙量变化较大，可从0变化到500kg/m³，迅速变化的来水来沙条件，使下游河道冲积河床调整作用十分灵敏和强烈,长期以来具有"多来、多淤、多排"、"少来、少淤(冲刷)、少排"的输沙特点。但在黄河下游沉降的地质构造和平原地貌条件制约下,河道总的趋势是淤积的。

现代黄河三角洲尾闾河道是 1855 年黄河在铜瓦厢决口夺大清河以来形成的河道,在强劲的河流径流作用和较弱的潮汐共同制约下,黄河入海泥沙的 70% 淤积在河口和滨海地区,导致河口尾闾周期性地决口改道,自 1855 年以来,大的改道已经 10 余次。由于泥沙淤积,黄河三角洲成为新生陆地面积增长最快的三角洲,自 1855 年至今已造陆 3 000 多 km²。其中 1855~1954 年年平均造陆 23.6 km²,1954~1976 年为 24.9 km²/a,1976~1992 年为 14.7 km²/a,1992 年以来约为 8.6 km²/a,可见,随着来水来沙的减少,河口造陆速率大幅减小。

7.2.2 大型水利工程运用后泥沙输移特性和河道冲淤环境

20 世纪 60 年代以后,在黄河干流上修建了一系列大型水利工程,改变了黄河原来的状态,对流域环境产生了较大影响。

黄河上游刘家峡、龙羊峡水库的投入使用,改善了上中下游地区的生产生活环境,促进了黄河流域经济发展和社会进步,同时也对流域生态环境产生了一定影响。主要有以下几个方面:首先是改变了黄河流域天然径流过程,使水量年内分配发生了变化和洪峰流量大幅度削减,洪水总量减少,下泄流量趋于均匀,同时也改变了水沙关系,增加了高含沙量洪水出现的机遇;其次,使宁、蒙河道河槽普遍发生了严重淤积抬升,相应地降低了排洪能力,加剧了主流摆动、滩地坍失和洪水位的抬高;第三,使黄河龙门至潼关河段和黄河下游河道淤积增加。

中游龙门至三门峡河道在三门峡水库蓄水后,其沉积环境也发生了变化。上段龙门至潼关段在三门峡水库的不同运用阶段,其总趋势是淤积的,年均淤积 0.62 亿 m³,比建库前年均淤积量大 33.1%;下段潼关至三门峡在蓄清排浑条件下,基本上达到冲淤平衡。

三门峡水库的建成使用对下游河道水沙过程和沉积环境也产生了极大影响。在水库下泄清水阶段,下游河道产生自上而下的沿程冲刷,对增大下游排洪能力、河道减淤、水位下降产生了积极作用,这期间下游河道冲刷过程中最大的特点是河床粗化。

在三门峡水库低水位滞洪排沙运用期,黄河下游水沙过程和冲淤环境发生了新的变化,据赵业安等分析,这一时期水沙输移在洪峰大幅度削减下,出现"大水带小沙,小水带大沙"过程,加之潼关以下库区冲刷,大大增加了下游的泥沙量,同时非汛期来沙量大大增加,结果造成下游河道泥沙大量淤积,并且淤槽不淤滩,滩槽高差变小,甚至东坝头至高村段出现"河槽高于滩地,滩地高于背河地面"的"二级悬河"。泥沙淤积沿程分布是上段大下段小,其中,铁谢至高村段占下游淤积量的 68%,约 26.7 亿 t,高村至艾山段占 17%,艾山至利津段占 15%。河道回淤结果导致下游排洪能力大大降低。

在三门峡水库蓄清排浑运用期间,即非汛期蓄水拦沙(8 个月),汛期降低水位排洪排沙(4 个月),黄河下游河道淤积量有所减少,淤积速率有所减小。

1999 年 11 月小浪底水库投入运用后,下游河道冲淤发生了新的变化。由于下泄水流的含沙量较低,下游河道的淤积趋势得到缓解,至 2002 年 10 月,下游河道累计冲刷 2.84 亿 t,冲刷主要集中在高村以上河道,占全下游冲刷量的 98%[3](胡春宏,2004),高村至艾山河段则发生了淤积,导致该河段平滩流量下降至不足 2 000 m³/s,2002 年 7 月的小浪底水库调水调沙试验和 2003 年的秋汛期间,小浪底出库流量控制在 2 400～2 600 m³/s 范围内,该河段即大面积漫滩,造成滩区灾害。

7.3 本章小结

　　流域水沙是自然界的产物,受流域环境控制,流域自然环境的变化,将或多或少地影响到流域水沙及其过程。流域自然环境的变化有其自身的变化规律,但随着科学技术的发展和人类改造自然能力的提高,影响自然环境变化的因素中人类活动所占比例越来越大。如兴修各项水利工程、土地利用、城市化、地下水开发以及水土保持措施等,从而使流域自然环境发生了一系列变化,相应地流域的产流产沙条件随之也发生了一定程度的变化,结果导致河道及其冲淤环境等也发生一系列变化。因此,流域环境与流域水沙密不可分,流域环境影响流域水沙,进而影响河道演变。

参 考 文 献

[1] 叶青超.黄河流域环境演变与水沙运行规律研究.济南:山东科学技术出版社,1994
[2] 叶青超,陆中臣,杨毅芬,等.黄河下游河流地貌.北京:科学出版社,1990
[3] 胡春宏,高季章,陈绪坚.新的水沙条件下黄河下游的治理方向.见:水利部黄河水利委员会.黄河下游治理方略专家论坛.郑州:黄河水利出版社,2004

第8章 植被覆盖变化对流域水沙的影响

流域水沙是流域环境的产物,对于一个流域而言,大环境短期内是基本不会改变的,如地质地貌、气候环境等。短期内对环境变化影响较大的是人类活动,如修建淤地坝、水土保持或植被破坏等活动。由于大环境短期内变化较小,而对于黄河流域产流产沙的影响因素来说,除了大环境之外,最主要的就是人类活动,人类活动很重要的方面是影响流域植被覆盖。因此,本章将重点分析植被覆盖度及其变化对流域水沙的影响。

8.1 植被覆盖度变化对流域水沙的影响

流域水沙的影响因素很多,包括气候、地质、植被、地形和人类活动等。其中对于黄河流域而言,短期内有较大变化的是人类活动所修建的水利工程和人类活动影响下的植被变化。水利工程对流域水沙的影响是显而易见的,植被对流域水沙的影响则存在许多争议,对于水保措施的减水减沙效益没有比较一致的结论。对水土保持措施在黄土高原究竟有多大的减水减沙效果,不同的研究者也得出了不同的结果。据唐克丽等分析[1],黄河支流汾河流域水库淤地坝等治沟工程措施拦沙量占流域治理措施总拦沙量的65%,梯田、水保林等坡面治理措施拦沙量占35%,相应的拦水量分别占总拦水量的11%和89%。

显然水土保持在减少泥沙的同时,也会减少径流量,并且水土保持措施的减水减沙效益已经引起了广泛讨论[2~5]。水土保持措施包括工程、生物等不同类型,不同类型减水减沙作用不同,有的减水效益明显,有的则减沙效益明显[6]。对于水土保持措施中的植被措施,许多学者也从实验角度研究了其对流域水沙的影响。

据袁建平等的试验[7],产流历时与植被覆盖度的关系是随着植被覆盖度的降低,产流随之提前,随着植被覆盖度增加,产流历时延长(表8-1)。植被覆盖度与30 min产流量呈明显指数负相关,而与产沙量呈显著线性负相关。

表 8-1 不同植被覆盖度下降雨及土壤物理性状

植被覆盖度(%)	产流历时(min)	30 min 产流总量(m³)	30 min 产沙总量(g)	土壤初始含水量(%)		土壤容重(g/cm³)	
				0~20 cm	20~50 cm	0~20 cm	20~50 cm
100	1.40	0.505	0.86	15.11	16.01	1.22	1.31
85	1.25	1.058	1.515	15.09	15.86	1.19	1.27
70	1.13	1.412	4.338	15.14	15.67	1.21	1.26
60	0.97	1.977	24.11	15.22	15.74	1.26	1.31
40	0.86	2.167	57.29	15.36	16.21	1.22	1.32
20	0.75	2.194	88.75	14.98	15.31	1.17	1.24
0	0.62	2.628	123.07	15.02	15.94	1.19	1.26

不同林草覆盖度下,随着降雨历时的延长(由 2.5 min 至 30 min),流域产流量呈现明显梯状变化。初始时段(2.5 min)由于降至地表的雨水部分入渗、部分形成地表径流,而且植被覆盖度越大,产流历时越长,地表形成径流的量就越少。产流量的时段变化随林草覆盖度的不同而呈现两种梯度变化趋势,即林草覆盖度为 0~60% 时,初始时段产流量基数较大,且随着时段延长,产流量增加梯度较大;林草覆盖度为 70%~100% 时,初始时段产流量基数小,且随时段延长产流量增加梯度较小。故而可以认为,林草覆盖度 60%~70% 是径流量时段变化梯度的转折点。泥沙量的时段变化趋势同径流量相类似,只是其变化幅度更大,林草覆盖度为 70%~100% 时的时段产沙量同 0~40% 时的相比,几乎可以忽略不计,而覆盖度 60% 是时段产沙量升降的转折点。

随着林草植被覆盖度的递减,流域径流泥沙量变化极为显著(表 8-2)。由表 8-2 可知,与裸地(林草覆盖度为 0)状态下的小流域相比,随着林草植被覆盖度的增加,减流减沙效益逐渐提高,特别是当覆盖度达 60% 以后,林草植被的减流减沙效益更加明显,但减流效益远不如减沙效益显著。当植被覆盖度为 100% 时,减流效益为 80.78%,而减沙效益高达 99.3%。通过比较覆盖度为 100%、85%、70% 时的三组减流减沙效益数据可知,随着植被覆盖度从 70% 递增到 100%,其减流效益变化幅度较大,为 34.51%,而减沙效益变化仅为 2.82%,这充分体现了林草植被蓄纳降水、防治水土流失的作用,但是这种作用的最佳表现形式并非是林草植被覆盖度越高越好,从试验结果看,对于黄土高原,当植被覆盖度达 70%~85% 时,已基本上能减少小流域降雨径流的一半以上,减少径流产沙量98% 左右。

表 8-2　不同植被覆盖度下林草措施减水减沙效益

植被覆盖度(%)	30 min 降雨量(mm)	30 min 径流量(mm)	30 min 入渗量(mm)	30 min 产沙总量(g)	径渗比	减流效益(%)	减沙效益(%)
100	60	9.77	50.23	0.86	0.20	80.78	99.3
85	60	20.46	39.54	1.515	0.52	59.75	98.77
70	60	27.31	32.69	4.338	0.84	46.27	96.48
60	60	38.24	21.76	24.11	1.76	24.77	80.41
40	60	41.92	18.08	57.29	2.32	17.53	53.45
20	60	42.44	17.56	88.75	2.42	16.51	27.89
0	60	50.83	9.17	123.07	5.54	0	0

据王随继的研究[8],黄河中游多沙粗沙区侵蚀产沙与植被覆盖度之间存在临界现象,即在黄河中游多沙粗沙区极端侵蚀模数与林草及林木覆盖度之间存在着相当好的非线性关系,随着林草覆盖度或林木覆盖度的增大,极端侵蚀模数初期增大而后减小,导致这一转化现象的林草覆盖度的临界值为 24.2% 或林木覆盖度的临界值为 12%。也就是说,造林和种草只有在其覆盖度分别达到临界值之后才能够降低极端侵蚀模数,从而达到减沙的目的。

上述临界值存在的原因是,年均降水量增加所导致的产沙能力的增加速率与植被覆盖度增加所导致的减沙能力的增加速率之间存在着相互消长关系。Schumm(1977)[9] 在研究美国流域后得出,当降水量小于 300 mm/a 时,随着降水量的增加流域产沙能力增加。此时随降水量增加的植被对于流域产沙的抑制能力不及降水量增加导致的流域产沙能力的增加。而当年均降水量大于 300 mm/a 时,随着降水量的增加流域产沙能力减小。因为这时随降水量增加的植被对于流域产沙的抑制能力超过了降水量增加导致的流域产沙能力。黄土高原多沙粗沙区的降水量临界值大致在 470 mm/a,但降水量导致的侵蚀能力与植被作用抵消这种侵蚀的能力之间有类似现象。这就是研究区极端侵蚀模数与植被覆盖度之间存在临界现象的原因所在。

可见,水土保持有较大的减水减沙作用,植被覆盖度的变化会极大地影响流域产流产沙,而且上面的试验研究结果表明植被覆盖度存在理想值。但减流减沙效果如何,各家结果有较大差异,而且植被措施是减沙明显还是减水明显也没有定论。这是因为水土保持措施的减水减沙机理复杂,目前在水土保持减水减沙效益计算中,尚存在诸多不确定因素,目前的计算方法基本都是用统计方法,在这种情况下,准确计算某种措施在减沙效果中所起的作用非常困难,若要计算大面积水土保持措施特别是植被等措施的减水减沙效益就更显得力不从心。据有关研究[10],植被措施的减水减沙效益与植被类型、植被郁闭度和植被结构等有关,植被覆盖度要达到一定程度,才会有明显的效益。水土保持措施,特别是黄土高原多沙粗沙区植被措施的减水减沙效益究竟如何,牵涉到治黄方略等重大问题的决策。因此,有必要对水土保持措施,特别是其中植被措施的减水减沙效益进行定量分析。

8.2 黄河流域植被覆盖及其变化

植被类型及其结构是生态环境变化中最为敏感的指示物,在影响土壤侵蚀的众多因子中,植被作用一直受到人们的关注。

8.2.1 黄河流域植被覆盖

植被覆盖度是一个重要的生态学参数。从土壤侵蚀方面看,植被能够拦截雨滴,降低雨滴的动能,减小雨滴对土壤的击溅作用,而雨滴击溅是降雨侵蚀过程中一个极其重要的因素。植被覆盖能显著减少土壤侵蚀量,但植被覆盖度,特别是区域上的覆盖度比较难以获得。目前,随着遥感技术的发展,主要是植被指数在水土流失中得到了广泛应用。采用归一化植被指数($NDVI$),即近红外波段与可见光波段的亮度值之差与之和的比值:

$$NDVI = (NIR - VIS)/(NIR + VIS) \tag{8-1}$$

式中 NIR——近红外波段的反射率;

VIS——可见光波段的反射率。

植被指数 $NDVI$ 与植被覆盖度之间存在非常密切的关系,在通过 NOAA 数据获取 20 世纪 80 年代末期、90 年代末期的年最大 $NDVI$ 值后,采用等密度模型[10]计算了黄河流域的植被覆盖情况。

图 8-1 是黄河流域 90 年代末期植被覆盖度图,从图中可看出,黄河流域 90 年代植被覆盖度较高区域在上游,中游植被覆盖度较低。图中多沙粗沙区植被覆盖度在 25% 以下的区域面积为 5.911 万 km²,植被覆盖度在 26% ~ 40% 的面积为 1.87 万 km²,植被覆盖度在 40% 以上的面积为 0.079 万 km²。多沙粗沙区植被平均覆盖约 22%。植被覆盖度相

对较高区域在多沙粗沙区中部、南部、东部和东南部。

图 8-1 黄河流域 20 世纪 90 年代末期植被覆盖度

8.2.2 黄河流域植被覆盖度变化

将黄河流域 20 世纪 90 年代末期和 80 年代植被覆盖度计算结果进行对比,并把对比结果分为植被覆盖度增加、植被覆盖度不变和植被覆盖度降低三类,如图 8-2 所示。从图中可看出,黄河流域大部分区域植被覆盖度 90 年代末期比 80 年代末期有所增加,整个黄河流域植被覆盖度未变化区域面积 26.908 4 万 km²,占 34.25%,增加区域面积 35.433 3 万 km²,占 45.11%,减少区域面积 16.214 6 万 km²,占 20.64%。在多沙粗沙区,植被覆盖度有所增加区域面积 3.884 4 万 km²,占多沙粗沙区总面积的 49.42%,主要分布在多沙粗沙区的东部、东南部等区域;有所降低区域面积 0.184 5 万 km²,占 2.35%,在多沙粗沙区零星分布;未变化区域面积 3.791 1 万 km²,占 48.23%,主要分布在多沙粗沙区的北部、西北部等区域。

图 8-2 黄河流域 20 世纪 80 年代末期到 90 年代末期植被覆盖度动态变化图

8.3 多沙粗沙区植被覆盖度变化减水减沙效益分析

黄河流域下游河道淤积变迁的根源在于水少沙多,其泥沙来源主要在黄河中游所流经的黄土高原,尤其是多沙粗沙区。新中国成立以来,有关专家对黄河中游多沙粗沙区的科技内涵、范围界定等进行了多次研究。90年代后期,由黄河水利委员会水文局、水科院牵头,有关单位参加,经过3年的调查分析,提出了研究成果:以输沙模数大于等于5 000 t/(m²·a)的地区为多沙区,以粒径大于等于0.05 mm、粗沙模数大于等于1 300 t/(km²·a)的地区为粗沙区。输沙模数大于等于5 000 t/(km²·a)且粗沙模数大于等于1 300 t(km²·a)的区域为多沙粗沙区。

新界定后的多沙粗沙区位于河龙区间及泾河、洛河上游,地理位置介于东经106°57′~111°58′、北纬35°54′~40°15′之间,面积7.86万km²,位置见图8-3。涉及陕西、山西、甘肃、内蒙古、宁夏5省(区)9个地(盟、市)的45个县(旗、区)。区内有1 000 km²以上的支流21条,其中河龙区间1 000 km²以上的支流有皇甫川、孤山川、窟野河、秃尾河、佳芦河、无定河、清涧河、延河、浑河、杨家川、偏关河、县川河、朱家川、岚漪河、蔚汾河、湫水河、三川河、屈产河及昕水河共19条。

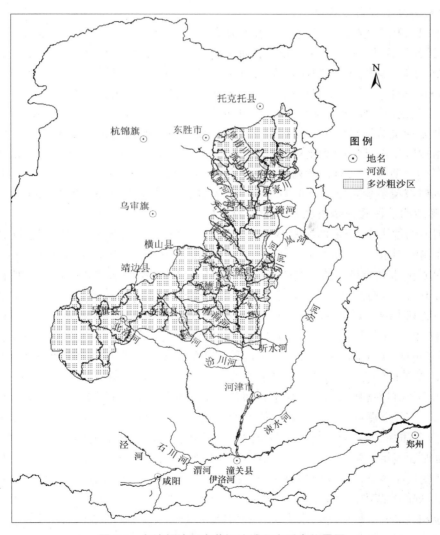

图8-3　多沙粗沙区在黄河流域几字形内位置图

8.3.1 多沙粗沙区基本特征

表 8-3 所示是多沙粗沙区主要特征值。从表中可以看出,本区沟深坡陡,地形破碎,沟壑密度平均为 $2 \sim 5$ km/km^2,地面坡度小于 5° 的面积仅占 13.8%,介于 $5° \sim 25°$ 之间的面积占 47.3%,25° 以上的面积占 38.9%。植被类型以灌丛草原为主,林草覆盖度平均 20% 左右,植被稀少。

多沙粗沙区地面物质组成主要为沙黄土,在沟谷坡面有老黄土、红土及基岩出露。显然,地表物质易遭侵蚀。同时本区气候干旱,降雨少而集中,干旱、风沙等自然灾害时有发生。多年平均降水量 $350 \sim 550$ mm,降水年际分布不均,年际变率在 $30\% \sim 50\%$,年内集中且以暴雨形式出现,$7 \sim 9$ 三个月占全年降水量的 $60\% \sim 70\%$,最大日降水量占年降水量的 $1/9 \sim 1/10$。

虽然本区自然环境脆弱,环境承载力有限,但人口仍然较稠密,人口密度平均为 76 人/km^2,位于黄土丘陵区的绥德、米脂、吴堡、子洲、离石、柳林等县人口密度在 200 人/km^2 左右,大大超过了其自然容量。

由于自然和人为因素,造成本区水土流失十分严重。多沙粗沙区属水蚀、风蚀交错区,以水蚀作用为主。在 7.86 万 km^2 总面积中,剧烈侵蚀面积为 3.67 万 km^2,强度侵蚀面积为 0.65 万 km^2,极强度侵蚀面积为 3.54 万 km^2。区内年均产泥沙 11.82 亿 t,占上中游产沙量的 62.8%,产生的粗泥沙量 3.19 亿 t,占上中游实测量的 72.5%。

因此,无论从分析河道演变,还是从减少入黄泥沙、减轻黄河下游防洪压力出发,多沙粗沙区都无疑是黄河流域水土保持生态环境建设的重点研究地区。为了研究黄河流域中游多沙粗沙区生态环境的变化对流域水沙的影响,本节利用清华大学自主开发的数字流域产流产沙模型[11~13],对多沙粗沙区的产流产沙进行了模拟分析,并对黄河流域中游多沙粗沙区植被覆盖变化条件下的减水减沙效益及其水沙变化趋势进行了分析。

8.3.2 多沙粗沙区植被措施减水减沙效益分析

对河道输沙用水、河道输沙能力、黄土高原水土保持措施的减水减沙效益等目前有不同认识。在输沙用水方面,据钱正英院士所见资料,由 10 m^3/t 到 30 m^3/t,即输 1 t 沙需 $10 \sim 30$ m^3 水。从黄河水利委员会的三次调水调沙试验结果看,三次调水调沙进入下游河道总水量为 100.41 亿 m^3,入海总沙量 2.568 亿 t,输沙用水量平均为 39.1 m^3/t。对于黄土高原的水土保持措施的减水减沙效果,人们有过疑虑。从新中国成立初到 60 年代末,虽在黄土高原进行了大规模的水土保持治理工作,但是,黄河的泥沙不仅没有减少,反而有所增加,结果人们对水土保持的减沙效益产生怀疑。产生这种问题的主要原因是在估算黄河输沙量时,由于缺乏开荒、植被破坏方面的数据,忽略了人为植被破坏活动增加黄河泥沙的作用。

为此,国家自然科学研究基金、水利部黄河水沙变化基金、黄河水利委员会水土保持基金和国家"八五"重点攻关项目等课题从 1987 年到 1995 年对水土保持减水减沙进行了专门研究,认为 20 世纪 $70 \sim 80$ 年代,扣除水库拦沙、灌溉引沙以及降雨偏少的影响等,水土保持减少入黄泥沙多年平均为 3.00 亿 ~ 4.00 亿 t。1996 年国家重点攻关课题"黄河中游多沙粗沙区水沙变化原因分析及发展趋势预测"成果表明,在河口镇至龙门区间为主体的多沙粗沙区约 13 万 km^2 的范围内,60 年代年均输沙 12.1 亿 t,80 年代年均输沙 4.7 亿 t,减少了 7.4 亿 t(减沙 61.2%)。减沙原因,水文法分析结果是:降雨偏少影响 3.5 亿 t,水土保持减沙 3.9 亿 t;水保法分析的结果是:降雨偏少影响 4.3 亿 t,水土保持减沙 3.1 亿 t。

表 8-3   多沙粗沙区主要特征值

省份	县名	沟壑密度 (km/km²)	地面坡度 <5°占%	地面坡度 5°~15°占%	地面坡度 15°~25°占%	地面坡度 >25°占%	林草覆 盖度(%)	侵蚀模数 (t/(km²·a))
宁夏	盐池县	2.3	11	42	41	6	5.6	5 000~8 000
甘肃	庆阳县	1.9	7.2	27.9	29.3	35.6	21.1	7 257
	环县	2	9.8	22.5	24.9	42.8	13	9 980
	华池县	2.6	7	23.7	35.3	34	24.5	8 500
	镇原县	2.3	19	24	22	35	18.1	8 000
内蒙古	清水河县	3.9	23	34.3	23.8	18.9	34.3	8 711
	和林县	3.4	40	25	23	12	17	8 500
	准格尔旗	4.8	33	30	21	16	18	15 000
	达拉特旗	1.8	4.5	37.8	41	16.7	35	18 000
	东胜市	5	31.1	28.8	13.2	26.9	12.6	12 000
	伊旗	4	6	71	15	8	30	13 800
山西	偏关县	4.9	14.3	36.8	5.9	43	12.7	8 000
	神池县	2.7	16.7	44.5	21.4	17.4	41	7 500
	五寨县	3.7	9.6	33.4	35.9	21.1	16.6	11 200
	河曲县	2.8	18.9	19.3	15.2	46.6	17.5	7 000
	保德县	2.4	11.8	22.7	20.3	45.2	21.6	10 000
	兴县	3.8	6.7	40	35.5	17.8	13.6	11 000
	临县	4.5	4	24	13	59	10.7	14 877
	离石市	6.8	8.2	31	44.6	16.2	29.8	15 000
	柳林县	1.8	6	16	36	42	21.6	11 000
	中阳县	4.2	5.2	30.6	40.6	23.6	36.2	15 000
	方山县	3.8	10	15	25	50	16.7	12 000
	石楼县	2.9	15.2	22.6	45.7	16.5	12.8	11 700
	大宁县	5.4	32	30	20	18	16.8	10 384
	永和县	1.7	7.8	46.9	20.7	24.6	24.9	12 000
	隰县	4.3	12.5	24.1	32.2	31.2	18	11 000
陕西	榆阳区	1.4	41	36	10	13	34.1	15 000
	绥德县	5.5	7	1	45	47	20.3	18 100
	横山县	4	15	20	23	42	27.1	7 811
	神木县	4.6	15	25	15	45	21.9	20 000
	清涧县	3.4	10.4	6.7	22.9	60	23.7	15 000
	吴堡县	4	22	2	15	61	21	21 000
	米脂县	5.1	19.4	5.4	22.3	52.9	21.2	18 000
	靖边县	2.1	15	30	35	20	30.2	11 380
	定边县	2.8	12.8	28.1	30.4	28.7	18.7	12 000
	子洲县	4.5	6	15	30	49	24	30 000
	府谷县	2.6	10.8	10.9	17.1	61.2	24.9	28 000
	佳县	5	15	5.4	22.3	57.3	19	21 000
	宝塔区	3	15.6	13.6	22	48.8	28.2	5 000~14 000
	延长县	3.5	8	15	16.2	60.8	25.5	5 000~13 000
	延川县	4.3	10	17	15	58	19.7	15 000
	子长县	4.5	17.7	5.4	25.2	51.7	27.6	17 000
	安塞县	4.6	7.1	13.8	28.5	50.6	26.5	5 000
	志丹县	3.6	14.6	7.3	31.5	46.6	26.8	15 000
	吴旗县	4.7	10.8	10.6	32.5	46.1	24.2	5 000~18 000

冉大川等[14]用水文法和水保法计算了河龙区间水土保持措施减水减沙效益,水文法计算成果见表8-4。从表中可以看出,坡面措施(造林、种草、梯田等)、淤地坝等水土保持措施不同年代其减水减沙有较大差异,如坡面措施,20世纪70年代减水与减沙比为2.67,80年代为3.07,90年代为2.56,反映出坡面措施90年代减沙水代价较小,并且不同降水水平年减水减沙效益也有较大差异,大体上丰水年减沙水代价大,枯水年代价小(表8-5)。

表8-4 河龙区间水文法计算的水土保持措施年均减水减沙量

项目	时段	已控区年减少总量	坡面措施		淤地坝		水利措施		人为因素		总计(含未控区)
			减少量	比例(%)	减少量	比例(%)	减少量	比例(%)	减少量	比例(%)	
减沙量 (万t)	1970~1979年	17 643	2 918	16.5	11 663	66.1	4 445	25.2	−1 489.0	−8.4	22 590
	1980~1989年	16 914	5 130	30.3	8 847	52.3	4 132	24.2	−1 897.3	−11.2	39 620
	1990~1996年	20 360	8 834	43.4	8 044	39.5	5 436	26.7	−2 873.3	−14.1	31 630
减水量 (万m³)	1970~1979年	67 426	7 794	11.6	11 663	66.1	444.6	25.2	−1 489	−8.4	82 310
	1980~1989年	73 687	15 759	21.4	19 448	26.4	37 642	51.1	−2 292	−3.1	126 820
	1990~1996年	83 841	22 586	26.9	17 346	20.7	39 946	47.6	−2 726.2	−3.3	128 340

表8-5 河龙区间不同降水水平年水土保持措施年均减水减沙量

(单位:减水量,亿m³;减沙量,万t)

降水水平	治理水平	减水	减沙	降水水平	治理水平	减水	减沙	降水水平	治理水平	减水	减沙
丰水年 (1964)	1970年前	3.491	7 555	平水年 (1981)	1970年前	1.879	4 899	枯水年 (1965)	1970年前	0.225	473
	1970~1979年	11.959	31 245		1970~1979年	6.636	19 163		1970~1979年	1.094	3 372
	1980~1989年	13.454	35 445		1980~1989年	7.662	22 556		1980~1989年	1.314	4 151
	1990~1996年	9.282	26 159		1990~1996年	5.361	16 041		1990~1996年	1.022	3 401

水文法和水保法是传统的水土保持减水减沙效益计算方法。水保法是根据各项水土保持措施减水减沙作用实测成果,并考虑产沙在河道中的输移及冲淤变化,以及新增水土流失数量等,计算水土保持减水减沙效益的一种方法。水文法是利用水文泥沙观测资料分析水土保持减水减沙效益的一种方法,其基本原理是根据对降雨径流和产沙基本规律分析,建立计算水土保持减水减沙效益的降雨产流产沙模型,以分析流域综合治理减水减沙效益。这两种计算方法工作量大,而且建立的某一流域的统计模型很难在区域上应用。清华大学开发的数字流域模型以DEM数据及其存取系统为依托,以流域分级理论为依据,将坡面、小流域、区域、全流域4个层次的模型整合成一个完整的数字流域模型系统。系统主要包括5项关键技术,即大流域DEM数据存取、流域沟道参数提取、基于遥感图像的模型参数提取、分布式降雨量数据存取和计算机集群并行计算。由于该模型实现了遥感数据和GIS数据的有机结合,并可利用已建模型库,对任意沟道、坡面进行产流产沙模拟,从而能对整个流域产流产沙进行模拟和预测,因此可利用该模型对多沙粗沙区在不同治理水平和不同降雨条件下的泥沙情况进行研究,分析不同降雨条件下植被措施的减水减沙效益。该模型计算中最基本的数据是DEM数据、降雨数据和利用遥感图像提取的植被覆盖(LAI)等数据。

8.3.2.1 数字流域模型计算基本单元划分

DEM是流域产流产沙模型的基础数据。本次计算中,利用精度为100 m×100 m的DEM来提取地形和沟道参数,按照数字流域模型的流域划分和分级方法,对黄土高原多沙粗沙区进行了两级划分,第一级分为85个小流域单元(图8-4),第二级将85个小流域单元进一步划分成 84 618 个"河段"(图 8-5),每个"河段"又分为左"坡面"、右"坡面"和源"坡面",经过第二级划分后,共计坡面数 212 033 个,每个"坡面"的面积约为 0.37 km²。然后在每个河段对应的"坡面"上进行产流产沙计算,最后得到了黄土高原多沙粗沙区的产流产沙总量。模型计算中若降雨条件不变,改变下垫面条件,将计算结果与下垫面条件未变前的结果进行比较,就可得到某一降雨条件下某水土保持措施的减水减沙效益。模型描述、模型率定及计算过程见刘家宏博士论文。

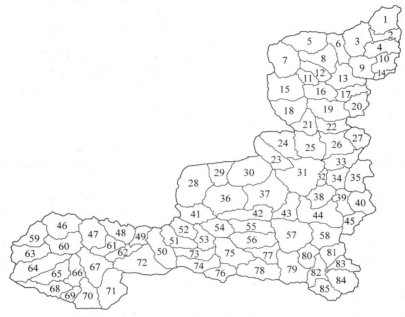

图 8-4 多沙粗沙区第一级单元划分

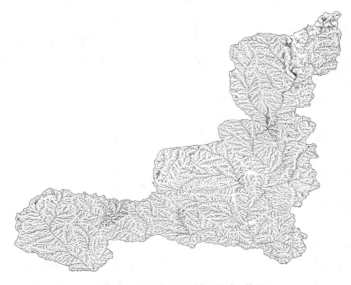

图 8-5 多沙粗沙区第二级河道图

8.3.2.2 代表性降雨年份的选择

流域内的产流产沙状况主要受控于气象因素(如气温、降水、风力等)和流域下垫面(如地形、植被、土壤特性、人类活动等)的变化。流域内降水的空间分布、降水历时等的不同,必然会引起径流、泥沙的时空变化。为了分析不同降雨条件下植被措施的减水减沙效益,选择有代表性的降雨条件是很必要的。因此,依据多沙粗沙区各站降水量资料和实测产沙情况,选择1967年、1983年、1994年和1997年作为典型计算年,它们分别代表不同降雨条件下多沙粗沙区产流产沙情况。

结合测站资料和多沙粗沙区典型年实测产流产沙表(表8-6),可知,1967年汛期是多沙粗沙区汛期实测产沙(龙门、张家山、洑头三站沙量之和减去头道拐的来沙量)最多的一年,代表没有或有较少水土保持措施时,丰水年流域的水沙情况;1983年是黄河流域多水少沙年,1994年是黄河流域少水多沙年,因此1983年、1994年可以代表降雨强度、降雨量在粗沙区的空间分布差异对多沙粗沙区产流产沙的影响情况;1997年是全流域少水少沙年,可代表枯水年流域的水沙特点。

表8-6 多沙粗沙区1967年、1983年、1994年、1997年汛期的产流产沙实测情况

年份	区域产流量(亿 m³)	区域产沙量(亿 t)	花园口年径流(亿 m³)	全流域水沙特征
1967	88.11	22.954	703	多水多沙年
1983	21.74	2.624	611	多水少沙年
1994	48.67	10.900	304	少水多沙年
1997	18.94	4.431	142	少水少沙年

8.3.2.3 叶面积指数的遥感提取

在数字流域模型中,主要用到反映植被覆盖变化的参数——叶面积指数,植被叶面积指数(LAI)是植被生态系统的重要参数,目前使用遥感技术提取LAI的方法很多。

本次研究过程中是将NOAA遥感数据计算的归一化植被指数($NDVI$)转化为LAI。根据已有研究成果,将多沙粗沙区植被类型分为草地谷类作物、灌丛、阔叶林、针叶林等4类,然后根据不同类型植被的$NDVI$与叶面积指数(LAI)的关系[15],采用如下的拟合公式来计算叶面积指数(LAI)。

灌丛植被指数转换为叶面积指数的公式为:

$$LAI = 0.164\,2e^{3.858\,4NDVI}$$

草地谷类作物的植被指数转换为叶面积指数的公式为:

$$LAI = 0.217\,2e^{3.925\,4NDVI}$$

阔叶林植被指数转换为叶面积指数的公式为:

$$LAI = 0.100\,2e^{4.639\,5NDVI}$$

针叶林植被指数转换为叶面积指数的公式为:

$$LAI = 0.112e^{4.499\,1NDVI}$$

8.3.2.4 模拟计算结果分析

多沙粗沙区降水量时间空间分布不均,年际降水量变化大,并多以暴雨形式出现,每年汛期的降雨量占全年降水量的60%以上,降水往往是东南多,西北少,南北差异在缩小。

图8-6~图8-9分别是1967年、1983年、1994年和1997年多沙粗沙区汛期7~10月累

计降水量分布图,从图上可以看出,1967 年降水量分布不均匀,马莲河、窟野河等地是降水量的高值区,区域总降水量为 384.88 亿 m³,点最大降水量 919 mm。1983 年南部及东南部降水量相对较多,总降水量是 229.92 亿 m³,点最大降水量 493 mm。1994 年北洛河、无定河等流域降水量较多,区域总降水量 265.57 亿 m³,点最大降水量 477 mm。1997 年多沙粗沙区降水量较少,降水相对较多的地方是黄河西岸和北洛河等区域,区域总降水量为 170.37 亿 m³,点最大降水量 418 mm。

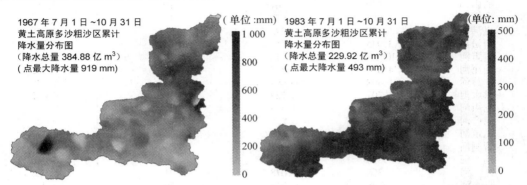

图 8-6　多沙粗沙区 1967 年汛期降水量分布　　　　　图 8-7　多沙粗沙区 1983 年汛期降水量分布

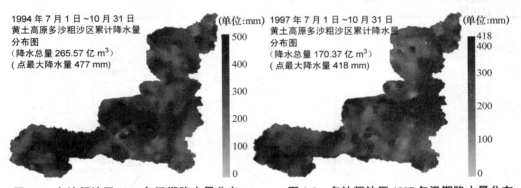

图 8-8　多沙粗沙区 1994 年汛期降水量分布　　　　　图 8-9　多沙粗沙区 1997 年汛期降水量分布

　　利用模型计算得到了多沙粗沙区 1967 年总产水量 91.47 亿 m³,总产沙量 25.49 亿 t。计算得到的产水量比实测值偏大,计算得到的产沙量与实测值有一定偏离,这是因为模型计算中仅考虑了造林种草,而没有考虑梯田、淤地坝等水利工程措施及人为因素如修路、开矿等影响因素。造林种草、水利工程等水土保持措施对流域产流产沙有较大影响,而且在不同降水水平下其减沙效益也有较大差别。由于在模型计算中没有考虑梯田、淤地坝等工程措施的减流减沙效益,因此实际产沙量应扣除水土保持措施减少的产流产沙量,1967 年是丰水年,所以水土保持措施减少的年产流量按 3.491 亿 m³ 考虑,产沙量按0.755 5 亿 t 考虑,由于林草等措施的减流减沙效益已经在模型中考虑了,其在 70 年代前减少的径流量沙量大致占年减少量的 10%,也就是说其他措施减少的流量为 3.141 亿m³、沙量为 6 800 t,所以实际产流量为 88.33 亿 m³,与实际产流量接近,产沙量为 24.81 亿t,将实测进入河道的泥沙量除以总产沙量,得到多沙粗沙区河龙区间的输沙比为:22.954/24.81 = 92.52%。将模型中计算的各单元的产流量产沙量按照天然河流分区进行统计,可以得到表 8-7 和图 8-10。

表 8-7 1967 年黄土高原多沙粗沙区主要支流的产流产沙量

支流名称	产水量(亿 m³)	产沙量(亿 t)	产沙量/产水量(kg/m³)	参考粒径(mm)
浑河	2.721	0.967	355	0.050
杨家川	0.835	0.272	326	0.048
偏关河	2.586	0.794	307	0.048
皇甫川	3.729	1.427	383	0.062
清水川、县川河	4.131	0.879	213	0.054
孤山川	2.519	0.501	199	0.055
朱家川	5.085	0.677	133	0.047
岚漪河	1.730	0.245	141	0.045
蔚汾河	3.935	0.557	142	0.045
窟野河	10.340	2.816	272	0.068
秃尾河	4.570	1.599	350	0.082
佳芦河	1.498	0.664	443	0.085
湫水河	3.702	0.724	196	0.042
三川河	6.633	1.353	204	0.035
屈产河	1.188	0.239	201	0.029
无定河	11.257	5.106	454	0.057
清涧河	3.271	1.081	330	0.041
延河	3.870	1.294	334	0.036
芝河	0.366	0.078	213	0.028
昕水河	1.798	0.341	190	0.025
马莲河	5.426	1.698	313	0.031
北洛河	3.565	1.266	355	0.036

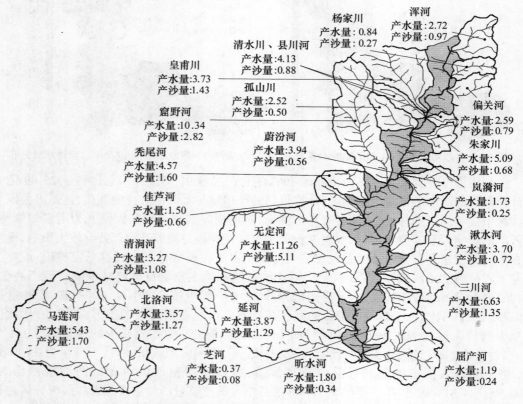

图 8-10 1967 年黄土高原多沙粗沙区支流产水产沙量 （单位：产水量,亿 m³；产沙量,亿 t）

从结果看,多沙粗沙区北部的流域产沙量较高,如偏关河、窟野河、无定河、皇甫川、秃尾河、延河、佳芦河、清涧河以及西部的马莲河、北洛河等,并且其含沙量也较高,大多在300 kg/m³ 以上。产沙量的空间分布特征与降雨量有极强的正相关。上述多沙粗沙区产流产沙的基本特征代表了丰水年及1967年治理水平下的水沙特征。

对1983年多沙粗沙区模拟计算结果表明,1983年总产水量20.73亿 m³,总产沙量4.19亿 t。计算得到的产水量比实测值偏小4.6%,计算得到的产沙量中考虑了造林、种草等措施,水利工程等措施未考虑,1983年是平水年偏枯,年均降水量为360 mm,因此除林草措施之外的减沙量按平水年减少沙量的80%考虑,林草效益按20%考虑,则实际产沙量为4.19 − 1.44 = 2.75(亿 t),将实测进入河道的泥沙量除以总产沙量,得到多沙粗沙区的输沙比为:2.624/2.75 = 95.42%。将各单元的产沙量按照天然河流分区进行统计,可以得到表8-8和图8-11。

表8-8　1983年黄土高原多沙粗沙区主要支流的产流产沙量

支流名称	产水量(亿 m³)	产沙量(亿 t)	产沙量/产水量(kg/m³)	参考粒径(mm)
浑　河	0.484	0.136	281	0.049
杨家川	0.173	0.038	220	0.045
偏关河	0.232	0.072	310	0.043
皇甫川	0.780	0.205	263	0.053
清水川、县川河	0.302	0.082	273	0.048
孤山川	0.062	0.019	307	0.050
朱家川	0.085	0.020	234	0.045
岚漪河	0.043	0.013	296	0.045
蔚汾河	0.152	0.038	248	0.043
窟野河	0.997	0.361	285	0.07
秃尾河	0.157	0.045	285	0.055
佳芦河	0.051	0.019	371	0.059
湫水河	0.633	0.122	193	0.034
三川河	1.438	0.241	168	0.028
屈产河	0.139	0.027	193	0.025
无定河	7.654	0.738	263	0.048
清涧河	1.570	0.302	193	0.032
延　河	2.766	0.453	164	0.030
芝　河	0.064	0.011	169	0.022
昕水河	1.022	0.116	114	0.020
马莲河	4.087	0.704	140	0.038
北洛河	1.982	0.293	148	0.032

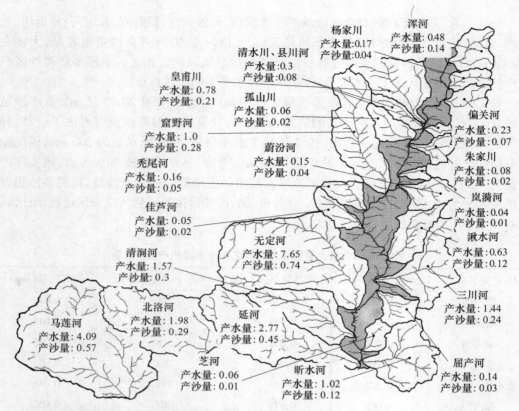

图 8-11　1983 年黄土高原多沙粗沙区支流产水产沙量（单位：产水量，亿 m³；产沙量，亿 t）

对 1994 年多沙粗沙区模拟计算结果表明，1994 年总产水量 49.84 亿 m³，总产沙量 12.85 亿 t。计算得到的产水量比实测值偏大 2.4%，计算得到的产沙量中没有考虑淤地坝等水利工程措施，1994 年是平水年，林草措施占总减沙量的 30%，因此实际产沙量为 11.73 亿 t，将实测进入河道的泥沙量除以总产沙量，得到多沙粗沙区的输沙比为：10.90/11.73 = 92.92%。将各单元的产沙量按照天然河流分区进行统计，可以得到表 8-9 和图 8-12。

从表 8-8 和图 8-11 可以看出，含沙量大于 300 kg/m³ 的流域主要有佳芦河、孤山川、偏关河等，产沙量较多的流域是浑河、皇甫川、窟野河、湫水河、三川河、无定河、清涧河、延河、马莲河和北洛河等。

从表 8-9 和图 8-12 可以看出，产沙量较多的流域是无定河、窟野河、秃尾河、三川河、清涧河、马莲河和北洛河等，含沙量较高的流域是浑河、偏关河、皇甫川、岚漪河、蔚汾河、窟野河、秃尾河和佳芦河。

1997 年是枯水年，模型计算结果表明，多沙粗沙区 1997 年总产水量 20.08 亿 m³，总产沙量 5.08 亿 t。计算得到的产水量、产沙量比实测值偏大，模型计算中已考虑林草等水土保持措施，但未考虑淤地坝等水利工程措施，对 1997 年而言，林草等措施占总减少量的 30%，按枯水年减流、减沙考虑，90 年代枯水年总减流量为 1.022 亿 m³，总减沙量为 0.34 亿 t，则实际产流量为 19.36 亿 m³，比实测值偏大 2.1%，产沙量为 4.84 亿 t，将实测进入河道的泥沙量除以总产沙量，得到多沙粗沙区的输沙比为：4.431/4.84 = 91.55%。将各单元的产沙量按照天然河流分区进行统计，可以得到表 8-10 和图 8-13。

表 8-9　1994 年黄土高原多沙粗沙区主要支流的产流产沙量

支流名称	产水量(亿 m³)	产沙量(亿 t)	产沙量/产水量(kg/m³)	参考粒径(mm)
浑　河	1.116	0.399	336	0.049
杨家川	0.339	0.109	287	0.045
偏关河	0.540	0.211	362	0.043
皇甫川	1.319	0.512	358	0.053
清水川、县川河	0.887	0.290	300	0.048
孤山川	0.498	0.119	228	0.050
朱家川	0.449	0.143	283	0.045
岚漪河	0.188	0.081	386	0.045
蔚汾河	0.267	0.097	323	0.043
窟野河	3.167	1.093	314	0.055
秃尾河	0.962	0.405	375	0.055
佳芦河	0.351	0.192	463	0.059
湫水河	1.333	0.275	200	0.034
三川河	3.056	0.634	163	0.028
屈产河	0.634	0.121	137	0.025
无定河	12.434	3.696	242	0.048
清涧河	1.589	0.422	224	0.032
延　河	3.699	0.774	174	0.030
芝　河	0.342	0.045	89	0.022
昕水河	0.849	0.165	147	0.020
马莲河	6.996	1.412	195	0.031
北洛河	6.537	1.251	168	0.032

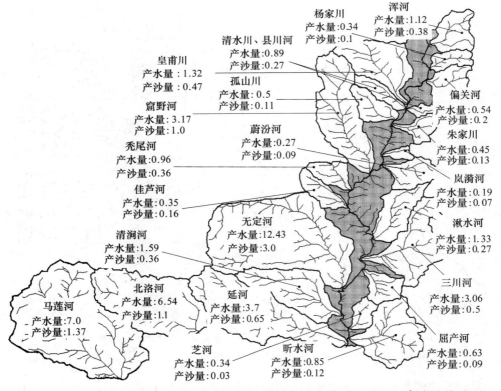

图 8-12　1994 年黄土高原多沙粗沙区支流产水产沙量　（单位:产水量,亿 m³;产沙量,亿 t)

表 8-10 1997 年黄土高原多沙粗沙区汛期各单元子流域产水产沙量

支流名称	产水量(亿 m³)	产沙量(亿 t)	产沙量/产水量(kg/m³)	参考粒径(mm)
浑 河	0.556	0.176	296	0.049
杨家川	0.139	0.043	274	0.045
偏关河	0.262	0.116	410	0.043
皇甫川	0.707	0.187	244	0.053
清水川、县川河	0.376	0.130	316	0.048
孤山川	0.280	0.100	345	0.05
朱家川	0.496	0.192	344	0.045
岚漪河	0.190	0.068	317	0.045
蔚汾河	0.729	0.213	258	0.043
窟野河	1.107	0.376	309	0.055
秃尾河	0.458	0.189	367	0.055
佳芦河	0.228	0.105	391	0.059
湫水河	1.614	0.319	192	0.034
三川河	1.659	0.365	173	0.028
屈产河	0.204	0.044	157	0.025
无定河	2.539	0.766	245	0.048
清涧河	0.699	0.159	191	0.032
延 河	0.948	0.186	164	0.03
芝 河	0.098	0.021	140	0.022
昕水河	0.812	0.112	103	0.02
马莲河	2.312	0.632	265	0.031
北洛河	1.204	0.301	219	0.032

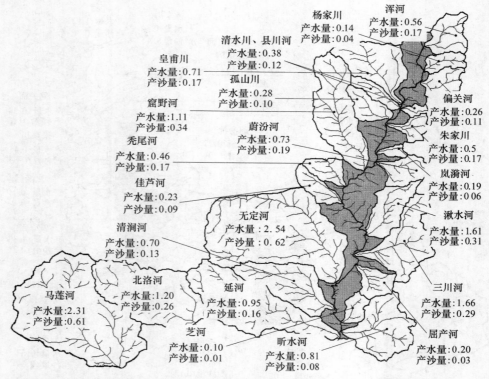

图 8-13 1997 年黄土高原多沙粗沙区支流产水产沙量 （单位:产水量,亿 m³;产沙量,亿 t）

从表 8-10 和图 8-13 可以看出,窟野河、湫水河、无定河、马莲河和北洛河等流域产沙量较多,含沙量较高的流域有偏关河、清水川、县川河、孤山川、朱家川、岚漪河、窟野河、秃尾河、佳芦河等流域。并且,从这几年的计算结果看,由于多沙粗沙区沟道比降较大,流域输沙比较高,基本都在 90% 以上。

总之,本模型计算的结果与实测资料比较一致,基本反映了流域环境与流域水沙的状况,因此可以用模型来定量预测不同降雨条件和下垫面条件下流域水沙的变化情况,进而预测河道演变。

8.3.2.5 植被措施减水减沙效益分析

为了定量分析植被变化对多沙粗沙区的影响,我们利用上面模型分析了黄河流域丰枯降雨条件下多沙粗沙区产流产沙情况。以 1967 年、1983 年、1994 年和 1997 年降水过程代表多沙粗沙区不同的降水特点,将降水过程作用于不同治理水平下的下垫面,然后对计算结果进行分析,就可计算出流域造林种草等水土保持措施的减水减沙效益。

表 8-11 为不同降水过程不同植被覆盖条件下多沙粗沙区产流产沙量计算结果。

表 8-11   不同降水过程不同植被覆盖条件下多沙粗沙区产流产沙量计算结果

降水过程	植被水平	产流(亿 m³)	产沙(亿 t)	降水过程	植被水平	产流(亿 m³)	产沙(亿 t)
1967 年	80 年代	91.47	25.49	1983 年	80 年代	20.73	4.19
	90 年代	88.39	23.29		90 年代	16.41	3.56
1994 年	80 年代	51.11	12.45	1997 年	80 年代	20.08	5.16
	90 年代	49.84	11.20		90 年代	19.33	4.72

产流产沙计算结果反映了多沙粗沙区降雨特点和下垫面特征。多沙粗沙区降雨量、降雨强度时空分布不均,年际变化大,并多以暴雨形式出现,每年汛期的降雨量占全年降雨量 60% 以上,降雨往往是东南多,西北少,南北差异在缩小。降雨量、降雨强度及其时空分布特点对多沙粗沙区产流产沙影响很大。1967 年全流域为丰水年,多沙粗沙区降雨量及其时空差异也很大,马莲河、窟野河等地是降水量的高值区,汛期总降水量为 384.88 亿 m³,点最大降水量 919 mm,平均降水量为 489.67 mm,因此 1967 年降雨过程产流产沙量都较大。1983 年黄河全流域为多水年,花园口实测径流量 611 亿 m³,是多年均值的 1.5 倍,但多沙粗沙区实测径流量并不多,只有 21.74 亿 m³,是汛期多年均值的 55.6%,并且降水量比较均匀,1983 年汛期总降水量 229.92 亿 m³,点最大降水量 493 mm,平均降水量 292.52 mm,降水量相对较多的区域在南部及东南部,这些地区的泥沙中值粒径较小(约为 0.025 mm),植被覆盖度相对较高,因此产流产沙量较少。1994 黄河全流域少水多沙,但多沙粗沙区汛期总降水量为 265.57 亿 m³,大于 1983 年多沙粗沙区降水量,点最大降水量 477 mm,平均降水量 337.88 mm,降水量较高的区域主要在北洛河上游、无定河等流域,这些地方植被覆盖度相对较低,因此 1994 年产流产沙也较多。1997 年是黄河全流域的枯水年,下游断流达到了 226 天,这一年花园口实测年径流量是 142 亿 m³,占 1950~1999 年花园口实测年平均径流量 406 亿 m³ 的 35.0%,相对于全流域,黄土高原多沙粗沙区该年径流量算是偏多的,实测径流量 18.94 亿 m³,占汛期多年均值的 48.5%,与 1983 年的径流量接近,主要是 1997 年多沙粗沙区降水量集中,汛期总降水量为 170.37 亿 m³,点最大降水量 418 mm,平均降水量 216.76 mm,并且主要降水区域的泥沙中值粒径比较大,因此产沙量大于 1983 年。

为了分析多沙粗沙区林草措施的减水减沙效益,将 20 世纪 90 年代末期植被条件和 80 年代末期植被条件下的计算结果进行比较,可得到多沙粗沙区 80 年代末期与 90 年代末期植被措施的减水减沙效益。表 8-12~表 8-19 依次是 1967 年、1983 年、1994 年和 1997 年降雨过程 80 年代末期和 90 年代末期植被覆盖条件下对应 85 个计算小流域单元的产流产沙计算结果。

表 8-12　80 年代末期植被覆盖条件下 1967 年降水过程多沙粗沙区产流产沙量

编号	产水量(亿 m³)	产沙量(亿 t)	编号	产水量(亿 m³)	产沙量(亿 t)
1	1.10	0.366	44	2.26	0.499
2	0.51	0.150	45	0.63	0.121
3	1.28	0.451	46	0.90	0.340
4	1.00	0.272	47	0.97	0.342
5	1.64	0.613	48	0.61	0.256
6	0.84	0.281	49	0.19	0.091
7	2.30	0.665	50	0.65	0.221
8	1.32	0.533	51	0.58	0.220
9	1.48	0.346	52	0.50	0.191
10	1.29	0.276	53	0.32	0.141
11	0.61	0.173	54	0.46	0.207
12	0.67	0.258	55	0.78	0.266
13	2.01	0.418	56	1.25	0.390
14	0.19	0.032	57	1.47	0.418
15	2.94	1.063	58	1.21	0.239
16	1.94	0.328	59	0.56	0.189
17	1.59	0.203	60	0.83	0.307
18	3.51	0.823	61	0.36	0.117
19	3.54	0.445	62	0.18	0.064
20	1.83	0.232	63	0.31	0.104
21	1.69	0.265	64	0.50	0.138
22	1.77	0.245	65	0.26	0.072
23	1.51	0.664	66	0.32	0.088
24	1.74	0.653	67	0.42	0.126
25	2.85	0.946	68	0.22	0.054
26	2.56	0.337	69	0.13	0.028
27	1.56	0.220	70	0.44	0.103
28	1.31	0.802	71	0.64	0.150
29	0.61	0.342	72	0.73	0.177
30	2.04	1.056	73	0.40	0.133
31	2.67	0.790	74	0.45	0.110
32	0.25	0.072	75	0.93	0.266
33	1.40	0.216	76	0.25	0.047
34	1.43	0.248	77	0.79	0.217
35	1.91	0.287	78	0.69	0.187
36	1.47	0.696	79	0.73	0.188
37	2.04	0.801	80	0.39	0.078
38	1.02	0.259	81	0.43	0.080
39	1.04	0.207	82	0.47	0.083
40	1.07	0.238	83	0.22	0.038
41	0.88	0.421	84	0.44	0.072
42	0.87	0.337	85	0.47	0.069
43	0.81	0.234	合计	91.47	25.49

表 8-13　90 年代末期植被覆盖条件下 1967 年降水过程多沙粗沙区产流产沙量

编号	产水量(亿 m³)	产沙量(亿 t)	编号	产水量(亿 m³)	产沙量(亿 t)
1	1.02	0.30	44	2.25	0.32
2	0.45	0.16	45	0.60	0.08
3	1.25	0.44	46	0.89	0.34
4	0.83	0.27	47	0.95	0.35
5	1.61	0.47	48	0.59	0.22
6	0.82	0.28	49	0.19	0.07
7	2.28	0.63	50	0.63	0.12
8	1.30	0.45	51	0.57	0.17
9	1.32	0.36	52	0.49	0.15
10	1.11	0.33	53	0.31	0.11
11	0.60	0.17	54	0.46	0.14
12	0.66	0.23	55	0.79	0.18
13	1.92	0.52	56	1.25	0.24
14	0.16	0.04	57	1.46	0.24
15	2.90	0.89	58	1.19	0.15
16	1.92	0.51	59	0.56	0.19
17	1.54	0.36	60	0.82	0.31
18	3.48	0.96	61	0.35	0.09
19	3.50	0.76	62	0.17	0.05
20	1.59	0.44	63	0.31	0.10
21	1.68	0.46	64	0.49	0.14
22	1.73	0.40	65	0.26	0.07
23	1.50	0.48	66	0.31	0.09
24	1.73	0.62	67	0.41	0.12
25	2.84	0.88	68	0.22	0.05
26	2.46	0.54	69	0.13	0.03
27	1.48	0.35	70	0.43	0.09
28	1.26	0.50	71	0.58	0.15
29	0.59	0.21	72	0.67	0.11
30	1.96	0.66	73	0.40	0.10
31	2.66	0.62	74	0.36	0.09
32	0.25	0.05	75	0.92	0.19
33	1.30	0.26	76	0.16	0.05
34	1.38	0.29	77	0.78	0.16
35	1.79	0.27	78	0.66	0.11
36	1.45	0.58	79	0.72	0.10
37	2.01	0.66	80	0.37	0.04
38	1.02	0.19	81	0.42	0.06
39	0.98	0.16	82	0.40	0.06
40	1.02	0.18	83	0.20	0.02
41	0.87	0.34	84	0.37	0.05
42	0.86	0.27	85	0.41	0.04
43	0.81	0.18	合计	88.39	23.29

表 8-14　80 年代末期植被覆盖条件下 1983 年降水过程多沙粗沙区产流产沙量

编号	产水量(亿 m³)	产沙量(亿 t)	编号	产水量(亿 m³)	产沙量(亿 t)
1	0.08	0.026	44	0.75	0.122
2	0.07	0.021	45	0.08	0.013
3	0.33	0.089	46	0.07	0.026
4	0.17	0.038	47	0.10	0.025
5	0.28	0.078	48	0.10	0.024
6	0.23	0.051	49	0.17	0.043
7	0.59	0.167	50	0.56	0.072
8	0.28	0.075	51	0.42	0.065
9	0.15	0.035	52	0.29	0.050
10	0.08	0.021	53	0.36	0.061
11	0.04	0.017	54	0.34	0.071
12	0.08	0.026	55	0.45	0.085
13	0.19	0.046	56	0.59	0.108
14	0	0.001	57	0.64	0.094
15	0.33	0.169	58	0.14	0.027
16	0.02	0.002	59	0.04	0.011
17	0.04	0.010	60	0.15	0.040
18	0.05	0.024	61	0.13	0.019
19	0.04	0.007	62	0.19	0.028
20	0.04	0.013	63	0.07	0.016
21	0.02	0.001	64	0.39	0.090
22	0.04	0.013	65	0.41	0.068
23	0.05	0.019	66	0.36	0.060
24	0.08	0.030	67	0.60	0.074
25	0.08	0.018	68	0.49	0.072
26	0.06	0.015	69	0.21	0.032
27	0.09	0.022	70	0.58	0.094
28	0.11	0.042	71	0.72	0.119
29	0.10	0.038	72	0.74	0.086
30	0.22	0.084	73	0.44	0.065
31	0.39	0.096	74	0.38	0.060
32	0.04	0.008	75	0.46	0.082
33	0.10	0.022	76	0.11	0.019
34	0.21	0.043	77	0.19	0.039
35	0.20	0.032	78	0.30	0.051
36	0.27	0.084	79	0.27	0.043
37	0.47	0.139	80	0.06	0.011
38	0.32	0.057	81	0.05	0.007
39	0.25	0.045	82	0.22	0.029
40	0.16	0.030	83	0.12	0.016
41	0.23	0.078	84	0.35	0.038
42	0.40	0.113	85	0.29	0.025
43	0.36	0.065	合计	20.73	4.19

表 8-15　90 年代末期植被覆盖条件下 1983 年降水过程多沙粗沙区产流产沙量

编号	产水量（亿 m³）	产沙量（亿 t）	编号	产水量（亿 m³）	产沙量（亿 t）
1	0.069	0.024	44	0.528	0.022
2	0.064	0.045	45	0.047	0.018
3	0.271	0.048	46	0.040	0.040
4	0.187	0.040	47	0.059	0.040
5	0.208	0.050	48	0.057	0.038
6	0.201	0.048	49	0.112	0.035
7	0.480	0.050	50	0.440	0.018
8	0.222	0.050	51	0.329	0.030
9	0.144	0.040	52	0.212	0.030
10	0.100	0.040	53	0.278	0.030
11	0.024	0.048	54	0.243	0.029
12	0.050	0.050	55	0.296	0.028
13	0.163	0.042	56	0.390	0.025
14	0.004	0.040	57	0.459	0.020
15	0.210	0.050	58	0.066	0.018
16	0.015	0.048	59	0.076	0.040
17	0.030	0.040	60	0.155	0.040
18	0.031	0.050	61	0.099	0.024
19	0.034	0.040	62	0.155	0.024
20	0.041	0.040	63	0.143	0.035
21	0.017	0.050	64	0.426	0.030
22	0.026	0.040	65	0.383	0.029
23	0.030	0.050	66	0.340	0.027
24	0.044	0.050	67	0.500	0.027
25	0.061	0.048	68	0.419	0.025
26	0.042	0.040	69	0.167	0.025
27	0.070	0.035	70	0.453	0.022
28	0.070	0.045	71	0.559	0.022
29	0.077	0.045	72	0.558	0.015
30	0.157	0.045	73	0.334	0.025
31	0.256	0.035	74	0.323	0.022
32	0.035	0.035	75	0.408	0.025
33	0.075	0.035	76	0.157	0.022
34	0.155	0.035	77	0.170	0.025
35	0.147	0.020	78	0.397	0.018
36	0.166	0.045	79	0.255	0.015
37	0.327	0.045	80	0.032	0.015
38	0.226	0.028	81	0.032	0.018
39	0.186	0.025	82	0.199	0.016
40	0.116	0.025	83	0.078	0.014
41	0.150	0.040	84	0.295	0.013
42	0.248	0.040	85	0.243	0.012
43	0.266	0.030	合计	16.407	3.555

表 8-16 80 年代末期植被覆盖条件下 1994 年降水过程多沙粗沙区产流产沙量

编号	产水量(亿 m³)	产沙量(亿 t)	编号	产水量(亿 m³)	产沙量(亿 t)
1	0.483	0.149	44	1.834	0.326
2	0.245	0.069	45	0.153	0.038
3	0.466	0.177	46	0.876	0.240
4	0.412	0.109	47	1.136	0.264
5	0.544	0.226	48	1.101	0.221
6	0.331	0.096	49	0.783	0.161
7	0.686	0.227	50	1.172	0.224
8	0.468	0.193	51	0.752	0.141
9	0.453	0.120	52	0.595	0.102
10	0.201	0.053	53	0.322	0.069
11	0.112	0.044	54	0.275	0.094
12	0.205	0.090	55	0.563	0.131
13	0.577	0.157	56	0.481	0.130
14	0.017	0.002	57	1.308	0.235
15	1.149	0.436	58	0.639	0.121
16	0.393	0.075	59	0.457	0.112
17	0.145	0.047	60	1.045	0.251
18	1.038	0.338	61	0.688	0.120
19	0.391	0.117	62	0.511	0.085
20	0.084	0.025	63	0.353	0.089
21	0.328	0.121	64	0.468	0.109
22	0.194	0.081	65	0.295	0.058
23	0.355	0.192	66	0.421	0.063
24	0.344	0.179	67	1.041	0.152
25	0.621	0.217	68	0.547	0.071
26	0.231	0.082	69	0.253	0.028
27	0.065	0.016	70	0.371	0.062
28	1.870	0.711	71	0.903	0.147
29	0.839	0.301	72	1.265	0.200
30	1.393	0.576	73	0.346	0.079
31	1.368	0.334	74	0.424	0.089
32	0.162	0.041	75	0.513	0.112
33	0.242	0.054	76	0.271	0.042
34	0.445	0.104	77	0.281	0.063
35	0.321	0.075	78	0.674	0.125
36	2.153	0.481	79	0.770	0.150
37	2.219	0.580	80	0.349	0.045
38	0.718	0.121	81	0.199	0.026
39	0.544	0.108	82	0.338	0.080
40	0.316	0.078	83	0.050	0.007
41	0.764	0.325	84	0.174	0.030
42	1.020	0.285	85	0.209	0.033
43	0.980	0.178	合计	51.110	12.915

表 8-17　90 年代末期植被覆盖条件下 1994 年降水过程多沙粗沙区产流产沙量

编号	产水量(亿 m³)	产沙量(亿 t)	编号	产水量(亿 m³)	产沙量(亿 t)
1	0.45	0.140	44	1.85	0.256
2	0.22	0.065	45	0.14	0.027
3	0.45	0.170	46	0.87	0.240
4	0.34	0.097	47	1.12	0.264
5	0.53	0.205	48	1.09	0.210
6	0.32	0.092	49	0.77	0.141
7	0.68	0.227	50	1.14	0.161
8	0.46	0.175	51	0.74	0.132
9	0.40	0.107	52	0.58	0.096
10	0.14	0.047	53	0.32	0.065
11	0.11	0.042	54	0.27	0.078
12	0.20	0.082	55	0.57	0.115
13	0.55	0.137	56	0.47	0.108
14	0.01	0.002	57	1.31	0.188
15	1.13	0.363	58	0.63	0.087
16	0.39	0.072	59	0.45	0.112
17	0.14	0.047	60	1.05	0.251
18	1.03	0.282	61	0.68	0.099
19	0.39	0.104	62	0.50	0.070
20	0.06	0.022	63	0.35	0.089
21	0.32	0.121	64	0.47	0.109
22	0.19	0.072	65	0.29	0.058
23	0.35	0.163	66	0.42	0.063
24	0.34	0.152	67	1.04	0.152
25	0.62	0.208	68	0.55	0.071
26	0.21	0.073	69	0.25	0.028
27	0.06	0.014	70	0.37	0.057
28	1.83	0.533	71	0.87	0.135
29	0.83	0.226	72	1.22	0.150
30	1.36	0.432	73	0.34	0.066
31	1.37	0.308	74	0.35	0.070
32	0.17	0.038	75	0.51	0.093
33	0.19	0.050	76	0.20	0.033
34	0.42	0.104	77	0.28	0.054
35	0.28	0.060	78	0.66	0.090
36	2.15	0.433	79	0.76	0.102
37	2.22	0.522	80	0.34	0.031
38	0.72	0.113	81	0.20	0.021
39	0.51	0.090	82	0.29	0.051
40	0.28	0.065	83	0.05	0.005
41	0.75	0.260	84	0.14	0.022
42	1.01	0.253	85	0.18	0.025
43	0.97	0.157	合计	49.84	11.20

表 8-18　80 年代末期植被覆盖条件下 1997 年降水过程多沙粗沙区产流产沙量

编号	产水量(亿 m³)	产沙量(亿 t)	编号	产水量(亿 m³)	产沙量(亿 t)
1	0.15	0.07	44	0.30	0.08
2	0.10	0.03	45	0.06	0.01
3	0.25	0.08	46	0.07	0.02
4	0.16	0.04	47	0.14	0.05
5	0.26	0.07	48	0.17	0.06
6	0.18	0.04	49	0.06	0.03
7	0.36	0.10	50	0.06	0.01
8	0.27	0.07	51	0.03	0
9	0.18	0.05	52	0.02	0
10	0.11	0.03	53	0.04	0.01
11	0.12	0.04	54	0.06	0.01
12	0.13	0.04	55	0.10	0.03
13	0.17	0.06	56	0.28	0.06
14	0.01	0	57	0.37	0.08
15	0.39	0.15	58	0.21	0.04
16	0.16	0.06	59	0.24	0.08
17	0.09	0.03	60	0.19	0.06
18	0.22	0.09	61	0.16	0.05
19	0.32	0.12	62	0.20	0.04
20	0.26	0.07	63	0.28	0.09
21	0.15	0.05	64	0.29	0.08
22	0.20	0.07	65	0.13	0.04
23	0.23	0.11	66	0.10	0.02
24	0.20	0.09	67	0.33	0.08
25	0.26	0.09	68	0.10	0.02
26	0.36	0.10	69	0.03	0.01
27	0.43	0.12	70	0.17	0.04
28	1.11	0.33	71	0.41	0.08
29	0.21	0.07	72	0.46	0.07
30	0.29	0.13	73	0.05	0.01
31	1.36	0.30	74	0.14	0.03
32	0.22	0.04	75	0.26	0.07
33	0.50	0.10	76	0.22	0.03
34	0.83	0.14	77	0.27	0.05
35	0.60	0.11	78	0.27	0.06
36	0.07	0.02	79	0.14	0.03
37	0.25	0.08	80	0.11	0.02
38	0.36	0.08	81	0.12	0.02
39	0.28	0.06	82	0.27	0.04
40	0.52	0.11	83	0.10	0.01
41	0.03	0	84	0.18	0.02
42	0.10	0.04	85	0.23	0.02
43	0.16	0.04	合计	20.08	5.16

表 8-19　90 年代末期植被覆盖条件下 1997 年降水过程多沙粗沙区产流产沙量

编号	产水量(亿 m³)	产沙量(亿 t)	编号	产水量(亿 m³)	产沙量(亿 t)
1	0.22	0.07	44	0.30	0.06
2	0.09	0.03	45	0.06	0.01
3	0.24	0.08	46	0.07	0.02
4	0.14	0.04	47	0.14	0.05
5	0.26	0.07	48	0.16	0.06
6	0.17	0.04	49	0.06	0.02
7	0.36	0.10	50	0.06	0.01
8	0.27	0.07	51	0.03	0
9	0.17	0.05	52	0.02	0
10	0.09	0.04	53	0.04	0.01
11	0.12	0.04	54	0.06	0.01
12	0.13	0.04	55	0.10	0.02
13	0.16	0.05	56	0.28	0.05
14	0.01	0.01	57	0.38	0.06
15	0.38	0.12	58	0.20	0.03
16	0.16	0.06	59	0.23	0.08
17	0.08	0.04	60	0.19	0.06
18	0.22	0.08	61	0.16	0.04
19	0.31	0.11	62	0.19	0.04
20	0.18	0.09	63	0.28	0.09
21	0.15	0.05	64	0.29	0.08
22	0.19	0.06	65	0.13	0.04
23	0.23	0.09	66	0.10	0.02
24	0.20	0.08	67	0.33	0.08
25	0.26	0.09	68	0.10	0.02
26	0.33	0.09	69	0.03	0.01
27	0.40	0.11	70	0.17	0.03
28	1.09	0.25	71	0.39	0.08
29	0.20	0.06	72	0.43	0.06
30	0.28	0.11	73	0.05	0.01
31	1.35	0.27	74	0.12	0.03
32	0.22	0.04	75	0.25	0.06
33	0.45	0.10	76	0.17	0.03
34	0.80	0.15	77	0.27	0.05
35	0.55	0.09	78	0.26	0.04
36	0.07	0.02	79	0.14	0.02
37	0.24	0.07	80	0.10	0.02
38	0.36	0.07	81	0.12	0.02
39	0.26	0.05	82	0.24	0.03
40	0.49	0.09	83	0.09	0.01
41	0.03	0	84	0.15	0.02
42	0.10	0.03	85	0.21	0.02
43	0.15	0.04	合计	19.33	4.72

表 8-20 为植被措施的减水减沙效益汇总分析表。从表中可以看出,在不同降水过程作用下,植被措施的减水减沙效益不同。从减水减沙百分比看,90 年代末期与 80 年代末期相比,1983 年降水过程植被的减水减沙效益较大;减水百分比较低的是 1994 年降水过程,减沙百分比较低的是 1967 年降水过程。可见,降水过程与植被措施的减水减沙效益不同步,一般而言,丰水年减水减沙较多,枯水年较少。从减水减沙比看,除 1983 年外,其他年份比较接近。这可能是 1983 年降水过程本身产沙少,而产流较多,因此植被措施截流相对较多。

表 8-20　90 年代与 80 年代相比植被措施减水减沙效益

降水过程	减水(亿 m³/a)	减沙(亿 t/a)	减水减沙比	减水占原产水量百分比	减沙占原产沙量百分比
1967 年	3.08	2.2	1.4	3.37	5.49
1983 年	4.32	0.63	6.86	20.84	15.04
1994 年	1.27	1.25	1.02	2.48	10.04
1997 年	0.75	0.44	1.7	3.74	8.53
平均	2.63	1.13	2.75	7.61	9.78

从上面分析可知,随着多沙粗沙区生态环境的改善,植被覆盖度的提高,植被的减水减沙效益逐渐体现,并且,在同样的植被覆盖度条件下,不同的降水过程其减水减沙效益不同;同时,还可看出,目前的植被覆盖条件下,减水减沙百分比还比较低,说明多沙粗沙区生态环境的改善还任重道远。从减水减沙比看,植被措施减少 1 亿 t 沙,在多沙粗沙区减水不超过 7 亿 m³。从多年平均看,90 年代末期与 80 年代末期相比,植被措施年均减水 2.63 亿 m³,减沙 1.13 亿 t,减水减沙比为 2.75,减水百分比为 7.61,减沙百分比为 9.78。可见,90 年代末期与 80 年代末期植被措施相比,减 1 亿 t 沙大约减 3 亿 m³ 水,减沙效益大于减水效益。

8.4　本章小结

本章研究了黄河流域植被覆盖及其变化特征,结果表明,20 世纪 90 年代末期与 80 年代末期相比,黄河流域植被覆盖度有所增加,但总体而言,植被覆盖度较低,生态环境脆弱。

降雨条件和流域下垫面条件对流域水沙条件有较大影响。本章利用数字流域模型并结合遥感技术研究了不同降水条件下植被覆盖度变化对流域水沙的影响。结果表明,随着多沙粗沙区生态环境的改善,植被覆盖度的提高,植被的减水减沙效益逐渐体现,并且,不同的降水过程其减水减沙效益不同。从减水减沙比看,90 年代末期与 80 年代末期植被措施相比,减 1 亿 t 沙大约减 3 亿 m³ 水,减沙效益大于减水效益。

参 考 文 献

[1]　唐克丽,熊贵枢,梁季阳,等 . 黄河流域的侵蚀与径流泥沙变化 . 北京:中国科学技术出版社,1993
[2]　景可,申元村 . 黄土高原水土保持对未来地表水资源影响研究 . 中国水土保持,2002(1):12 ~ 14

[3] 曹文洪. 黄土高原地区提倡节水型水土保持. 中国水土保持科学,2003,1(1):41~44

[4] 王万中,焦菊英. 黄土高原水土保持减沙效益预测. 郑州:黄河水利出版社,2002

[5] 熊贵枢. 黄河流域水利水保措施减水减沙分析方法简述. 人民黄河,1994(4):33~36

[6] 姚文艺,茹玉英,康玲玲. 水土保持措施不同配置体系的滞洪减沙效应. 水土保持学报,2004,18(2):28~31

[7] 袁建平,蒋定生,甘淑. 不同治理度下小流域正态整体模型试验——林草措施对小流域径流泥沙的影响. 自然资源学报,2000,15(1):91~96

[8] 王随继. 黄河中游多沙粗沙区侵蚀产沙与植被相互作用的临界现象. 水土保持学报,2004,18(4):20~28

[9] Schumm S. A. The fluvial system. New York: John Wiley&Sons, 1977

[10] 陈晋,陈云浩,何春阳,等. 基于土地覆盖分类的植被覆盖率估算亚像元模型与应用. 遥感学报,2001,5(6):416~423

[11] 王光谦,刘家宏,李铁键. 黄河数字流域模型原理. 应用基础与工程科学学报,2005,13(1):1~8

[12] 刘家宏,王光谦,王开. 大流域数字高程模型数据管理系统. 清华大学学报,2004,44(2):1646~1649

[13] 刘家宏. 黄河数字流域模型. 清华大学博士论文,2005

[14] 冉大川,柳林旺,赵力仪,等. 河龙区间水土保持措施减水减沙作用分析. 见:旺岗,范昭. 黄河水沙变化研究(第二卷). 郑州:黄河水利出版社,2002

[15] 方秀琴,张万昌. 叶面积指数(LAI)的遥感定量方法综述. 国土资源遥感,2003,57(3):58~62

第9章 黄河流域河道演变的遥感分析

当今人类活动对河道演变的影响日益显著,目前黄河与自然状态下有很大不同,主要表现为:①虽然洪水次数和洪峰洪量偏少,洪灾较小,淤积和冲刷都相对减弱,但下游河道仍处于淤积状态,河床在不断抬高;②50年来在中上游修建的高坝大库的容积已等于并将要大于全河多年平均径流总量,具有巨大的径流和泥沙调蓄能力,从而在较大程度上改变了黄河的基本属性;③流域现代管理技术的应用和流域综合管理体制的建立,提高了流域科学管理水平。黄河的这些变化显然对黄河河道变迁具有较大影响。因此,本章重点利用遥感技术对宁蒙河段、小北干流、黄河下游游荡河段和河口三角洲近20多年的变化进行研究。

9.1 黄河内蒙古段河道演变

黄河内蒙古河段位于黄河上游下段和中游上段,总长度830 km,自宁夏石嘴山巴音陶亥入境至内蒙古准格尔旗马栅乡出境,有平原河流段516 km,山区河流段314 km,其中平原河流段三盛公至托克托,为不稳定河床,主要分布在河套平原、乌拉山山前倾斜平原及土默川平原的516 km段内。

内蒙古河套平原位于阴山山脉(包括狼山、色尔腾山和乌拉山)和鄂尔多斯高原之间,为一东西走向的洪积冲积平原,包括呼和浩特市区与郊区、和林格尔县、托克托县、土默特左旗、包头市区与郊区、磴口县、黄河南岸的杭锦旗等地,总土地面积2.81万 km²。

河套平原习惯上以乌拉特前旗之西山嘴为界。其西称为前套平原,是一西窄东宽的三角地带,地势由东北向西南倾斜,最低处是黄河沿岸一带;西山嘴以东为后套平原,地势由西南向东北倾斜,最低处在乌梁素海一带,东西长约200 km,宽达70~80 km,是黄河中上游最宽的冲积河谷平原,是内蒙古主要的农业区。本节通过遥感影像以及其他相关资料的集成分析研究,对河套平原的黄河河道演化及其对环境的响应进行探讨。

9.1.1 内蒙古河段平原河道及其环境特征

黄河河床的演变是挟沙水流与可动性河床相互作用,在相互制约下产生不停顿的变形运动。水流作用于河床,使河床发生变化,河床也作用于水流,影响水流动,两者是通过泥沙运动作纽带来达到和体现的。河床与水流是相互依存、相互影响、相互制约,永远处于变化和发展之中。

磴口至河口镇为平原宽谷河道,平原河道中,海渤湾至乌拉特前旗四科河头、包头至托克托县这两段河道蜿蜒曲折,黄河水流比较平缓,河流的下切作用微弱,河流侧蚀作用强烈,冲淘严重,两岸岩性又为疏松的二元结构地层,所以河床极不稳定。如磴口的永胜、临河的友谊、乌前旗的复兴大坝、包头市的南海子和新河口及托县的十二连城等,河流侧蚀作用都较强烈。乌拉特前旗四科河头至包头市这一段,虽然同处第四系不稳定地层,但因河道比较顺直,所以侧蚀冲淘都不太严重,河床相对比较稳定。

河道稳定除其自身条件之外,流域水沙也是非常重要的影响因素。磴口至河口镇河段河道水沙一方面受上游影响,另一方面,也受十大孔兑洪水输沙与乌兰布和沙漠东移入黄沙量的影响,因此分析该段河道演变时不能忽视它们的作用。

十大孔兑、库布齐沙漠及毗邻的砒砂岩地区,地处鄂尔多斯台地、黄河河套一带,黄河以北是阴山山脉,黄河以南是库布齐沙漠。库布齐沙漠与毛乌素沙漠的分水岭大致是杭锦旗—东胜—清水河一线,发育于分水岭以北的10多条洪水沟即十大孔兑,是鄂尔多斯台地汇入黄河的一级支流的泛称,它们与库布齐沙漠的走向垂直,入口广布于黄河流经的临河市南磴口县—包头南岸一线,东西延展长达370 km(图9-1)。

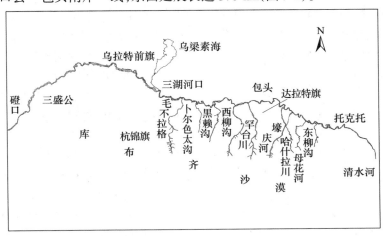

图9-1　黄河内蒙古段河势图

十大孔兑的分水岭海拔一般为1 500 m左右,支沟众多,沟道比降大,1 100 m以下逐渐进入黄河冲洪积平原。这十大孔兑自西向东依次是毛不拉格、卜尔色太沟、黑赖沟、西柳沟、罕台川、壕庆河、哈什拉川、母花河、东柳沟、呼斯太河等,它们流域形态相似,南北狭长,呈羽毛状。鄂尔多斯台地十大孔兑(即由南向北入黄河的山洪沟)上游属鄂尔多斯台地黄土丘陵沟壑区,是半农半牧区,丘陵起伏,沟壑纵横,地表坡度一般在40°左右,最大达70°。地表覆盖有极薄的风沙残积土,颗粒较粗,粒径大于0.05 mm的占60%左右。下伏地层有大面积砒砂岩出露,极易遭受侵蚀。各孔兑河槽窄深,河道比降约为1%,径流主要靠雨水和洪水补给,清水径流少;中游有库布齐沙漠横贯东西,面积2 762 km²。罕台川以西多属流动沙丘,面积1 963 km²,罕台川以东为半固定沙丘,面积为799 km²。当洪水流经沙漠河段时,含沙量进一步增大,粒径进一步变大;下游为洪积、冲积平原,地势平坦,土地肥沃,面积为2 833 km²。由于河道比降突然变缓(变为1/800~1/1 300),河槽变得宽浅,造成泥沙迅速淤积。如1976年在罕台川水泉坝以下修成的泄流量为2 000 m³/s的人工河道现已变成"地上河",河底高出两岸地面4 m多。

据中国科学院寒区旱区环境与工程研究所对《黄河磴口—河口镇段河道淤积泥沙来源分析及治理对策》分析研究成果,十大孔兑汛期4个月的水量占年水量的60%~80%,多年平均流量4.92 m³/s,多年平均沙量2 710万t,含沙量175 kg/m³。洪水由暴雨形成,由于发源地与黄河落差400~500 m,河道比降大,洪水陡涨陡落,水大沙多,一次洪水输沙模数可达 3 万 ~ 4 万 t/km²,有时是毁灭性极大的高含沙水流。

上述两方面因素共同作用的结果使黄河水流挟带大量泥沙,造成河道淤积,随着多年的变化,滩地扩大,在洪水期,洪水冲刷滩地,形成多股汊流,汊流变为主流,导致原来的主槽淤积,如此循环,加剧了河道的不稳定性。

9.1.2 近几十年河势变化

河势变化主要受河道条件和来水来沙因素影响。本段黄河是加积河床,在未受到人类活动的影响时,黄河基本上是自由发展,内蒙古段河道处于微淤状态。据位于后套的巴彦高勒(磴口)和三湖河口水文站观测,1952 ~ 1961 年磴口到三湖河口河段每年淤积 0.374 亿 t。20 世纪中叶以后,在黄河两岸修建了大堤,以防止洪水泛滥,从而影响了该河段的水沙条件,使河道的冲淤环境发生了变化。上游干流工程在运用初期有明显的拦沙作用,下泄水流含沙量降低,使其下游河道在一定范围内产生冲刷。随着枢纽淤积量的增加,其拦沙作用逐渐减小,对其下游河床的冲刷作用也逐渐减弱,从而使内蒙古河段处于淤积状态。如在龙羊峡水库等一系列干流工程使用之后(1987 ~ 2000 年),据观测站资料,该河段每年淤积 0.21 亿 t,黄河河床仍不断淤积抬高(其中巴彦高勒黄河断面 1973 年以来淤高近 3 m),断面面积日趋减小。

黄河内蒙古段由于流经黄土高原及沙漠边缘,河水含沙量剧增,致使河床落淤抬高,河身逐渐由窄深变为宽浅,坡度变缓,河道中浅滩弯道叠出。对比 20 世纪 70 年代的河势与 90 年代的河势,可明显看出水利枢纽工程的作用。1986 年龙羊峡水库投入运行后,控制了上游来水,洪水来量减少,水流挟沙能力减弱,河道内主槽淤积严重,由原侵蚀性河型转化为淤积性河型。由于该段河床淤积,结果主槽过水断面缩小了 40% ~ 60%,致使同一流量水位升高,如三湖河口站 1986 ~ 1989 年 1 000 m³/s 流量的水位较 1986 年以前上升 0.55m,汛期流量 2 000 ~ 2 500 m³/s 的水位相当于原 3 500 ~ 4 000 m³/s 的流量水位。每当上游来水忽大忽小时,河道内没有一个固定主槽流线,主流左右摆动,顶冲点上提下挫,造成原河段、滩地、堤岸、控导护岸工程冲刷频繁。如乌拉特前旗的四科河头、南河头等险工段冲刷都比较严重。同时由于三盛公枢纽蓄水灌溉和拦河闸泄水冲沙,闸下游主流线变化频繁,河道主槽变为弯曲,在弯道环流的作用下,引起横向挟沙不平衡,流向凹岸的表层水流挟沙少,造成凹岸冲刷和凸岸淤积,弯道河岸的冲淘使河型转化。

图 9-2 和图 9-3 是根据 70 年代末期到 2000 年 MSS 和 TM 遥感影像得到的磴口到乌拉特前旗和乌拉特前旗到托克托段河势变化图。70 年代末期,磴口水面宽度为 0.51 km,90 年代初期,磴口水面宽度为 0.34 km,2000 年磴口水面宽度为 0.34 km,磴口水面宽度在上游水利枢纽工程投入使用后水面宽度变窄,并基本稳定。从磴口往下到乌拉特前旗段,70 年代末期,河道弯曲系数为 1.42,主河道水面宽度为 1 km 左右,河道分汊较多,有些地方有两三个主要汊路,河道中心滩、河漫滩较多,反映出河道处于淤积状态;80 年代末期,河道弯曲系数为 1.45,水面宽度主要为 0.45 km 左右;2000 年河道弯曲系数为 1.51,水面宽度大多在 0.4 km 左右,心滩和河漫滩仍然集中在磴口至乌拉特前旗河段。这主要是由于水利枢纽工程的投入使用,改变了流域水沙条件,使河道过水断面逐渐变窄。

从乌拉特前旗到托克托段,70 年代河道弯曲系数为 1.45,水面宽度大多在 0.7 km 左右,在河湾冲顶处最大可达 1.44 km;80 年代河道弯曲系数为 1.49,水面宽度大多在 0.5

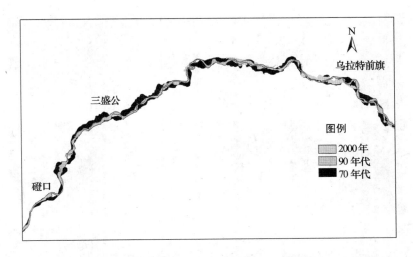

图 9-2　内蒙古前套平原磴口到乌拉特前旗河段 70 年代末期到
2000 年河势变化图

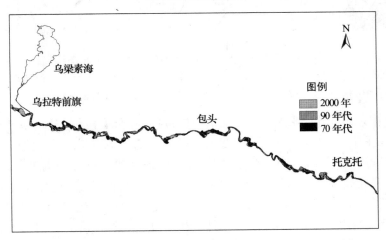

图 9-3　内蒙古后套平原乌拉特前旗到托克托河段 70 年代末期到
2000 年河势变化图

km 左右,在河湾冲顶处最大可达 1.13 km;2000 年河道弯曲系数为 1.51,水面宽度大多在 0.4 km 左右,在河湾冲顶处最大可达 1 km。但该段河道比前套河段河漫滩、心滩明显减少,且同一时期水面宽窄变化不大。这反映出在上游水利工程的影响下,河道弯曲系数增大,萎缩性增强。

　　总体看来,从磴口到河口镇河段河势总体向萎缩方向发展,其中上段游荡性增强,下段弯曲萎缩加快。图 9-4 为前套永胜河段河势变化图。从图中可看出,从 70 年代末期到 2000 年,该段河道有较强的游荡性,并且出现了"斜河"、"横河",河道左右摆动,河道主流主要往北偏移,该段河道易顶冲淘岸,河势极不稳定。这是因为河水流量、流速的变化,导致泥沙在该段的淤积,形成了河心滩、河漫滩,河心滩形成后使河道加宽或主流改道,对岸坡造成破坏,从而使该段河道有较强的游荡性。

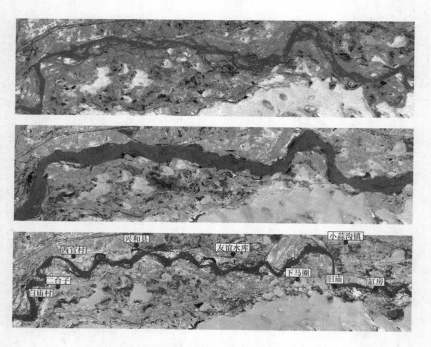

图 9-4　内蒙古前套地区磴口永胜河段河势变化图

（依次为 1977 年 9 月 22 日、1988 年 8 月 24 日和 2000 年 6 月 11 日遥感图像，

石嘴山相应时段日均流量分别为 1 060 m³/s、897 m³/s 和 705 m³/s）

从图 9-4 中还可看出，河漫滩主要是从凹岸侵蚀，在凸岸沉淀，其结果使河滩逐步向凹岸推移，迫使凹岸后退，岸坡后退，引起河势发生变化，主流左右迁移，使河床左右摆动，河床拓宽。如图中磴口永胜不稳定河段，从 70 年代到 2000 年向左岸淘进了大约 1 500 m。

图 9-5 为乌拉特前旗四科河头至包头市河段河势变化图，该河段河道相对较顺直，河床相对比较稳定。从 70 年代到 2000 年，河势没有大的变化，只是在 1986 年龙羊峡大型水利枢纽工程投入使用后，由于流域水沙条件发生了变化，结果河道弯曲度增加了。同时，由于流量减小，河道变窄了。

图 9-6 为包头至托克托河段河势变化图，从图中可以看出，该河段河道极不稳定，河道变化频繁。黄河河道频繁摆动的原因是黄河水沙流量在年内季节性变化剧烈，汛期平均流量常在 1 500～2 500 m³/s 之间变化，而枯水季竟减至几十个流量，由于河水流量涨落，引起主槽摆动。在一般情况下"落水（顶冲点）上提，涨水下挫"。另外，在龙羊峡多年调节水库运用后，年内水量分配调平增大，水库蓄水及沿程工农业用水量增加，进入内蒙古段的水量减少，较大流量发生的频次减少，使平滩流量减小，水流挟沙能力降低，即使年输沙量减少的幅度比年径流量减少的幅度大，仍然导致河槽淤积。支流十大孔兑泥沙汇入黄河，加重了该段黄河河床的淤积程度。河床淤积后，进而引起滩岸变化，使河道平面摆动幅度加大。

对该段黄河影响较大的支流主要有呼和浩特市大黑河、包头昆都仑河，特别是伊盟的十大孔兑，以洪水集中、含沙量大而著称。在洪水期，由于山洪量大、峰高、含沙量大，多在山沟入黄河口处淤积形成三角洲,迫使黄河主流绕过三角洲成弯道。当三角洲不断延伸和改变时,便引起黄河主槽的摆动,对原有岸坡造成破坏。将该段河道的多年遥感图像套叠在一起,可明显看出,十大孔兑造成了河道向北推进,从图上量测,十大孔兑入河口从1976年至2000年向北推进了0.3～1.5 km。

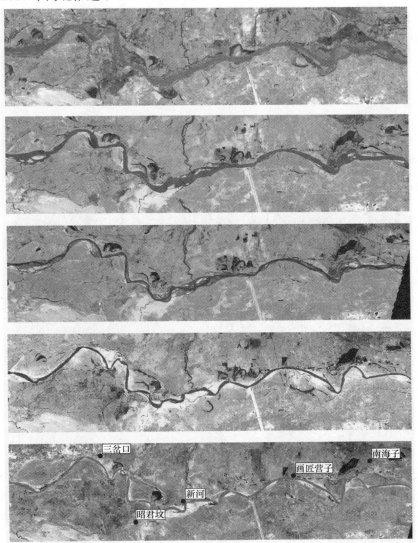

图9-5　黄河内蒙古乌拉特前旗四科河头至包头河段河势变化图
(依次是1979年9月1日、1990年8月13日、1991年8月7日、2000年6月13日和2000年11月11日遥感图像,相应时段日均流量分别为1 910 m³/s、925 m³/s、418 m³/s、257 m³/s和343 m³/s)

依据多年遥感图像进行河势变化分析,表明该段河道在水沙和边界条件作用下,河势变化有它一定的规律。如"南湾北滩、南滩北险、弯道后退、滩尖前伸"等,这是弯道水流特性,在弯道环流作用下,泥沙横向挟沙不平衡所致,造成凹岸发生冲刷,凸岸发生淤积。弯曲性河道及过渡性河道水流顶冲点位置"上提下挫"也有一定的规律,一般是"小水上提入弯,大水下挫冲岸"。弯道曲率半径与流量成正比,体现"小水上提、大水下挫"的规律。另外,从图上还可以看出,上下弯道是相互影响的,"一弯变,弯弯变"。

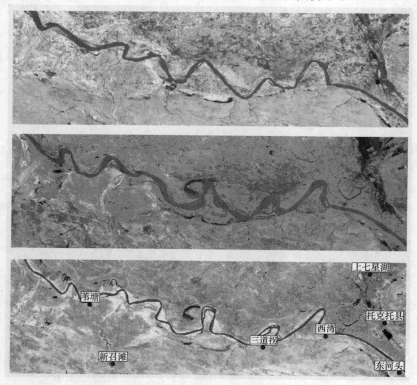

图9-6　包头至托克托河段河势变化图

(依次为1976年6月26日、1990年8月13日和2000年6月13日遥感图像,头道拐相应时段日均流量为610 m³/s、925 m³/s和257 m³/s)

此外,河套平原地区的乌梁素海是引黄灌溉的结果。由于河套地区的开垦与引黄灌溉的发展,大量退水涌入乌加河,在其尾闾部分形成了一个水面十分广阔的乌梁素海。据70年代MSS遥感资料分析,南北长35 km,东西宽11 km,水面为2.49万hm²,90年代据TM影像分析水面为3.296万hm²,南北长39.7 km,东西宽13 km;2000年水面为3.47万hm²,南北长40.4 km,东西宽13.2 km。这反映出黄河引水量从70年代后有所增加,从而使乌梁素海面积有所加大。

总之,黄河上游水沙异源,径流主要来自兰州以上,泥沙主要来自兰州以下。如果兰州以上来水分配调平的格局没有大的改变,兰州以下的泥沙短期内不能明显减少,则内蒙古段河道当前的淤积趋势不会改变。淤积逐步由主槽向滩地发展,随着滩槽差逐渐减小,该段上游河流摆动加剧,平原河流将逐步发展成"地上河",其下游段将逐步萎缩。

9.1.3　水沙变化特征

黄河流域水少沙多,水沙异源,黄河上游也存在水沙异源现象,黄河上游水量的98%

来自兰州以上,54%的泥沙来自兰州以下,内蒙古段黄河水沙变化主要取决于兰州的水量变化。1968年10月刘家峡和1986年10月龙羊峡两座大型水利枢纽分别投入运用后,对兰州以上水量分配的影响较大。1961年3月以前,黄河内蒙古段的来水来沙及河床调整主要受引黄灌溉的影响,随着盐锅峡、三盛公、青铜峡、刘家峡及龙羊峡等一系列干流水利枢纽的相继投入运用,内蒙古段来水来沙及河床发生了较大幅度的调整。1969年和1987年可视为内蒙古段水沙变化的拐点。依此,将有记录以来主要水文站的水沙资料划分为1952~1968年(17年),1969~1986年(18年),1987~1997年(11年)三个时段进行研究。表9-1为黄河上游水文站水沙资料统计表[1]。

表9-1　黄河上游水文站水沙资料统计

水文站	时段/年份	水量(亿 m³)			沙量(亿 t)			含沙量(kg/m³)		
		汛期	非汛期	年	汛期	非汛期	年	汛期	非汛期	年
兰州	1952~1968	208.72	132.51	341.42	1.031	0.164	1.197	4.94	1.24	3.51
	1969~1986	170.58	156.36	326.93	0.426	0.077	0.504	2.50	0.49	1.54
	1987~1997	112.83	156.09	268.94	0.395	0.113	0.508	3.50	0.73	1.89
下河沿	1952~1968	210.16	129.48	339.65	1.887	0.252	2.139	8.98	1.95	6.30
	1969~1986	171.66	152.01	323.67	0.911	0.182	1.093	5.31	1.20	3.38
	1987~1997	109.07	148.43	257.50	0.692	0.194	0.887	6.34	1.31	3.44
石嘴山	1952~1968	200.48	115.60	316.05	1.645	0.362	2.008	8.20	3.10	6.35
	1969~1986	172.44	133.46	295.78	0.714	0.259	0.972	4.14	1.94	3.29
	1987~1997	102.80	130.37	233.15	0.622	0.311	0.932	6.05	2.39	4.00
三湖河口	1952~1968	162.77	90.23	252.99	1.210	0.157	1.367	7.43	1.74	3.66
	1969~1986	132.84	111.58	244.42	0.547	0.162	0.709	4.12	1.45	2.35
	1988	58.05	92.29	150.34	0.161	0.092 3	0.253	2.78	1.00	1.60
头道拐	1952~1968	165.40	97.62	263.15	1.448	0.314	1.764	8.76	3.22	6.70
	1969~1986	129.86	108.52	238.39	0.868	0.231	1.099	6.69	2.12	4.61
	1987~1997	67.05	100.90	167.96	0.298	0.173	0.471	4.45	1.71	2.80

分析表9-1和图9-7、图9-8认为:①各时段的来水来沙量逐渐减少,来沙量减少幅度大于来水量减少的幅度;②水量年内分配发生变化,汛期水量减少,非汛期水量增加,沙量的年内分配变化不大,由于沙量减少幅度大于水量,汛期、非汛期、年平均含沙量均小于河道天然情况;③兰州至石嘴山河段表现为基本冲淤平衡,石嘴山至河口镇河段有冲淤交替现象,石嘴山到三湖河口表现为淤积,三湖河口到河口镇表现为冲刷,总体看整个平原河道河段表现为淤积;④石嘴山至河口镇河段天然情况下属于淤积型河段,1952~1968年平均年淤积量0.244亿t,刘家峡水库蓄水后拦沙、下泄清水,虽然年来水量较天然(1952~1968年)减少7%~10%,汛期水量减少14%~21%,该河段表现为微冲或基本冲淤平衡,龙羊峡水库蓄水后适逢较长时段的枯水期和区间用水量增加,年水量较天然减少26%~36%,汛期水量较天然减少更多,虽然年沙量较天然减少54%,汛期沙量减少51%,河段仍表现为明显的淤积,显然淤积不仅与年水量分配变化有关,水量减少更是造成该河段泥沙淤积的主要原因。这与遥感图像上所看到近年河道摆动加大、心滩和边滩数量增多是

一致的,说明由于水利工程的影响,在减少来沙量的同时也减少了来水量,从而使河道仍表现为淤积。

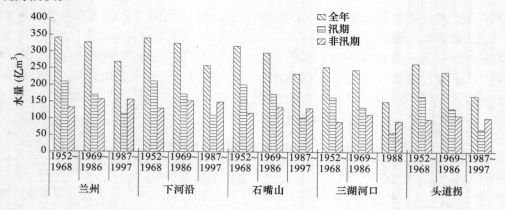

图 9-7 黄河上游水文站 1952~1968 年、1969~1986 年及 1987 年后
三个时段全年、汛期、非汛期来水量

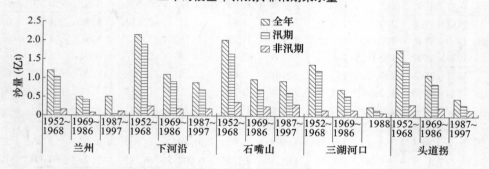

图 9-8 黄河上游水文站 1952~1968 年、1969~1986 年及 1987 年后三个
时段全年、汛期、非汛期来沙量

9.2 黄河小北干流及渭河下游河道演变

9.2.1 小北干流河道基本特征及近 20 年河道演变

小北干流是指黄河禹门口至潼关河段,全长约 130 km,河道平均宽度 9 km 左右。河道比降上陡下缓,河段平面形态呈中间较窄、上下两段较宽的哑铃状。区间较大的支流有汾河、渭河等,其中汾河在河段的上部汇入,渭河在该河段的下部潼关附近汇入。根据河道特性,小北干流可分为上、中、下三段。上段为禹门口至庙前河段,长度为 42.5 km,河宽为 4~13 km,平均比降 0.494‰;中段为庙前至夹马口河段,长度为 30.0 km,河宽为 3~5 km,平均比降为 0.470‰;下段为夹马口至潼关河段,河宽为 3~18 km,平均比降为 0.310‰。

黄河出禹门口后,河道骤然变宽,在抗冲性较好的河段如大石嘴、夹马口、潼关等处,河床束窄,结果使得小北干流河段宽窄相间分布。由于该段河床宽浅,为黄河主流在平面上的游荡提供了条件,造成黄河水流散乱多变,主流游荡摆动频繁,冲滩塌岸,素有"三十年河东,三十年河西"之说,所以,该段河道具有典型的游荡型河道"宽、浅、散、乱"及主流迁徙不定的特点。

小北干流河段的水沙主要来自干流龙门以上,水量及长时段的洪量主要来自上游河口镇以上,沙量主要来自河口镇至龙门区间,水沙量集中于汛期。龙门以上洪峰主要来源于河口镇至龙门区间支流,通常由暴雨形成,暴雨中心常在皇甫川、窟野河、无定河等支流的中、下游,暴雨较集中,强度较大,面积较广,历时较长。由于该区间干支流流经著名的黄土高原,加之地形破碎,坡度较大,植被覆盖度低,土壤抗蚀力差,致使龙门的洪水含沙量较大,暴涨暴落,且集中发生在7月中旬至9月上旬,尤以8月份为多。因此,小北干流河段来水来沙的主要特点是水沙年内分配不均、年际变化大、水沙异源。

在天然情况下,该河段仍处于淤积状态。根据三门峡建库前的实测资料,采用输沙率法分析,得出小北干流段1950~1960年的年均淤积量为0.88亿t。三门峡水库自1960年9月建成至今,水库经历了蓄水拦沙、滞洪排沙以及蓄清排浑控制运用三个时期。1960~2001年小北干流河段共淤积泥沙25.1亿 m³,年均淤积0.612亿 m³。在三门峡建库后至1973年10月,由于受水库淤积上延的影响,小北干流河段大量淤积,该时期共淤积泥沙18.54亿 m³,其中黄淤41~45断面淤积3.87亿 m³,黄淤45~50断面淤积6.73亿 m³,黄淤50~59断面淤积3.76亿 m³,黄淤59~68断面淤积4.19亿 m³,淤积主要集中在黄淤45~50断面,其淤积量占整个河段淤积量的36.3%,这是三门峡水库蓄水,潼关河床淤积抬高的结果。在此期间,小北干流的淤积形式主要表现为溯源淤积。

1973年10月~1986年10月,由于三门峡水库采取合理的运用方式和有利的来水来沙条件,该河段泥沙淤积较少,仅为0.093亿 m³,冲淤基本平衡。淤积最多的是黄淤50~59断面,其次为黄淤59~68断面,而黄淤50断面以下发生冲刷。1986年10月以来,由于黄河上游龙羊峡、刘家峡两库的联合运用,改变了进入小北干流的年内水沙分配,汛期水量显著减少,非汛期水量变化不大。期间小北干流共淤积5.9亿 m³,年平均淤积量明显增加,与1973年前相比,此时小北干流的淤积部位和淤积形式发生了变化,淤积部位主要集中在黄淤59~68断面,淤积形式由原来的溯源淤积转为沿程淤积。

黄河小北干流历史上就是堆积性游荡型河道,各段河道都有大规模变迁,河势变化不定,主流东游西荡,特别是随着环境的变化,河道演变更趋激烈。下面主要依据遥感图像来分析小北干流20多年的河势变化。图9-9为小北干流汾河入黄口20多年来河势变化图。从图中可以看出,从70年代到2000年,主流摆动幅度较大,河床冲淤变化迅猛,鸡心滩、沙洲遍布,汊道众多。黄河支流也对黄河主流有较大影响,图中的汾河位于小北干流东岸,属间歇性河流,由于来水来沙变幅大,其入黄口位置在这20多年也发生了较大变化,70年代入黄口在万荣县庙前,到2000年,入黄口则下移了12 km。同时由于水利工程的影响,小北干流主河槽也向萎缩方向发展,并形成多股主河道(2000年5月21日遥感图像)。同时,还可看出,在流量较大时,流路相对比较集中,当流量较小时,则流路分散。

图9-10中左边一列图为小北干流大荔县河段河势变化图。从图中可看出,河道主流左右来回摆动,滩岸在不断变化,从70年代到2000年,水流散乱多变,心洲、浅滩密布,主槽不断迁徙位移,并且河段主槽淤积,淤积速度较快,萎缩严重,主槽过流面积日益减小。造成这种现象的原因是下游三门峡水库的高水位运行,潼关河床抬高,使得流速变缓,挟

沙能力减弱,结果使得泥沙淤积速度加快,仅 1986 年 10 月 ~ 1993 年 10 月该段河床即淤积 4.035 亿 m³,年均淤积厚度约 0.1m。由于河道主槽淤积严重,小北干流平滩流量与历年相比显著减小,平滩流量由 20 世纪 90 年代的 4 000 ~ 6 000 m³/s 减小到 2003 年汛前的 2 000 m³/s 左右,河道行洪能力大为削弱。

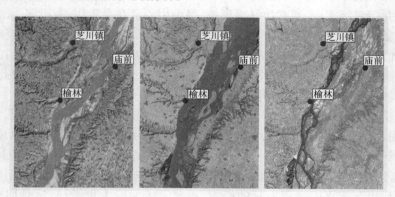

图 9-9　小北干流汾河入黄口段河势变化图

(依次为 1978 年 9 月 23 日 MSS 图像、1990 年 8 月 22 日 TM 图像和 2000 年 5 月 21 日 ETM 图像,相应时段三门峡流量分别为 4 090 m³/s、1 740 m³/s 和 57 m³/s)

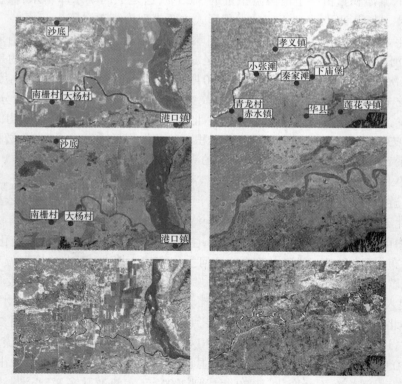

图 9-10　小北干流大荔县河段、渭河入黄口及渭南到华县段河势变化图

(从上到下依次是小北干流、渭河入黄口和渭南到华县河段 1977 年 4 月 10 日 MSS 图像、1990 年 8 月 22 日 TM 图像和 2000 年 5 月 21 日 ETM 图像,相应时段三门峡流量分别为 910 m³/s、1 740 m³/s 和 57 m³/s)

9.2.2 渭河下游河道基本特征及近20年来河道演变

渭河是黄河的最大支流。渭河下游从咸阳铁路桥以下至潼关河段,长约216 km,其中咸阳至耿镇河段长约38 km,该河段比降0.65‰,河宽1.2~1.5 km,为游荡性河段;耿镇至赤水河口长约70 km,河宽1.0~3.0 km,比降0.14‰~0.5‰,为过渡性河段;赤水河口至渭河口长约103 km,河宽2~3.3 km,比降0.07‰~0.14‰,为弯曲性河段(图9-11)。渭河下游支流汇入较多,北岸支流多为多沙河流,有泾河、石川河和北洛河等,南岸支流多为少沙河流,有发源于秦岭北麓的沣河、灞河、尤河、罗夫河等。

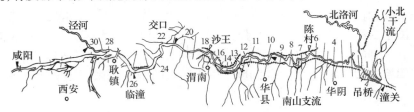

图9-11　渭河下游河道示意图

渭河下游水沙来源于渭河干流、泾河、北洛河和南山诸多支流,主要来自渭河干流和泾河。从多年平均来看,咸阳水量占华县水量的62%,张家山占18%;咸阳沙量占华县沙量的38%,张家山占61%。由此看出,渭河下游水量主要来自渭河干流咸阳以上,沙量主要来自泾河。渭河下游水沙年内分配不均衡,水沙主要集中在汛期,汛期又集中于几次洪水过程。汛期水量占年水量的60%以上,沙量占年沙量的85%以上。可见,渭河下游不仅水沙异源,经常出现高含沙水流,是多泥沙河流的汇流区,而且还是三门峡水库回水影响区,因此水流条件十分复杂,河道冲淤变化非常剧烈。

潼关位于黄河、渭河、洛河三河汇流区的出口,是黄河在晋陕间自北向南流动而后东折的扼制点,因此潼关河床高程实际上是黄河、渭河及洛河三条河流的侵蚀基准点,潼关河床高程变化对黄河小北干流、渭河下游及洛河下游的河床冲淤变化起着至关重要的作用。

在三门峡水库建库前,渭河下游按照其自身的河床演变规律建立了以潼关河床为侵蚀基准面,与来水来沙相适应的稳定河型。渭河下游的平面形态在泾河汇入口段河道较宽,并有心滩,汇入口以下逐渐过渡到蛇曲蜿蜒的河型汇入黄河。华县以下断面形态由深槽、嫩滩、高滩组成复式断面,华县以上仅由深槽和滩地组成单一断面。在建库前的2 500年间,渭河下游河道是一条缓慢上升的微淤或基本平衡的河道。

在三门峡水库建库后,渭河下游遭受了大量的泥沙淤积,河床演变基本上是以淤积为主的单一化方向发展。截止到2001年汛末,渭河下游泥沙淤积总量已达13.09亿 m³,淤积范围已波及到咸阳铁桥附近。在三门峡建库初期(二期改建前),渭河下游泥沙淤积比较严重;在二期改建期,随着水库枢纽泄流排沙能力的加大及水库运用水位的降低,渭河下游的泥沙淤积速度有所减缓;在1973年汛后,三门峡水库改为全年控制运用,渭河下游有冲有淤;进入90年代后,由于水沙条件的变化,渭河下游泥沙淤积发展迅速,导致了渭河下游防洪问题日益严重,主要表现在以下两个方面[2~4](李杨俊,1998;唐先海,1999;陈建国,2002)。

（1）下游河道萎缩，主槽过洪能力锐减，同流量的常水位和洪水位普遍抬高。在三门峡水库建库前，渭河下游的主槽过洪能力一般为 4 500 ~ 5 000 m³/s；在三门峡水库建库后，随着潼关高程的抬高及渭河下游泥沙淤积的不断发展和淤积重心的不断向上延伸，其主槽过洪能力不断衰减；尤其是近些年来，潼关高程和渭河下游泥沙淤积发展迅速，主槽过洪能力锐减。截止到 1995 年，主槽过洪能力达到最小，华县河段仅为 800 m³/s，临潼河段主槽过洪能力也降至 3 520 m³/s，这是三门峡水库建库以来所未有的现象。至 2002 年汛后，华县断面的主槽过洪能力为 1 800 m³/s，临潼断面的主槽过洪能力为 2 000 m³/s。渭河下游河道萎缩，过洪能力降低的直接后果就是渭河下游同流量洪水位普遍抬高。1943 年华县发生洪水 3 470 m³/s，华县洪水位为 337.36 m，1996 年，华县洪峰流量 3 500 m³/s，洪水位 342.25 m，同流量水位抬高约 4.89 m（表 9-2）。由于洪水位的急剧抬高，渭河下游的防洪工程体系防御标准大大降低，加剧了中小洪水的灾害，南山支流近些年来连续出险成灾就是有力的例证。

表 9-2　同流量下的华县站水位变化

年份	华县水位(m)	华县流量(m³/s)
1943	337.36	3 470
1974	340.13	3 150
1980	340.35	3 770
1990	339.24	3 250
1996	342.25	3 500
2003	342.76	3 570
2003 年与 1943 年相比	+ 5.40	

（2）河道滞洪时间延长。据临潼和华县站实测洪峰相关资料分析，1985 年以前洪峰传播时间约为 9 h，1986 ~ 1994 年为 12 h，1995 ~ 1996 年增加到 21 h 左右；洪峰削减率由 1985 年前的 15% 增加到 1994 年的 40%。如 1995 年 8 月 7 日临潼站 2 550 m³/s 洪峰流量，到达华县站削减为 1 450 m³/s，削减率达 43%，洪峰传播时间为 21.5 h，较前期正常情况增加了 11 h。

渭河下游堤防临背差加大，地下河变为"悬河"。三门峡水库兴建前，渭河下游属于地下河，从未设过堤防，渭河两岸也从未遭受过洪水威胁。而三门峡水库修建后，渭河下游不仅修建了防护大堤，而且随着库区泥沙淤积的不断发展，渭河下游滩面不断抬高，堤防也越修越高，使渭河逐渐由地下河沦为"悬河"。截止到 1999 年，华县以下河段的临背差为 3 ~ 4.4 m，华县至临潼河段的临背差为 2 ~ 3 m，在咸阳至西安河段临背差达 1.5 m。

河势变化复杂，随着泥沙淤积，河势日益恶化。从图 9-10 中可以看出，在渭河入黄口至华阴河段及渭南至华县河段，自 70 年代到 2000 年，主流摆动频繁，更由于河道内泥沙淤积和河床抬升，使原来的一些天然节点失去了控导河势的作用，顶冲点变化，引起主河槽摆动，在一些河段出现"S"形河势或"横河"、"斜河"，主流顶冲点不断变化，河湾不断上提下挫，结果"S"形河势和横河数量和弯曲程度呈增加趋势，造成河长和阻力增加，使得洪水位抬升，洪水传播时间拉长，水流挟沙能力降低，影响防洪安全。从图中还可看出，过水断面也日益缩小,2000年更甚。

图9-12为渭河下游泾河、灞河入渭河段河势变化图,从图中可以看出,自70年代到2002年,渭河主流在河道来回摆动,并且向弯曲萎缩方向发展,在2002年河势图上最为明显。在泾河入渭河口段形成较多心滩,这是由于泾河来沙占华县站沙量的61.5%,其悬沙粒径较渭河粗。泾河的推移质量每年200多万t,从而在泾河汇河口段形成心滩。

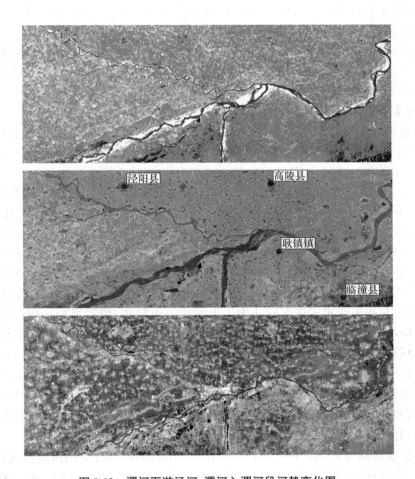

图9-12 渭河下游泾河、灞河入渭河段河势变化图

(从上到下依次为1977年4月10日MSS图像、1988年8月23日TM图像和2002年6月3日ETM图像,
相应时段三门峡流量分别为910 m³/s、2 670 m³/s和535 m³/s)

9.3 黄河下游河道演变

9.3.1 黄河下游河道基本特征

黄河下游是黄河流域的主要沉积区,该段河道的基本特征是水势平缓,河道宽、浅、散、乱,泥沙淤积严重,结果河床抬高形成了著名的"地上悬河"。根据其河型特征,下游孟津白鹤镇至河口河道可分为4个不同特性的河段:①孟津白鹤镇至山东东明高村,河道长

300余 km,堤距宽一般 5 ~ 10 km,最宽达 20 km,河道比降 0.265‰ ~ 0.172‰,弯曲系数 1.15,河道淤积严重,为典型的宽、浅、散、乱的游荡性河型,平面形态极不稳定;②高村至阳谷陶城铺,河道长约 165 km,堤距宽 1.4 ~ 8.5 km,大部分在 5 km 以上,河道平均比降 0.115‰,弯曲系数 1.33,属游荡性向弯曲性转变的过渡性河段;③陶城铺至垦利宁海河段,河道长约 320 km,堤距宽 0.4 ~ 5 km,一般 1 ~ 2 km,河道平均比降 0.1‰,弯曲系数仅为 1.21,属弯曲性河型;④宁海至入海口,河道长 92 km,属河口段,处于淤积—延伸—摆动—改道的循环变化中。

黄河下游河道为复式断面,由主槽和滩地组成。兰考东坝头以下有二级滩地,以上有三级滩地。一级滩地和枯水河槽合称为主槽。主槽是水流的主要通道,二级滩地在大洪水及部分中等洪水时才漫滩过流。

9.3.2 近几十年黄河下游河势变化

黄河是世界上河势演变最为复杂的河流。人们对下游的河势变化做过大量研究工作,揭示出了其河势变化的一些基本规律。如河势演变向下游传递,在演变过程中,河段内存在 2 ~ 3 条基本流路;游荡性河段的主流摆动强度大;上下游弯道演变具有对应关系,大部分弯道为上下游弯道靠溜部位同向变化,少部分弯道为上下游弯道靠溜部位反向变化;流量变化影响河势演变,"小水上提、大水下挫","小水坐弯、大水趋中","涨水下挫、落水上提",长期枯水会出现连续畸形河湾等。所以,本部分内容在前人对黄河下游河势变化研究的基础上,重点依据近 20 多年的遥感图像来简单分析一下黄河下游河势的变化。

本节主要收集了黄河下游 70 年代到 2001 年的部分遥感图像,从遥感图像上分析水系和边滩、心滩和沙洲等的变化。从多年遥感图像上分析可以看出,黄河下游总的河势变化十分复杂,从小浪底水库往下到艾山以上河段河道较宽,两岸堤距一般宽达 10 km,窄处也有 5 km,黄河在这一段河道内左右游荡,有时合成一股,有时又分成许多汊流,河中沙滩星罗棋布,串沟互相交错,流向紊乱不定,滩岸变化复杂,从总量上看,北岸形成的边滩多。从山东东阿县艾山以下,河道变窄,属于弯曲性河段。从垦利宁海以下属河口段,河道摆动频繁,1976 年前黄河走神仙沟、刁口河,1976 年后改道清水沟,清水沟河道长度不断增加,西河口到河口门的距离,1976 年是 37 km,1992 年达 64 km,1996 年于清 8 改汊,从西河口到汊道口,河道长约 57 km。

从河道摆动强度看,刚出峡谷的孟津断面摆动范围较小,往下的游荡性河段摆动强度则较大,一次洪峰中线摆动幅度一般平均每天为几十米到上百米,速度惊人;在高村至陶城铺的过渡性河段平均每天为几十米。图 9-13 为黄河孟津至花园口段 70 年代至 2000 年的主河道河势变化图,图 9-14 是东坝头至高村段 70 年代至 2000 年的主河道河势变化图。从图中可看出,在游荡性河段河道摆动范围较大,而进入弯曲性河段后主流的摆动强度则减小,图 9-15 为黄河下游艾山至泺口段 70 年代末期至 2000 年的主河道河势变化图,该段属弯曲性河段,从图中可看出,其摆动幅度年际变化较小,2000 年与 90 年代初期相比,仅在部分位置有所变化,与 70 年代相比,只是河道萎缩了。可见,游荡性河段主流的摆动不论是每天的摆动强度,还是每年的摆动幅度都是很大的。这是因为:①游荡性河段主支汊交替,多为数股并行,由于河槽的淤积,主汊河底抬升,当流量增大后,原支汊过流能力加

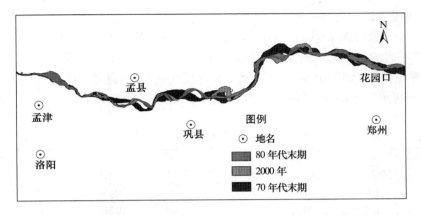

图 9-13 黄河孟津至花园口段 70 年代至 2000 年主河道河势变化图

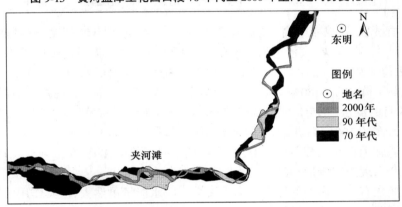

图 9-14 黄河下游东坝头至高村段 70 年代至 2000 年的主河道河势变化图

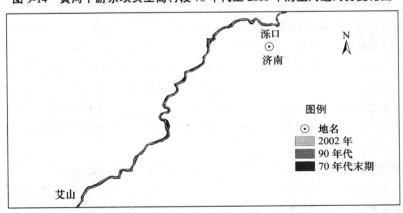

图 9-15 黄河下游艾山至泺口段 70 年代末期到 2002 年主河道河势变化图

大变成主流;②洪水期低滩拉槽成为主河槽,对于主流线曲度大的河段遇漫滩洪水时,沿滩地拉出一条流程短的串沟,沟面扩宽、冲深发展为主河道;③滩地易冲塌,游荡性河段的泥沙颗粒粗,含黏量小,抗冲能力低,坍塌速度快;④上段河势多变,造成来溜方向改变频繁,引起本河段主流摆动幅度加大。

综观整个下游从 70 年代到 2000 年的遥感图像,最明显的特点是河道萎缩严重,从小浪底至出峡谷后的孟津断面近 20 多年变化不大,但之后的河道则明显表现为萎缩。表 9-3 为从遥感图像上量测的黄河下游河道水面宽度变化情况,从表 9-3 中可看出,从 70 年代到 2000 年河道过水面积在缩小,下游河道表现出逐步萎缩,这表明下游河道发生了严重的淤积。

表 9-3　黄河下游河道水面宽度变化　　　　　　　　　　　　（单位:km）

时间	断面						
	花园口	夹河滩	高村	孙口	艾山	泺口	利津
70 年代	4.648	2.186	1.210	0.717	0.558	0.829	0.412
80 年代	2.008	1.510	0.671	0.464	0.345	0.700	0.221
2000 年	1.921	0.435	0.341	0.416	0.251	0.310	0.215

由于主槽淤积,导致滩槽高差缩小,主槽缩窄变浅,河道出现萎缩,行洪能力大大降低,出现“小洪水、高水位、大漫滩”的现象。如 1998 年 7 月,花园口站的洪峰流量 4 700 m³/s,相应水位达 94.38 m,比 1958 年洪峰流量 22 300 m³/s 时的水位还高 0.56 m。河道行洪能力较以前下降 70% ~ 80%。中常洪水常出现“横河”、“斜河”等现象,工程屡屡出险。如 1996 年 8 月的洪水(花园口洪峰流量 7 860 m³/s),黄河下游发生险情 5 280 次,比历史上记载次数最多的 1964 年(花园口洪峰流量 9 430 m³/s)还多 980 次。

从多年遥感图像对比分析可以看出,长期枯水对河势变化有较大影响,在特定的河床边界条件下会出现连续畸形河湾。

对河道变化有较大影响的往往是中水流量。洪水能量虽然大,但其作用时间短,有时来不及改变流路,洪水期即已过去;小水行流时间虽然长,但水流能量小,造床作用弱,一般不会造成河势的巨变。在洪水、中水、枯水交替出现的过程中,中水流路往往适应能力最强:发生漫滩洪水时,随着流量的减小,水流归槽后,基本还沿中水流路行流;枯水期,在弯道段流线弯曲度加大,在较长的直河段内往往出现微弯,而汛期又会调整流路,使弯道的曲度减小,使微弯段又变成直河段。但当出现数年枯水时段时,小水形成的过分弯曲的小弯道得不到调整,则在特定的河段往往会形成连续畸形河湾。如开封黑岗口至柳园口河段,1988 年到 1992 年还属于比较正常的河湾,但经过较长的枯水期后,于 1994 年就形成了连续畸形河湾(图 9-16),到 2001 年,由于工程的作用以及水沙条件的变化又变成了微弯河段。

从遥感图像上还可看出,在游荡性河段,溜分数股,主股、支股交替,心滩、潜滩、岸滩发育,河滩主要发育在北边。图 9-17 为黄河下游花园口段 1979 ~ 2001 年主河道河势变化图。可见,随着来水来沙、来溜方向的变化,多股水流的数量及股之间的过流量相应发生变化,心滩位置及数量等也发生变化,70 年代到 80 年代末期,多股水流并行,每股水流以弯段、直段交替的形式向下游流动,其中心滩数量较多,从 90 年代开始,水流股数减少,到 2001 年河道变得窄深,心滩数量减少,游荡性相应减弱。

同时,从遥感图像上还可看出,游荡河段仍保留着辫状河流的风貌,如孟津河段从 70 年代到 2001 年其辫状特点仍然没有改变(图 9-18)。弯道演变是河道演变中非常重要的变

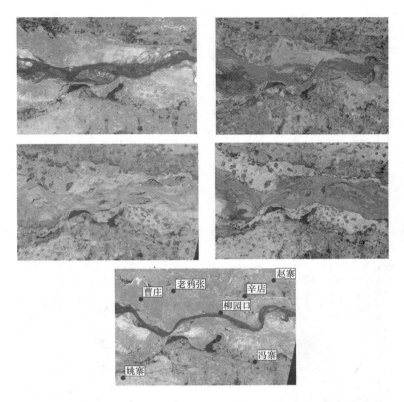

图 9-16 黄河下游开封黑岗口至柳园口段 1988～2001 年河势变化图

（从上到下依次为 1988 年 5 月 14 日、1990 年 9 月 2 日、1992 年 9 月 16 日、1994 年 9 月 29 日和 2001 年 5 月 10 日 TM 图像,相应时段夹河滩流量分别为 914 m³/s、1 480 m³/s、1 230 m³/s、890 m³/s 和 793 m³/s）

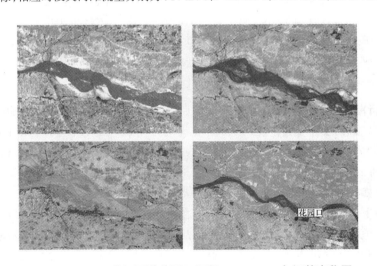

图 9-17 黄河下游花园口河段 1979～2001 年河势变化图

（依次为 1979 年 5 月 21 日 MSS 图像,1988 年 5 月 14 日、1992 年 10 月 16 日和 2001 年 5 月 10 日 TM 图像, 相应时段花园口流量分别为 658 m³/s、976 m³/s、943 m³/s 和 950 m³/s）

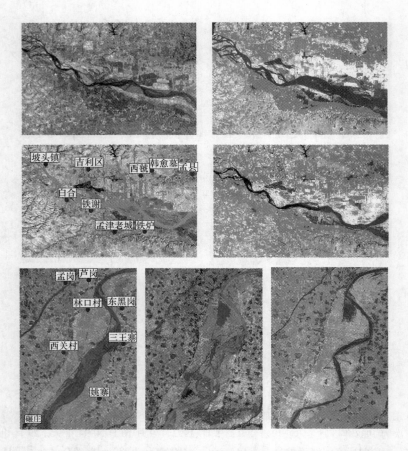

图 9-18 黄河下游孟津河段河势变化图和王夹堤至老君堂段河势变化图

(上面 4 幅图依次是 1979 年 5 月 31 日、1988 年 5 月 14 日、1992 年 10 月 16 日和 2001 年 5 月 10 日孟津河段遥感图像,相应时段小浪底流量分别为 820 m^3/s、930 m^3/s、826 m^3/s 和 835 m^3/s;下面 3 幅图依次是 1990 年 9 月 2 日、1994 年 9 月 29 日和 2000 年 8 月 2 日王夹堤至老君堂河段 TM 图像,相应时段高村流量分别为 1 860 m^3/s、860 m^3/s 和 221 m^3/s)

化特点。"水性行曲"是河道水流运行的基本特点之一。在来水来沙条件及河床边界条件的影响下,河道水流总是以弯段、直段相间的形式向下游流动。在游荡河段,随水流的变化,比较明显的趋势是由顺直河段向弯曲河段发展,如图 9-18 中东坝头至高村间河段的河势从 1990 年到 2000 年就是这种变化趋势。而且,在河势急剧转弯的河段,经常出现"横河"、"斜河",如图 9-19 中夹河滩至东坝头河段。

但从高村往下,弯道变化相对稳定,如高村至孙口河段,在一个较长的时段内却能保持相对稳定的弯道。尽管高村上游为河势变化频繁的东坝头,但其出溜从 70 年代到 2000 年基本稳定,从图 9-20 中可看出,其河势变化与 70 年代相比,除水道变窄之外,弯道相对稳定,河势变化表现为上提下挫。

弯道左右易位也是河道演变中经常发生的现象,如图 9-21 黄河下游巩县河段从 1979 年到 2001 年弯道发生了明显变化,并且在洛河水流的作用下,靠洛河口往下的南岸泥沙

· 176 ·

淤积,使弯顶朝北岸发展,到 2001 年已形成比较明显的弯顶,并有继续往北发展的趋势。

图 9-19　黄河下游夹河滩至东坝头段河势变化图
(依次为 1979 年 5 月 21 日、1990 年 9 月 2 日、1994 年 9 月 29 日和 2000 年 8 月 20 日遥感图像,相应时段夹河滩流量分别为 552 m³/s、1 480 m³/s、918 m³/s 和 353 m³/s)

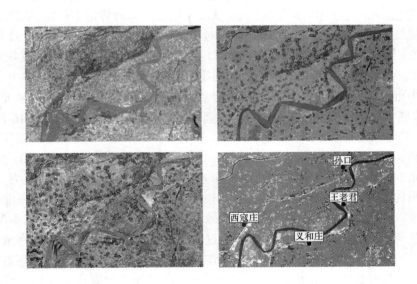

图 9-20　黄河下游苏泗庄至邢庙段河势变化图
(依次为 1975 年 8 月 21 日、1990 年 9 月 2 日、1994 年 9 月 29 日和 2000 年 5 月 16 日遥感图像,相应时段孙口流量分别为 2 540 m³/s、2 430 m³/s、894 m³/s 和 220 m³/s)

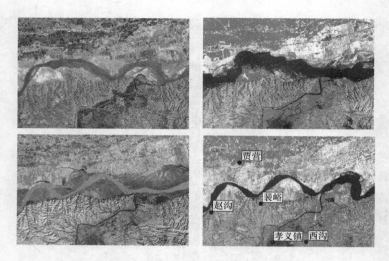

图 9-21　黄河下游巩县河段河势变化图

(依次是 1979 年 5 月 31 日、1988 年 5 月 14 日、1992 年 10 月 16 日和 2001 年 5 月 10 日遥感图像,相应时段花园口流量分别为 797 m³/s、976 m³/s、943 m³/s 和 950 m³/s)

9.3.3　小浪底水库投入使用后游荡段河势变化特点

小浪底水库 1999 年投入使用后,改变了下游水沙条件,下游来沙量减少,洪峰削平,中水持续时间加长,使游荡河段冲淤条件发生了变化,从而使游荡段河势也发生了一些变化。

图 9-22 是黄河下游铁谢至开封段小浪底水库投入使用前后河势变化图。从图中可以看出,不管是小浪底使用前还是使用后,从坡头镇至赵沟河势基本稳定,主流线较顺直,但河流主流线仍然在来回摆动,最大摆幅超过 1 200 m。图 9-23 是 1988 年 5 月和 2001 年 5 月铁谢段河道套叠在一起的河势变化图,从图中量出,2001 年河道主流往南摆动了 1 200 m。图 9-24 是小浪底水库运用后黄河下游铁谢至开封段 2002 ~ 2005 年河势变化图。从图中可看出,河势基本得到控制,即使在调水调沙人造洪峰期间(2004 年 7 月 3 ~ 13 日,小浪底水库下泄流量由 2 550 m³/s 逐渐增至 2 750 m³/s;2005 年 6 月 16 日 ~ 7 月 8 日,小浪底平均下泄流量 2 900 m³/s),从 2004 年 7 月 5 日、2005 年 6 月 22 日影像图上可看出河势仍稳定,变化较小,仅水面宽度稍宽,一般流量情况下,水面宽度在 400 ~ 500 m。说明小浪底水库的运用有利于河道向弯曲窄深方向发展,并且下游河道行洪能力大为增强。

从赵沟往下,特别是从伊洛河入黄河口往下,河势变化复杂,河流游荡程度较强。小浪底水库投入使用前,河道两岸有较宽阔的滩地,河道游荡性较强,滩地上基本没有植物,结合图中色调,反映出滩地上经常有水流通过。小浪底水库投入使用之后,河道弯曲度增加,河槽变窄,滩地减少,原来的滩地上种植作物增加。从图中邙山以下,主河道两岸基本都是植物。这反映出由于小浪底水库的作用,下游河道处于冲刷状态,河道变得窄深,再加上工程的作用,河道弯曲度增加,河型由游荡向弯曲河道转变。

图 9-25 是小浪底水库运用前后赵沟至花园口段河势变化图。从图上可看出,1999 年前河道流路较多,河道摆幅较大,河道相对较顺直,1999 年后,河道流路减少,流路比较集

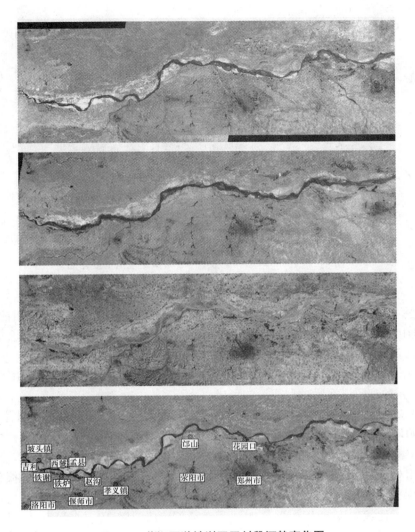

图 9-22　黄河下游铁谢至开封段河势变化图

(依次为 1979 年 5 月 31 日、1988 年 5 月 14 日、1992 年 10 月 16 日和 2001 年 5 月 10 日遥感图像,相应时段
花园口流量分别为 797 m³/s、976 m³/s、943 m³/s 和 950 m³/s)

中,弯曲度增大,从伊洛河河口到花园口,1988 年河道弯曲系数为 1.21,2001 年该段河道
弯曲系数变为 1.32,并且河道变得相对较窄深,流路也比较集中,大部分河段主河道河面
宽度约 1 km,而 1988 年主河道河面宽度大部分在 1.3 km 左右。从图上还可看出,江心洲
数量及面积也发生了变化。小浪底水库投入使用后,江心洲数量及面积明显减少,这反映
出小浪底水库投入使用后该段河道较少淤积,处于冲刷状态。从弯顶发展趋势看,弯顶向
深潭方向变化,一弯变,弯弯变,顺着下游方向演变。河流主流线变化幅度与 1988 年相
比,主流线摆幅达 3 km 之多。2001 年河道与以前的河道相比明显变窄,1988 年的部分河
道在 2001 年变成了河岸,并且河岸生长有大量植被,反映出河道流路逐渐稳定。

图 9-23　1988 年 5 月和 2001 年 5 月铁谢段河势变化图
（框内是 2001 年 5 月 ETM 图像）

图 9-26 是花园口以下至东坝头、东坝头至山东东明高村小浪底水库使用前后河势变化图。从图中可以看出，1990 年前河道相对较顺直，河道较宽，但游荡性较大，流路散乱，如开封段河道，流路较多，游荡性较大，1990 年与 1979 年河道相比，摆幅可达 3 km。又如东坝头至焦园河段，摆幅也达 2 km。到 1994 年，该段河道弯曲度增大，并且由于长期枯水期，造成了开封柳园口河段畸形河湾的形成。

从图 9-26 还可看出，1994 年河道与 2000 年河道相比，河道弯曲度基本近似，河道摆幅仅在开封柳园口畸形河湾段较大（见图 9-27）。从图 9-26 还可看出，河岸滩 2000 年明显减少，原来的河岸滩在 2000 年图上都生长有植物，并且在 2000 年主河道中，从柳园口至东坝头河段江心洲相对较多，反映出在小浪底水库投入使用后该段河道仍有一定程度的淤积。

从东坝头至高村河段河道变化较小，仅在东坝头至刘楼河段有一定程度变化，即较小的弯道变成了比较规则的大弯道，同时河道变窄了。从刘楼至高村，河道基本没有变化。

2002 年 6 月以后黄河连续进行了 4 年的调水调沙试验，使下游河道行洪能力大为增强，减少了下游河道的淤积。从图 9-26 中 2002 年 6 月以后的河势变化图上可以看出，2002 年 6 月以后的河势与 2000 年的河势基本没有什么变化。特别是调水调沙试验期间的河势也基本没有较大变化，如 2002 年 7 月 4～15 日、2004 年 7 月 3～13 日以及 2005 年 6 月 16 日～7 月 8 日调水调沙试验期间的河势（见图 9-24 中 2004 年 7 月 5 日、2005 年 6 月 22 日和图 9-26 中 2002 年 7 月 9 日、2004 年 7 月 14 日河势图）。从图中可以看出，其河势与 2000 年的河势没有根本的区别，仅因为人造洪峰流量大，河道稍微宽点。

图 9-28、图 9-29 是调水调沙前后的河势图。从图中可以看出，调水前后河势从 2002 年到 2005 年基本没有大的变化，在一般流量情况下，水面宽度也比较近似，流量大时水面变宽。对比分析 2000～2005 年的河势，可看出河势是稳定的，河道的变化趋势是向弯曲窄深方向发展，如柳园口河段 2004 年的河势与 2003 年的河势相比更加弯曲。

总之，小浪底水库投入使用后，改变了下游水沙条件，再加上工程措施的作用，游荡河段游荡性减弱,而且在运用初期,江心洲数量减少,表明下游河段有一定程度的冲刷,河道比较窄深,河道由游荡河道向弯曲河道变化。

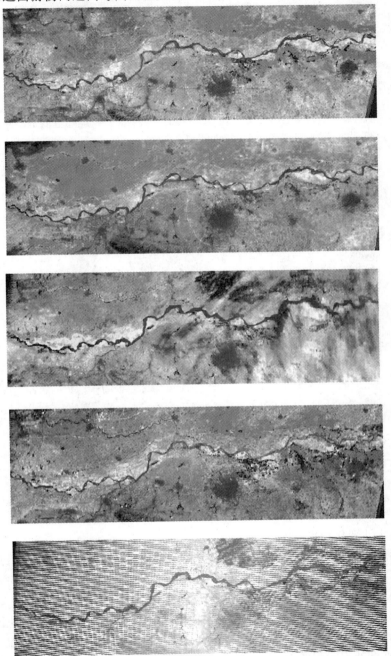

图 9-24　小浪底水库运用后黄河下游铁谢至开封段河势变化图

(依次是 2002 年 9 月 2 日、2003 年 4 月 14 日、2004 年 7 月 5 日、2004 年 9 月 7 日和 2005 年 6 月 22 日 ETM 图像,相应时段花园口流量分别为 637 m³/s、605 m³/s、2 660 m³/s、409 m³/s 和 3 000 m³/s)

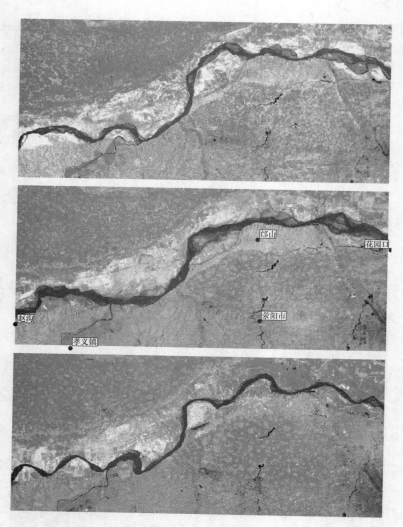

图 9-25 小浪底水库运用前后赵沟至花园口段河势变化图
(依次为 1979 年 5 月 MSS 图像、1988 年 5 月 TM 图像和 2001 年 5 月 ETM 图像)

9.3.4 下游水沙变化特点

黄河下游是黄河泥沙的主要沉降带。分析表 9-4 和图 9-30、图 9-31,可以看出,各水文站除了 20 世纪 60 年代来水量较多之外,总的趋势是随着时间的推移逐渐减少,来沙量则不同,黄河下游各水文站基本是随时间推移逐步减少,从沙量变化趋势看,三门峡至花园口河段 70 年代前表现为淤积,下游表现为明显淤积,70 年代后是微淤,花园口至利津河段则一直处于淤积状态。结合黄河三角洲陆面的增长速率和河势变化特征,可以看出,黄河下游一直是处于淤积状态,下游河床会逐步抬高。

总之,黄河是世界上河势演变最为复杂的河流。近 20 多年来,上、中游一系列水利工程的投入使用,极大地改变了河道水沙状况,使下游河道的水量、沙量都比过去减少,但下游河道的淤积态势仍没有改变,河道在萎缩,河床仍在淤积抬高。

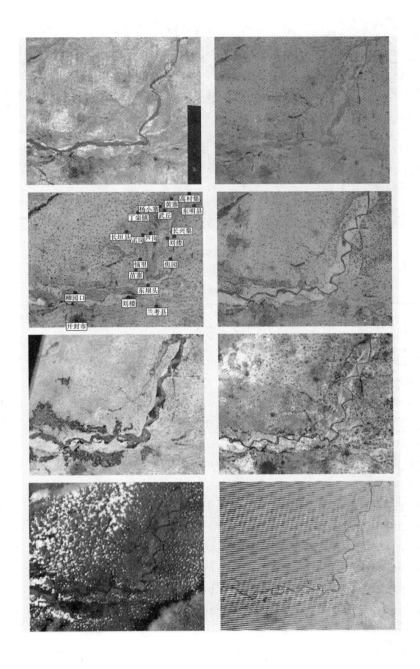

图 9-26　小浪底水库运用前后开封柳园口至高村段河势变化图

（依次是 1979 年 5 月 21 日 MSS 图影、1990 年 9 月 2 日、1994 年 9 月 29 日 TM 图像和 2000 年 8 月 20 日、2002 年 7 月 9 日、2003 年 3 月 22 日、2004 年 7 月 14 日和 2005 年 4 月 28 日 ETM 图像,相应时段夹河滩流量分别为 552 m^3/s、1 480 m^3/s、918 m^3/s、353 m^3/s、2 760 m^3/s、471 m^3/s、2 150 m^3/s 和 360 m^3/s）

图 9-27　开封柳园口 1994 年 9 月与 2000 年 8 月河势变化图

(框内是 1994 年 9 月 TM 图像)

表 9-4　黄河中、下游水文站水沙资料统计

水文站	时段	水量(亿 m³)			沙量(亿 t)			含沙量(kg/m³)		
		汛期	非汛期	年	汛期	非汛期	年	汛期	非汛期	年
头道拐	1919~1960 年	155.31	95.01	250.30	1.168	0.253	1.421	7.52	2.66	5.68
	1961~1968 年	189.00	109.24	298.49	1.673	0.405	2.081	8.85	3.71	6.97
	1969~1986 年	129.86	108.52	238.39	0.868	0.231	1.099	6.69	2.12	4.61
	1978~1997 年	67.05	100.90	167.96	0.298	0.173	0.471	4.45	1.71	2.80
龙门	1919~1960 年	195.69	128.81	326.94	9.220	1 027	10.49	47.10	9.88	32.09
	1961~1968 年	225.05	141.08	366.14	10.830	1.322	12.146	48.12	9.37	33.17
	1969~1986 年	151.67	131.80	283.48	6.146	0.841	6.993	40.52	6.38	24.67
	1987~1997 年	90.47	121.09	211.57	4.700	0.992	5.692	51.95	8.19	26.90
三门峡	1919~1960 年	256.82	167.48	424.30	13.29	2.53	15.83	51.76	15.11	37.30
	1961~1968 年	267.74	185.67	453.41	12.024	2.825	14.848	44.91	15.21	32.75
	1969~1986 年	204.49	162.79	367.28	10.923	0.803	11.737	53.42	4.94	31.96
	1987~1997 年	123.20	144.46	267.66	7.990	0.467	8.447	64.85	3.23	31.56
花园口	1919~1960 年	292.09	183.53	475.61	12.61	2.32	14.93	43.18	12.63	31.40
	1961~1968 年	306.14	202.28	508.41	11.401	2.456	13.860	37.24	12.14	27.26
	1969~1986 年	230.77	168.94	399.69	8.858	1.480	10.339	38.39	8.76	25.87
	1987~1997 年	135.33	149.49	284.81	6.337	1.149	7.493	46.83	7.69	26.31
利津	1952~1960 年	278.17	145.71	423.98	10.95	1.42	12.36	39.36	9.74	29.15
	1961~1968 年	340.00	245.20	585.25	10.018	2.613	12.630	29.46	10.66	21.58
	1969~1986 年	197.15	114.90	312.17	6.876	1.085	7.962	34.87	9.44	25.51
	1987~1997 年	98.39	61.32	159.71	3.869	0.556	4.423	39.32	9.06	27.69

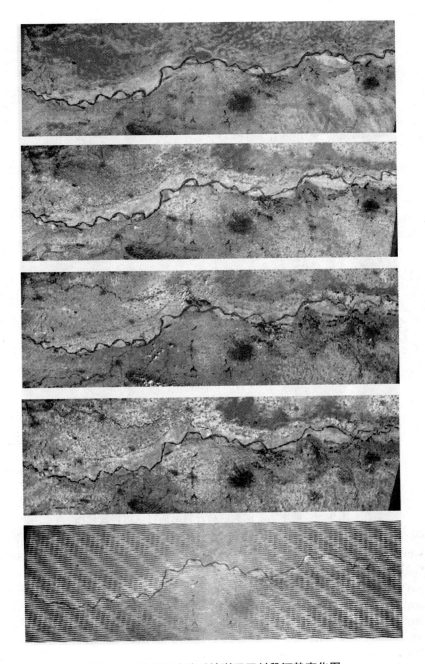

图 9-28　调水调沙前后铁谢至开封段河势变化图

（依次是 2002 年 3 月 26 日、2002 年 10 月 4 日、2003 年 9 月 21 日、2004 年 9 月 23 日和 2005 年 4 月 3 日 ETM 图像，相应时段花园口流量分别为 598 m^3/s、859 m^3/s、1 410 m^3/s、400 m^3/s 和 854 m^3/s）

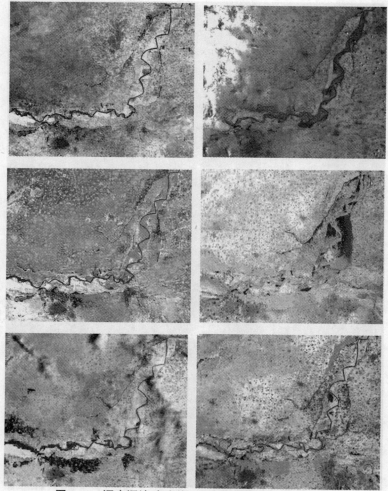

图 9-29 调水调沙试验前后开封至高村段河势变化图

（依次为 2002 年 6 月 7 日、2002 年 8 月 10 日、2003 年 5 月 25 日、2003 年 10 月 16 日、2004 年 6 月 28 日和
2004 年 9 月 16 日 ETM 图像,相应时段夹河滩流量分别为 700 m³/s、572 m³/s、401 m³/s、2 380 m³/s、2 660
m³/s 和 307 m³/s)

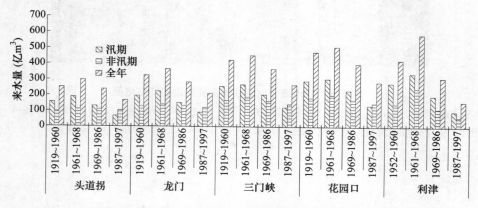

图 9-30 黄河中、下游水文站不同时段来水量变化柱状图

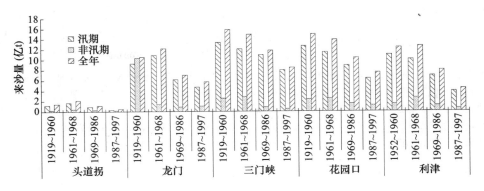

图 9-31   黄河中、下游水文站不同时段来沙量变化柱状图

9.4   本章小结

本章通过遥感技术对黄河流域宁蒙河段、渭河下游及小北干流河段、黄河下游的河道演变进行了研究。研究表明,由于流域环境的变化,特别是水库的使用,极大地改变了流域水沙条件,使河道的冲淤过程、河道平面形态变化等发生了极大变化。总体看来,从70年代以来,宁蒙河段河势总体向萎缩方向发展,其中上段游荡性增强,下段弯曲萎缩加快。如果兰州以上来水分配调平的格局没有大的改变,兰州以下的泥沙短期内不能明显减少,则内蒙古段河道当前的淤积趋势不会改变。淤积逐步由主槽向滩地发展,随着滩槽差逐渐减小,该段上游河流摆动加剧,平原河流将逐步发展成"地上河",其下游段将逐步萎缩。

黄河小北干流河势变化不定,主流东游西荡,特别是随着环境的变化,河道演变更趋激烈。从70年代到2000年,主流摆动幅度较大,河床冲淤变化迅猛,鸡心滩、沙洲遍布,汊道众多。同时由于水利工程的影响,小北干流主河槽也向萎缩方向发展,并形成多股主河道。

渭河下游河势变化复杂,随着泥沙淤积,河势日益恶化。如入黄口至华阴河段及渭南至华县河段,自70年代到2000年,主流摆动频繁,更由于河道内泥沙淤积和河床抬升,使原来的一些天然节点失去了控导河势的作用,顶冲点变化,引起主河槽摆动,在一些河段出现"S"形河势或"横河"、"斜河","S"形河势和横河数量和弯曲程度呈增加趋势。

黄河下游总的河势变化十分复杂,从小浪底水库往下到艾山以上河段河道较宽,黄河在这一段河道内左右游荡,有时合成一股,有时又分成许多汊流,河中沙滩星罗棋布,串沟互相交错,流向紊乱不定,滩岸变化复杂,从总量上看,北岸形成的边滩多。从山东东阿县艾山以下,河道变窄,属于弯曲性河段。从垦利宁海以下属河口段,河道摆动频繁。小浪底水库运用后,下游河势稳定,向弯曲窄深发展。

从河道摆动强度看,刚出峡谷的孟津断面摆动范围较小,往下的游荡性河段,摆动强度则较大,一次洪峰中线摆动幅度一般平均每天为几十米到上百米,在高村至陶城铺的过渡性河段平均每天为几十米。

参 考 文 献

[1] 杨忠敏,任宏斌.黄河水沙浅析及宁蒙河段冲淤与水沙关系初步研究.西北水电,2004(3):50~55
[2] 李杨俊.渭河下游河道萎缩特性分析和改善对策.人民黄河,1998(2)
[3] 唐先海.渭河下游近期淤积发展情况的分析研究.泥沙研究,1999(3):69~73
[4] 陈建国,胡春宏,戴清.渭河下游近期河道萎缩特点及治理对策.泥沙研究,2002(6):45~52
[5] 亢庆,王兴玲.河道演变的遥感研究方法及应用.中山大学学报,1999,38(5):109~113

第 10 章　河道演变与流域环境变化

自然气象和地质环境条件的变化虽然也是黄河演变的重要影响因素,但形成发育的历史说明,在形成过程中基底构造运动导致的断裂、凹陷、隆起、升降等变形基本稳定,虽有脉动而作用微小,不但很少反映到极厚的第四纪冲积覆盖层表面,而且黄河演变几千年的历史证明,河型变迁主要是由河流冲积物所形成的不利地貌景观和微地貌形成的。而生态环境的变化如地表植被、水土保持、全球变暖、海平面变动等对环境的影响,大都表现为对地貌的影响。

黄河的本性主要有两点:一是一切河流都改不了的"水性就下"以及必要的坡降条件;二就是挟沙量大,水过沙停。这两者带来的后果也全表现在微地貌的变化上。微地貌的变化是环境变化的产物,微地貌的变化影响河道演变。上中游生态环境恶化的主要特征就是黄河下游河道的不断淤积,河床不断抬高,形成"地上悬河",当河床抬高到一定程度后,就会发生河道变迁、改道。历史已经证明,黄河水患与黄河上中游生态环境的变化有着非常密切的关系。河道频繁变化对流域环境也会产生极大影响。如频繁的河患会使流域内的土质发生重大变化,给农业生产带来严重影响,如豫东平原在明、清两代其土壤沙化和盐碱化程度非常严重,崇祯十五年,开封遭水灌之后,"幅员百里,一望浩渺",豫东平原尽成泽国,其后水涸沙淤,"昔之饶裕,咸成碱卤,土地皆为石田"(乾隆《杞县志》卷7,《田斌志》,1725)。因此,本章重点分析流域环境变化与河道演变的响应关系,在此基础上,分析黄河流域水沙变化与河道演变趋势。

10.1　黄河下游河道变化与不同来源区洪水响应关系

黄河流域最基本的特点是水沙异源,下游的水量主要来自上游地区,泥沙则来自中游地区。据统计,来自河口镇以上的水量占进入下游总水量的54%,沙量仅占进入下游总沙量的10%左右;河口镇至龙门区间来沙量占下游总沙量的56%左右,而水量仅占15%。黄河下游洪水主要由中游地区暴雨形成,洪峰暴涨暴落;上游洪水洪峰低,历时长,组成中游洪水的基流。

总的看来,黄河流域洪水的来源具有很强的地域特性,不同来源区的洪水具有不同的流量、含沙量、泥沙粒径、来沙系数及洪水历时等,因而对下游河床形态的影响也不一样。流域系统各子系统间物质、能量和信息的流通在洪水过程中表现最为明显,因而许炯心把洪水作为联系子系统间耦合关系的主要指标。从系统耦合的角度,以洪水作为对河床地貌形态变化的主要影响指标,研究了黄河流域输移子系统河床形态变化与产水产沙子系统来水来沙条件之间的耦合关系。他们将黄河上中游产水产沙系统分为4个不同的水沙来源区,将其来水来沙量与下游河道冲淤量、冲淤强度之间进行多元统计分析,研究结果表明,在年系列基础上,当其他因素不变时,多沙粗沙区每增加(或减少)1 t入黄泥沙,下游河道淤积量可增加(或减少)0.445 t,多沙细沙区每增加(或减少)1 t入黄泥沙,下游河道淤积量只增加(或减少)0.154 t。说明粗泥沙区与细泥沙区所产泥沙入黄后,对于下游河道的影响是迥然不同的[1]。

近年,张欧阳等在许炯心研究的基础上,对黄河流域下游河道演变对来水来沙的响应进行了进一步研究,将黄河泥沙分为4个来源区,研究了下游河道横断面调整对4个来源区洪水泥沙的响应关系,指出不同来源区的洪水可造成下游河流不同的冲淤特性,从而造成对下游河床地貌形态演变的不同影响[2]。

(1)上少沙来源区,指河口镇以上和渭河南山支流区。该来源区洪水一般含沙量较小,并且要经过三门峡库区河道的调节,河口镇以上洪水还要经过小北干流的调节。当中游的前期河床新淤积物较少或流量不太大时,进入下游河道含沙量还较小,对下游河道仍有一定的冲刷作用。当前期河床新淤积物多或流量较大时,洪水往往从这里带走大量泥沙,进入下游后含沙量大大增加,不再具有清水的性质,含沙量可达到 200 kg/m³ 左右,甚至达到高含沙洪水的范畴,再加上上游区本身也存在含沙量很大、泥沙颗粒较粗的洪水,往往造成下游河道的大量淤积。据张欧阳等的研究,当上少沙区洪水含沙量在 50 kg/m³ 左右时,下游河道宽深比增大达到一个峰值,除了造成主槽淤积外,还可能导致河岸侵蚀,使河宽增加,这更加大了河床的宽深比。该来源区的洪水由于水量和沙量的不同,可使下游河床变宽浅或窄深,出现变宽浅或窄深的场次差不多,但变宽浅较变窄深的幅度更大,变宽浅的最大幅度可达 7.3 倍,变窄深的最大幅度可达 3.4 倍。在宽深比增大的 29 场洪水中,平均每场洪水的淤积量在 0.068 亿 t 左右,发生淤积的场次为 16 场。河道变宽浅主要是由于河宽增大,同时水深变浅,河底高程抬高。在河道变窄深的 27 场洪水中,造成淤积的次数为 22 场,发生冲刷的次数仅 5 场,平均每场的淤积量约为 0.257 亿 t,宽深比的减小表现为河宽减小、水深增大、河底高程降低。从平均情况看,导致宽深比减小的洪水比导致宽深比增大的洪水的洪峰流量和最大含沙量要高,但来沙量要小。一般来说,含沙量中等的洪水造成主河道的淤积,宽深比增大;含沙量小的洪水造成主河道的冲刷,宽深比减小;高含沙洪水造成滩地的淤积和主河道的冲刷,宽深比也减小。

总之,这一来源区洪水水量较丰,洪峰流量较大,一般含沙量不大,来沙量较少,造成下游游荡河段略淤积,且多在主槽,但冲淤幅度不大。总趋势是使河床形态略变宽浅。

(2)下少沙来源区,指伊洛沁河区。该来源区洪水洪峰高,来势猛,常造成下游较大的洪水,洪水含沙量很小,基本为清水,水流有足够的能量输送所来泥沙,主要造成游荡河段的冲刷,冲刷幅度在 4 个来源区中最大,淤积的情况较少。河床宽深比以减小为主,且变小的幅度较大。宽深比增大的情况较少,且增大的幅度相对较小。宽深比增大的最大幅度为 2.2 倍,平均为 1.3 倍,宽深比减小的最大幅度为 7.1 倍,平均为 1.5 倍。在宽深比增大的 6 场洪水中,河宽均增大,水深多减小(仅 2 场增大),有 4 场洪水略淤积,但从平均情况来看,处于冲刷状态,平均冲刷量为 0.024 亿 t。这表明淤积主要发生在主槽,冲刷主要发生在河岸。在宽深比减小的 15 场洪水中,洪峰流量和最大含沙量都较小,水深都增大,且增幅较大,有 10 场河宽减小,河底高程大多都降低。从统计结果看,仅 4 场洪水发生淤积,其余都冲刷,平均每场洪水的冲刷量为 0.021 亿 t。

总之,该来源区洪水含沙量小,主要使下游河道略冲刷,冲刷发生在主槽,使河床变窄深,变窄深的幅度在 4 个来源区中最大。

(3)多沙粗沙来源区,指河口镇至龙门区间支流及马莲河、北洛河等流域,其间洪峰流量大,来水量小,含沙量极高,平均含沙量在 60～250 kg/m³ 之间,从来沙组成来看,粗泥沙所占比例大于 27%,洪水泥沙粒径粗,黄河流域高含沙洪水主要来源于这一区域。在所统计的 27 场洪水中,每场洪水来水量和平均流量都较小,为 4 个来源区中最小,但平均洪峰流量、含沙量和来沙量都相当大,为 4 个来源区中最大,平均最大含沙量达 164 kg/m³,平均来沙量 2.2 亿 t。这一来源区的洪水往往在中游河道就发生揭底冲刷,使含沙量进一步加大,如 770804 号洪水最大含沙量在吴堡为 615 kg/m³,到三门峡为 911 kg/m³,到小浪底进一步增加,达到 941 kg/m³,到下游游荡河段就迅速减小,到花园口时仅 437 kg/m³,到高村时减为 260 kg/m³,表现出了典型的高含沙洪水沿程冲淤过程。就游荡河段的淤积总量来说,这一来源区的洪水基本上都使河道处于淤积状态,淤积量很大。淤积量在 2 亿 t 以上时,河床形态常变得很窄深,淤积量在 1 亿 t 左右时,河床形态往往变得很宽浅。花园口站最大含沙量小于 70 kg/m³ 和大于 300 kg/m³ 时,宽深比变小,且变小的幅度较大。含沙量在 150～200 kg/m³ 之间时,河床以变宽浅为主。该来源区的洪水使河床变宽浅的场次比变窄深的场次少得多,宽深比增大的最大幅度为 4.4 倍,平均为 2.2 倍,变窄深的最大幅度为 3.6 倍,平均为 1.7 倍。该来源区洪水其总体作用是使河道宽深比减小,在 4 个来源区中减小的幅度仅小于下少沙区。在宽深比增大的 8 场洪水中,河宽都增大,水深基本上都减小(仅 1 场增大),河底高程基本上都抬高,8 场洪水都使河道淤积,平均淤积量为 0.744 亿 t。在宽深比减小的 19 场洪水中,洪峰流量和最大含沙量都很大,使河宽都减小,水深基本上都增大(仅 1 场减小),河底高程大多降低。仅 1 场洪水发生冲刷,其余都淤积,且淤积很严重,平均淤积量为 1.231 亿 t。这表明淤积主要发生在滩地,而河道主槽发生冲刷,这正是高含沙洪水的造床特点。

总之,该来源区洪水洪峰流量大,来水量小,含沙量大,使下游河道发生严重淤积。该来源区洪水造成的淤积部位的不同导致了横断面形态不同变化方向。由于高含沙洪水发生频率高,使下游游荡段河道宽深比总体上减小,河床横断面形态变窄深。

(4)多沙细沙来源区,指渭河、泾河干流和汾河等流域,这一区域所来洪水洪峰流量、来水量和含沙量也较大,能够达到高含沙洪水的范畴,但泥沙粒径较细。在所统计的 18 场洪水中,河道以淤积为主,仅 3 场洪水使河道发生冲刷,河道的平均淤积量是 0.491 亿 t,当淤积量在 0.2 亿 t 左右时河床宽深比增加到最大。含沙量小于 40 kg/m³ 和大于 200 kg/m³ 时,宽深比变小,含沙量介于 40～200 kg/m³ 时,河床以变宽浅为主,且变宽浅的幅度较大,变窄深的幅度很小。该来源区洪水使河床变宽浅的场次同样比变窄深的场次少,但变宽浅较变窄深的幅度更大,增大的最大幅度为 5.7 倍,平均为 2.3 倍,变窄深的最大幅度为 2.3 倍,平均为 1.5 倍。因此,从总体统计情况看,这一来源区洪水使宽深比变化不大,仅略减小。在使宽深比增大的 7 场洪水中,有 6 场使河宽增大,5 场水深基本减小,河底高程基本上都抬高,有 6 场淤积,平均淤积量为 0.241 亿 t,淤积主要发生在主槽。在宽深比减小的 11 场洪水中,有 9 场河宽都减小,10 场水深增大,河底高程基本上都降低。在这 11 场洪水中,洪峰流量和最大含沙量都很大,仅 2 场洪水发生冲刷,其余都淤积,且淤积较严重,平均每场洪水的淤积量为 0.651 亿 t。由于洪峰流量大,洪水漫滩,淤积多发生在滩地,主槽冲刷,使得宽深比减小。

总之,该来源区洪水导致的河床冲淤行为是以淤积为主,但与多沙粗沙区所来洪水相比,淤积量不很大,总趋势是使河床形态略变窄深。宽深比增大的场次淤积量较小,主要淤在主槽。宽深比减小的场次洪峰流量大,含沙量大,淤积量也大,主要淤积在滩地,而主槽则发生冲刷。

从上述结果来看,不同来源区的洪水具有不同的流量、含沙量、泥沙粒径及洪水历时等,造成下游河道不同的冲淤组合特性,从而造成对下游河床地貌形态演变的不同影响。上少沙来源区和下少沙来源区洪水水量都较丰富,含沙量都较小,但对下游游荡河段河床地貌形态造成截然不同的影响:上少沙来源区的洪水含沙量比冲淤的临界含沙量略大,造成河道淤积,但淤积量不大,以使河床形态变宽浅为主,变宽浅主要由主槽淤积所造成;下少沙来源区洪水含沙量很小,水流有足够的能量输送所来泥沙,主要造成游荡河段的冲刷,河床宽深比以变窄深为主,且变窄深的幅度较大,主要由主槽冲刷所造成。多沙粗沙来源区和多沙细沙来源区洪水的洪峰流量和含沙量都很大,但同样造成不同的横断面形态变化特征,主要是高含沙洪水所导致的滩槽冲淤差异所致。多沙粗沙来源区洪水洪峰流量、含沙量大,水量小,基本上都使游荡河段处于淤积状态,且淤积量很大,造成河床宽深比减小,主要由高含沙洪水淤滩刷槽所造成;多沙细沙来源区的洪水洪峰流量和含沙量也较大,河道以淤积为主,冲淤幅度不是很大,洪水后宽深比变化不大,仅略减小,也存在淤滩刷槽的过程。

正是由于不同来源区洪水对下游河道具有不同的造床行为,使流域系统的产水产沙子系统通过洪水过程实现与输移子系统的耦合,从而把上中游的产水产沙状况与下游河床地貌形态的演变联系起来。下游河道的冲淤和形态调整过程与上中游的来水来沙条件密切相关,不同水沙条件的洪水不仅决定了下游河道的冲淤状况,还决定了下游河床调整的方向。

10.2 黄河下游古河道发育对流域环境变化的响应

黄河下游古河道三角洲是黄河泥沙淤积的产物。黄河流域环境的变化,特别是上中游地区环境的变化将极大地改变古河道三角洲的发育情况。黄土高原近 10 000 年来总的气候趋势是向干冷、温凉方向转化,其间还有周期性的气候波动,在相应的过渡期发生过 3 次强烈的土壤侵蚀,形成了黄土高原普遍发育的坳沟、老冲沟、冲沟等沟谷系统,同期在华北平原相应发育有 3 期古河道(表 10-1,张丽萍,2001)[5]:①全新世早期,该期气候由干冷向暖湿方向过渡,植被、动物、地形、河流流量、沉积物和海平面等均呈现出过渡性,是黄土高原土壤侵蚀最严重期,但由于海平面回升滞后性,华北平原发生了强烈侵蚀,在洪积扇地区形成了侵蚀谷,在冲积平原区形成了侵蚀面,几乎把冲积平原地区的黄土全部侵蚀掉,黄河下游河床发生淤积,第一期古河道发育;②全新世中期,该期气候较为暖湿,河流流量增加且稳定,以侧蚀为主,河流分汊弯曲,河口三角洲横向扩展,期间有一个短暂的气候变冷、河流快速堆积期,第二期古河道形成;③全新世晚期,气候向干冷方向发展,植被减少,人类大量繁衍,栽培植物代替了自然植被,黄土高原土壤侵蚀加重,黄河流量变率较大,河流挟带大量泥沙在下游以河流相和泛滥平原堆积为主,第三期古河道形成。

表 10-1　全新世黄土地层与滨海平原古河道分期对比

时代	地层	沉积物	距今(年)	古河道分期	古气候
Q_4^3	西峰层	黄土 L_{t1} 黑垆土 S_{01}	2 000~3 000	第三期古河道	温凉偏干
Q_4^2	陇西层	黄土 L_{t2} 黑垆土 S_{02}	4 600~7 400	第二期古河道	温暖湿润
Q_4^1	洛川层	黄土 L_{t3} 黑垆土 S_{03}	8 100~9 900	第一期古河道	温凉较干

　　著名物候学家竺可桢系统地研究了中国近5 000年来的气候变化,并将其划分为4个温暖期和4个寒冷期(表10-2)。黄土高原地区近5 000年来气候变化情况,与中国近5 000年来的变化趋势基本吻合[5]。虽然近5 000年来气候也发生过多期的冷暖干湿变化,但人类活动逐步加强,破坏了早期的土壤侵蚀旋回规律,在自然生态环境演化的基础上叠加了人为活动的影响,表现为自然演变和人为干预的演变规律,其总的发展规律是土壤侵蚀持续发展,强度逐渐增加。

表 10-2　近 5 000 年来气温变化周期与历史文化考古对应

气候变迁	绝对年龄	历史文化	河流变迁
第一温暖期	3 500~1 000 aBP	仰韶文化至安阳殷墟文化	北流
第一寒冷期	1 000~850 aBP	西周时期	北流
第二温暖期	850 aBP~公元初	春秋到秦汉时期	北流改东流
第二寒冷期	公元初~600	东汉、三国到六朝	东流
第三温暖期	600~1 000	隋唐到宋初	东流改北流
第三寒冷期	1 000~1 200	北宋到南宋	东流
第四温暖期	1 200~1 300	南宋到元初	东流改南流
第四寒冷期	1 300~1 900	元、明、清	南流改东流

　　在西周寒冷期向春秋战国温暖期的过渡时期,黄土高原地区人口数量较少,主要沿河川谷地分布,对环境影响较小,该期的土壤侵蚀主要是遵循黄土母质土壤特性和过渡期自然环境演化过程的渐变规律。秦汉时期为温暖的相对多雨期,农业人口数量、垦殖面积、樵采活动增加,人为活动加强,土壤侵蚀加重。相应黄河下游河道结束了2000年的北流时期,改由山东入海,进入东流时期。自东汉到隋初的500多年,正直第二个寒冷期,土壤侵蚀相对较轻,河水输沙量减少,黄河下游河道相对安定。隋唐时期进入了第三个温暖期,降雨量相对增加,人口增加显著,耕织业发达,人为活动对自然影响加大,使土壤侵蚀加重,黄河泥沙趋于增加,是黄河三角洲加积阶段。到了北宋初期,黄河下游再次发生改道,进入北流期。北宋至南宋时期是第三个寒冷期,气候恶劣,暴雨频率增加,干旱程度加强,黄土高原土壤侵蚀加重,黄河含沙量越来越多,下游河床淤高。到了南宋末年,逐渐过渡到第四个温暖期,水量增加,黄河下游发生改道,南流入淮,夺淮入海,进入了南流期。元、明、清时期,由第四个温暖期一直经历了第四个寒冷期。随着人为活动的增强,黄土高原土壤侵蚀有增无减,下游改道越来越频繁。到了清代后期的1855年黄河改为东流持续到今。

　　由此可见,在人类历史之前,黄土高原土壤侵蚀基本上遵循自然生态环境演化规律:

强烈侵蚀期发生在干冷向温湿气候转化的过渡期,强烈侵蚀的初期是古河道形成期,强烈侵蚀的中期是三角洲进积期,黄河下游河流改道、三角洲横向扩展发生在强烈侵蚀的衰退期[5]。人类历史时期,土壤侵蚀的外营力叠加了人为作用,破坏了地质历史时期的规律性,土壤侵蚀强度日益增加,基本上按照旱涝变化频率而演化。

总之,黄土高原土壤侵蚀在人类活动作用下,破坏了早期的土壤侵蚀旋回规律,土壤侵蚀持续加强,河道演变必然要与变化了的来水来沙相适应。总的规律是在干冷期,降水不均匀系数增大,旱洪灾害频繁,洪枯水位变幅大,生态环境恶劣,土壤侵蚀严重,下游河道淤积及断流加重,是古河道形成期。正常年黄河泥沙输移比接近于1,是三角洲进积期。在温湿期,虽然降雨量增加,生态环境向良性方向转化,但由于人为活动破坏自然植被,逐步演化为耕垦农业植被,土壤侵蚀仍然强烈,加之水量增加,河患增多,黄河下游河流改道,三角洲横向扩展。

10.3 人类活动对河道变迁的影响

黄河的基本特性是水性就下和泥沙淤积。早期黄河下游漫流入海,哪里地势低下,河流就流往哪里,同时泥沙就淤积在哪里。随着泥沙淤积,地面抬高,河流就改道,此过程反复进行,使泥沙在冲积扇均匀分布,若河道在冲积扇行河一遍,就算完成一个旋回。后来随着人类活动的加强,河道演变在自然演变的基础上,又叠加上了人类活动影响。

人类对河道演变的影响是多方面的,从历史上看,对河道演变有较大影响的可以分为3个阶段,中全新世(7 500~3 000BP)以前,人类活动影响较小,平原上的河流基本是分流入海的局面。大约进入距今3 000年以来的历史时期,由于人类活动的影响,使得平原上发生了3次规模越来越大的水系变化。

大禹治水是第一次水系变化。大禹治水以前的中全新世,华北平原处于温暖湿润的高海平面时期,河流基本各自单独入海。进入3 000年以来的晚全新世,一方面由于气候变冷变干,植被稀少,水土流失加剧,河流含沙量高,河流变迁改道频繁;另一方面,由于海平面下降,侵蚀基准面降低,河流纵坡加大,在滨海平原地区流速加大,产生强烈侵蚀。所以,大禹以为"河所从来者高,水湍悍,难于行平地,数为败",便从滑县附近的黄河北岸"乃厮二渠,以引其河,北载之高地",形成了我国第一条人为改道的河——禹河,但下游仍然是多股河道("九河")入海,仍是分流的局面。该河道稳定了上千年之后,由于太行山前各河流晚全新世冲积扇的发育,禹河不得不于公元前602年又改回了原道,但下游不在孟村入海,而是在黄骅以北入海。

隋炀帝开凿运河是第二次水系变化。自公元前602年至公元11年,长达600多年的黄河,在武陟、滑县、内黄、南乐、冠县、夏津、德州、沧州一带,形成了高出两侧地面2~5 m的古河道高地,构成了鲁北平原与河北平原的分水岭,因而太行山前各河流流出冲积扇以后,在黄河古河道高地西缘均向东北拐,在沧州以北入海,这就为隋炀帝实现南北大运河的沟通奠定了地貌基础。公元508年,南北大运河全线贯通,淇河、安阳河、漳河、滹沱河、大清河、永定河等,全注入大运河,形成了统一入海的水系。

人为地将分流入海的水系变成统一入海水系,虽然在沟通南北经济方面起到了一定作用,但南北大运河贯通以后,形成了流域的"上宽下窄,上大下小,尾闾不畅"的局面,因而洪水相互顶托,河流泥沙在河道中大量沉积,形成了"地上河"和"地上悬河",这又为河流的变迁改道提供了更好的下垫面条件,从而带来了不少问题,如洪、涝、盐碱灾害等。

新中国成立后的海河疏浚工程是第三次水系变化。通过海河等一系列开挖疏浚河道工程,形成了统一入海和分流入海并存的水系。

人类活动除对河道变迁产生影响外,也对河道形态产生了影响。在战国以前,人们主要采用分水杀势的办法治理河流,即大禹的疏导方法。分水杀势的河道处于以冲刷为主的状态,河流多为地下河。在战国以后,人们发现河道两侧有自然堤的阻挡可以起到固定河槽的作用,因而治理河流就从分水杀势改成了筑堤固槽,结果平原上出现了许多"地上河"和"地上悬河"。

"地上河"是河底高于河道两侧地面的河道,而"地上悬河"则是河底与堤外地面具有较大高差的"地上河"。"悬河"的形成需要3个基本条件[6]:丰富的泥沙来源、开阔的空间和堤坝的修筑。黄河流经黄土高原,黄河的多沙特性导致下游"地上河"不断沉积抬高、频繁决口改道。黄河从晋陕峡谷流出到华北平原,河水在平原漫流入海,黄河从中游挟带的大量泥沙在下游发生大规模的淤积,华北平原低平开阔的地势为广袤的黄河下游冲积平原的形成提供了广阔的空间。如果没有人为的干预,黄河在下游平原地区的自然演化将是河床淤积抬高、河水泛滥、河流改道,形成网状、辫状或爪状水系。到了战国中期,人类为了保护自己的家园免遭洪水的袭击,修筑了黄河下游的堤防系统,堤防的修筑为"地上河",特别是"地上悬河"的形成提供了必要条件。黄河下游河道两岸连续、完整的堤防系统形成之后,泥沙搬运与堆积的方式发生了很大的变化。筑堤以前,河道可以自由摆动,泥沙可以比较均匀地堆积在广大的冲积扇面上;筑堤以后,泥沙只能在两堤之间的狭小地面向上加积,使河道的沉积速率大为加快。随着河道的不断淤高,河床显著高出于两侧地面而成为"地上悬河"。

自然界任何现象均有其发展演化过程,"地上悬河"也不例外。根据河水水面、河床床面与两岸地面高程的关系,河水支流补给与否,流域面积的变化,以及河流是否断流等因素,"悬河"的演化可以划分为5个阶段:①幼年期"悬河";②青年期"悬河";③成年期"悬河";④老年期"悬河";⑤衰亡期"悬河"。目前的黄河下游河道已进入老年期,其水面和河床面常年高于两岸地面,无支流补给,黄河已成为海河流域与淮河流域的分水岭,河水向两岸渗透,流域面积很小,仅占黄河流域面积的3%,在上中游引水加剧和干旱气候条件下,形成季节性断流,这些都表明黄河下游已进入老年期,老年期"悬河"不能无限制发展下去,当气候进入丰水期时,中上游雨水丰沛,将会加剧中上游地区的侵蚀、冲刷,河流输沙量、含沙量将随着增加,下游"悬河"淤积加重,河床进一步抬高,迫使人类进一步加高堤坝,进行"河"、"堤"赛高,当河道高于两侧一定高度以后就会发生决口改道,或者人类自己被迫为河流改道,"悬河"消亡。

综观历史,当"悬河"河床高于两侧地面一定程度之后,河道就会改道。如山经河、禹贡河虽没有人工堤,却稳定了约1 500年,但在河床高出两侧平地1~2 m,被太行山山前河流逼迫下改道。又如汉志河时期,汉志河形成于2 500 aBP,决口改道于2 000 aBP,稳定了约500年。汉志河是在人工堤保护下,河床高出两侧平地2~5 m,个别地段达7 m的情况下决口改道的。又如东汉时期河道,自1 930~1 100 aBP稳定了约800年。东汉时期汉道也有人工堤,是在河床高出两侧平地 1~3 m,个别地段达 4 m 的情况下决口改道的。河道明清时期,稳定了 350 年,决口改道时河床高出两侧平地 3.68 m,最高处可达 6.1 m。

可见,"地上河"形成后,无论有无人工堤,当河床高出两侧平地一定高度时,黄河就会决口改道。这说明"地上河"有一个生命周期,其周期与其泥沙淤积量和河道堤防有关。

10.4　未来水沙变化趋势及河道演变趋势

对黄河流域环境与河道演变进行分析,其目的就是对未来状况进行科学预测。黄河流域自然环境十分复杂,生态环境非常脆弱,水土流失十分严重,其流域水沙条件主要受流域气候和下垫面因素影响。人类活动一方面通过对流域植被、流域地貌等自然条件的影响来改变流域环境,另一方面通过对流域径流的调节来影响流域生态环境,最终影响流域河道演变。

10.4.1　流域环境变化及水沙变化趋势

影响流域生态环境的自然因素主要包括气候和下垫面因子,其中以气候的影响最为明显。国内外科学家使用 31 个复杂气候模式,对 6 种代表性温室气体排放情景下未来 100 年的全球气候变化进行了预测。结果表明:①地球平均地表气温到 2100 年时将比 1990 年上升 1.4~5.8℃,这一增温值将是 20 世纪内增温值(0.6℃左右)的 2~10 倍,是近 10 000 年中增温最显著的速率;②21 世纪全球平均降水将会增加,北半球雪盖和海冰范围将进一步缩小;③全球平均海平面到 2100 年时将比 1990 年上升 0.09~0.88 m;④一些极端事件(如高温天气、强降水、热带气旋强风等)发生的频率会增加;⑤我国气候将继续变暖,到 2020~2030 年,全国平均气温将上升 1.7℃,到 2050 年,全国平均气温将上升 2.2℃。

上述气候变化预测,对于全球平均的变化趋势和温度预测准确性较高,对于地区性和降水等要素的预测准确性较低,有相当大的不确定性。产生不确定性的原因主要有:温室气体排放和大气中温室气体浓度变化估算不够准确;用于预测未来气候变化的气候模式系统不够完善;可用于气候研究和预测的气候系统资料不足。

但无论如何,全球气候变暖对全球许多地区的自然生态系统已经产生并将继续产生明显影响,如海平面升高、冰川退缩、冻土融化、河(湖)冰迟冻与早融、中高纬生长季节延长、动植物分布范围向极区和高海拔区延伸、某些动植物数量减少、一些植物开花期提前,等等。自然生态系统由于适应能力有限,容易受到严重的甚至不可恢复的破坏。正面临这种危险的系统包括冰川、珊瑚礁岛、红树林、热带林、极地和高山生态系统、草原湿地、残余天然草地和海岸带生态系统等。随着气候变化频率和幅度的增加,遭受破坏的自然生态系统在数目上会有所增加,其地理范围也将增大。

气候变暖也将对流域水资源产生重要影响:气候变暖将导致地表径流、旱涝灾害频率和一些地区的水质等发生变化,特别是水资源供需矛盾将更为突出;增温将导致蒸发量的增加,据研究,在增温的前提下,黄河及内陆河地区的蒸发量将可能增大 15% 左右。此外,随着增温,流域降水也会发生变化,郑斯中(1983)依据历史时期水旱变化和冷暖变化之间的关系,认为全球增温后,我国东经 110° 以西,黄河、长江的上游地区可能变湿,而东部地区,特别是黄淮海平原可能变干,出现大旱的机会增加。Wang 等(1993)认为,2050 年前后,中国的平均降水约增加7%,其中,黄河流域可增加10%。因此,随着降雨径流、蒸发的变化,将加大流域大暴雨的概率,增加水资源的不稳定性和供需矛盾。

气候变暖还将会使冰川和冻土可能减少。高山生态系统对气候变化非常敏感,冰川将随着气候变化而改变其规模。一些冰川出现了减少和退缩现象。如非洲乞里马扎罗山的冰川面积在1912~2000年间减少了81%。我国西北各山系冰川面积自"小冰期"以来减少了24.7%。到2050年,我国西部冰川面积将继续减少27.2%。冻土面积继续缩小。未来50年,青藏高原多年冻土空间分布格局将发生较大变化,80%~90%的岛状冻土发生退化,季节融化深度增加;表层冻土面积减少10%~15%,冻土下界明显抬升。亚稳定及稳定冻土温度将升高0.5~0.7℃。气候变化是导致湖泊水位下降和面积萎缩的主要因子之一。我国西北各大湖泊,除天山西段赛里木湖外,水量平衡均处于入不敷出的负平衡状态,自20世纪50年代以来,湖泊均向萎缩方向发展,有的甚至干涸消亡。

气候增温将使海平面升高,海平面升高将影响海岸带和海洋生态系统。近百年来,全球海平面平均上升了10~20 cm。我国海平面近50年呈明显上升趋势,上升的平均速率为每年2.6 mm。我国未来海平面还将继续上升,改变黄河流域的侵蚀基准面,加剧黄河下游河道的泥沙淤积。

黄河流域环境变化趋势除了自然因素的影响外,最重要的影响因素就是人类活动。人口的增加,土地利用的不甚合理,将是黄河流域未来的主要压力。人口增加趋势是必然的,人口数量的增加必然对环境产生巨大影响。如对于黄土高原,从史前期到现在,由于人类的作用,其土壤侵蚀日益加剧。史前时期自然侵蚀背景值,大致每年6.5亿~10亿t[7],随着人类土地利用程度的提高以及不合理的土地利用方式,黄土高原土壤侵蚀量增加,目前每年输往下游的泥沙达16亿t,这反映出人口增加,土壤侵蚀量增加。

黄河难以治理的根源在水少沙多,症结在中游多沙粗沙区。目前,从大环境看,气温将升高,降水可能增加,但同时人类活动影响越来越大,并且由于人类科学技术的发展、认识水平的提高、对黄土高原的治理程度的重视,将使环境状况向有利于人类生存、有利于减少入黄泥沙量的方向转化。在过去40年间,黄河流域水土流失每年大约治理3 000 km²,现在,水土流失区16.6万 km²或36.6%的流失面积已经通过梯田改造、间作、淤地坝、植树种草等措施得到了控制。据分析,自70年代以来,采取这些措施的年均减沙量为3亿t。因此,随着生态环境的改善,流域产沙量将有一定程度的减少。但是,水土保持措施减沙效益毕竟有限,加之黄河流域黄土高原植被覆盖度较低,当遇到较大降雨时,如1967年降雨过程,在90年代治理水平下仍将产生较多的泥沙,产生的泥沙仍然达到23.29亿t之多,仅比60年代同样降雨过程少产沙2.2亿t,也就是说,林草措施能减沙2.2亿t。当遇到1997年降雨过程时,产生的泥沙将减少,但水量也少,在80年代治理水平下产沙5.16亿t,在90年代治理水平下产沙4.72亿t,90年代与80年代相比,林草等措施能减沙0.44亿t。

据许炯心的研究,进入下游河道的径流量 Q_w(亿 m³)和 Q_s(亿 t)泥沙从1950年到1997年随时间 t(公元年份)的变化存在如下关系式:

$$Q_w = -5.101\ 9t + 10\ 482 \qquad (10\text{-}1)$$

$$Q_s = -0.195\ 2t + 397.55 \qquad (10\text{-}2)$$

可见,进入黄河下游的径流量和泥沙量有明显的减少趋势。这也说明由于水土保持措施等的实施,进入下游河道的水沙有减少的趋势。当然,水沙的减少与上中游水资源的开发利用也有极大关系。

总的看来,黄河流域的泥沙主要与降雨强度、降雨量及其空间分布有关,目前水土保持措施虽然能减少一定的土壤侵蚀,但由于覆盖度低,很难发挥较大效益,其减沙作用是有限的。同时由于人类活动如开矿、修路等还会人为增加泥沙。今后一段时间,黄河流域气候不会有较大变化,因而其产沙趋势也不会有较大变化。因此,黄河流域减沙任重而道远。

10.4.2 黄河下游河道演变趋势

河道演变主要取决于来水来沙状况,不同来源区水沙对河道有不同的效应。据胡春宏等人的研究[8],多沙粗沙区每产生 1 t 泥沙,将在黄河下游河道淤积 0.455 t(年系列)和 0.511 t(洪水系列),多沙细沙区每产生 1 t 泥沙,将在黄河下游河道淤积 0.154 t(年系列)和 0.394 t(洪水系列),而且人为导致的黄河增沙量已占水保减沙量的 40% 左右,部分抵消了水土保持措施的减沙效益。

从黄河流域生态环境综合评价动态图(图 5-10)上可以看出,黄河流域生态环境仍很脆弱,近 20 年生态环境变化不大,短期内要使其生态环境发生大的变化是不可能的。利用已有的模型对多沙粗沙区的泥沙变化趋势分析也表明,目前的水土保持措施减少的泥沙是有限的,即使遇到丰水年,如 1967 年降水过程,多沙粗沙区仍将产生较多泥沙,仍将导致河道淤积,据资料全下游淤积 1.829 亿 t 泥沙;若在 90 年代治理水平下,全下游河道边界等条件都不变,多沙粗沙区将少来泥沙 2.2 亿 t,按已有研究成果,下游会减淤约1 亿 t,但下游河道仍会淤积 0.829 亿 t 泥沙。即使遇到枯水年,如 1997 年降水过程,也会产生较多泥沙,并且,在枯水年河道流量小,输沙能力大为降低,也会产生河道淤积,全下游淤积 2.141 亿 t。当然,若多沙粗沙区遇到 1983 年降水过程,则会产生较少泥沙,结果下游河道会发生冲刷,冲刷 2.01 亿 t 泥沙;若在 90 年代末期治理水平下,遇 1983 年降水过程多沙粗沙区将少产沙 0.63 亿 t,则整个下游河道在其他条件不变的情况下将冲刷 2.3 亿 t 泥沙。

表 10-3 是 1967 年、1978 年、1983 年、1994 年和 1997 年黄河下游各河段冲淤量,从表中可以看出,黄河下游各河段有冲有淤,从全年角度看,高村至艾山河段 1967 年、1983 年、1994 年河道是冲刷的,其余年份基本是淤积的。从全下游看,仅 1983 年河道处于冲刷状态,这是由于遇 1983 年降水过程多沙粗沙区产沙少,共产沙 4.19 亿 t,产水产沙比约5∶1,泥沙含量低。可见,欲使黄河下游处于不淤积状态,必须使多沙粗沙区少产生泥沙,像 1983 年那样,则整个河道处于冲刷状态。其他年份,多沙粗沙区产沙较多,产水产沙比基本都在 4∶1 以内,泥沙含量较高,河道处于淤积状态。据黄河泥沙公报,1951~2000 年,黄河下游铁谢至利津河段年均泥沙淤积量 1.11 亿 m³,其下游河道的淤积抬高速度远大于其上游。

据许炯心的研究,从 1950 年到 1997 年,下游河道淤积量随时间变化有如下关系式:$D_{ep} = 0.001\,5\,t - 0.910\,1$,但相关性不大,表明河道淤积量总体上不随时间而变化。

从前面的分析知道,由于水土保持措施等的作用,进入下游河道的水沙有大幅度减少趋势,并且有关研究也表明,下游河道的淤积量与来水来沙量关系非常密切。许炯心以1950年到1997的长序列资料建立了如下回归方程:

$$D_{ep} = 3.84 - 0.019\,2Q_w + 0.507Q_s \tag{10-3}$$

式(10-3)表明,泥沙淤积量随径流量的增大而减小,随来沙量的增大而增大。

表 10-3　黄河下游 1967 年、1978 年、1983 年、1994 年和 1997 各河段冲淤量（单位:亿 t）

年份	河段	全年	年份	河段	全年
1967	三门峡—花园口	0.646	1994	小浪底—花园口	0.500
	花园口—高村	0.643		花园口—高村	3.37
	高村—艾山	-0.449		高村—艾山	-0.068
	艾山—利津	0.989		艾山—利津	0.445
	全下游	1.829		全下游	4.247
1978	三门峡—花园口	1.885	1997	小浪底—花园口	0.013
	花园口—高村	-0.161		花园口—高村	0.819
	高村—艾山	0.377		高村—艾山	0.618
	艾山—利津	-0.151		艾山—利津	0.691
	全下游	1.95		全下游	2.141
1983	三门峡—花园口	0.437			
	花园口—高村	-0.815			
	高村—艾山	-1.221			
	艾山—利津	-0.411			
	全下游	-2.01			

式(10-3)两端对时间取导数,得到:

$$\frac{dD_{ep}}{dt} = -0.019\,2\frac{dQ_w}{dt} + 0.507\frac{dQ_s}{dt} \tag{10-4}$$

将式(10-1)、式(10-2)也分别对时间取导数,并代入式(10-4),得到:

$$\frac{dD_{ep}}{dt} = 5.101\,9 \times 0.019\,2 - 0.195\,2 \times 0.507 = -0.001\,01 \approx 0 \tag{10-5}$$

式(10-5)表明泥沙淤积量不随时间而变化。这反映出泥沙的减少导致下游河道淤积量的减少与径流量的减少导致淤积量的增多二者恰好互相抵消,因而会出现淤积量不变的结果。水土保持措施所导致的黄河下游来沙量的减少导致了下游沉积的减少。人类对黄河径流的影响包括两方面:一是通过在上游修建水库蓄水发电,使汛期流量减少,枯水期流量增多;与此同时,通过大量引水减少径流量,特别是减少枯水径流量,使年径流量大幅度减少。这将会增加下游河道沉积。水土保持措施所导致的黄河下游来沙量的减少速率与人类水资源开发使黄河下游来水量减少的速率处于某种特定的组合,恰好导致了淤积量不变的结果。这表明,从20世纪60年代以来的大规模的水土保持措施在黄河下游产生的减淤效应,已为人类过量引用径流资源导致的增淤效应所抵消,二者的代数和为0。

从河道输沙能力看,下游河道从1950年到2000年其输沙量总体呈减少趋势(图

10-1),这反映出下游河道输沙能力在减弱,也就是说,进入下游河道泥沙的减少只是导致了入海泥沙的减少,而下游河道的泥沙淤积并没有减少。

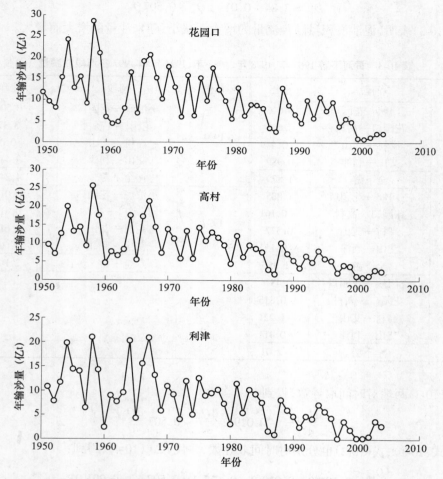

图 10-1 花园口、高村、利津三站 1950 ~ 2004 年的年输沙量曲线

图 10-2 是黄河流域不同阶段下游河道主要断面输沙量情况。1950 ~ 1959 年为三门峡水库修建前的天然情况,基本无人类引水,为丰水多沙系列,此时来水来沙较多,输沙量也较多;1960 ~ 1973 是三门峡水库运用时期,前段 1960 ~ 1964 年为三门峡水库"蓄水拦沙期"及"滞洪拦沙期",河道冲刷,后段 1964 ~ 1973 年为三门峡水库"滞洪排水期",为平水多沙系列,河道淤积;1974 ~ 1985 年黄土高原水土保持工作大量开展,下游来水来沙量发生了变化,其中 1974 ~ 1980 年河道少量淤积、1981 ~ 1985 年河道冲刷;1986 ~ 1999 年是黄河水资源利用较高、来水量较少、河道萎缩阶段;2000 ~ 2004 年是小浪底水库运用时期,对下游河道变化产生了较大影响。从图中可以看出,来沙量和输沙量均减少,但总体看来冲淤变化比较一致。

总之,黄河下游多年平均仍然是淤积的,从泥沙变化趋势看,黄河下游在今后相当长一段时间内,泥沙淤积仍会发展,排洪能力仍会不断降低。

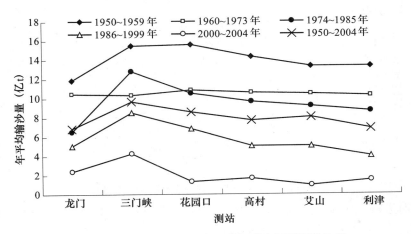

图 10-2　黄河流域不同阶段下游河道主要断面输沙量

　　从近 20 年的遥感图像上看,河道冲淤变化很剧烈,主流摆动频繁。今后随着流域水沙条件的改变及两岸工农业用水的增长,黄河下游将逐渐向间歇性多泥沙河流发展。非汛期及汛期枯水期的水量将基本被引用;洪水期来沙更趋集中,多以高含沙量小洪水的形式进入下游,较大洪水出现的机遇很少。在泥沙淤积得不到控制的情况下,黄河下游河槽将逐渐萎缩,排洪能力降低,一般洪水的水位仍较高,防洪任务仍很艰巨。

　　自 1949 年起,堤防建设和大坝维护方面等措施大大缩减了洪水风险,但洪水的威胁依然存在。筑坝缩减了大洪水出现的概率,但河道受泥沙的影响却更加严重,甚至在小洪水发生时也很脆弱。如 1996 年花园口站 7 600 m^3/s 的洪水,水位却比 1958 年 3 倍流量大的洪水高出 1 m。并且,下游的泥沙问题在 90 年代更加严峻。表 10-4 为黄河流域下游主要断面输沙量和淤积量情况,从表中可以看出,利津站 2000 年输沙量为 0.24 亿 t,仅为 1995 年以前多年平均值的 3%,但是在三门峡和利津之间的淤积量达到 3.8 亿 t,占 1995 年以前多年平均值的 73%。2000 年后,特别是小浪底水库应用后,由于调水调沙的作用,利津站输沙量有所增加,为 1995 年以前多年平均值的 16%,淤积量有所减少。从图 10-1 也可看出,黄河下游河道淤积仍在继续,2000 年以后,由于小浪底水库的调水调沙作用,下游河道处于冲刷状态。

表 10-4　黄河流域下游主要断面输沙量和淤积量　　　　　　　　　　　（单位:百万 t）

断面	输沙量			淤积量		
	1995 年前	2000 年	2000～2004 年	1995 年前	2000 年	2000～2004 年
三门峡	1 122	342	430	316	62	− 188
小浪底	1 125	4		− 3	338	
花园口	1 109	82	133	16	− 78	297
利津	921	24	147	189	58	− 14
总计				518	380	95

　　图 10-3 是黄河流域下游主要断面来沙系数图。来沙系数越大,水流挟沙饱和能力越

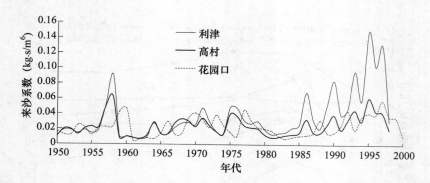

图 10-3　黄河流域下游主要断面来沙系数

高,反映出河道输沙功能的降低。从图中可以看出,自 50 年代以来,特别是利津站来沙系数逐步增大,说明下游河道输沙功能的降低。

　　总体而言,由于输沙入海量减小,结果大部分泥沙淤积在河道内,导致下游河床的持续升高,图 10-4、图 10-5 为 2000 年开封河段 DEM 图及其横断面图,可见,目前河床已超出地面 5 m 以上,部分河段高出开封市 13 m,较小的洪水也会使下游产生较高的水位,加剧了下游洪水的危害。

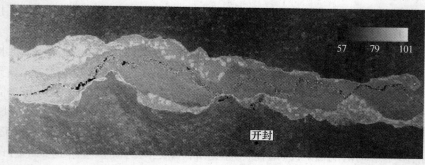

图 10-4　开封河段 2000 年 DEM 图

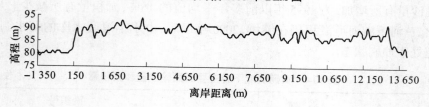

图 10-5　开封河段高程断面

　　目前黄河下游正向季节性或萎缩性河流转化,在这种转化过程中,黄河下游发生"横河"、"斜河"的概率明显增大,使防洪压力大为增加。同时,这种以低流量状态为主的季节性或萎缩性河流转化的过程,对于河道内的水环境和周边境区的地理环境会产生很大的影响。一方面,当河流处于季节性断流状态时,河流水生生态环境会遭到毁灭性破坏,原有的鱼类和水生生物种群会大部分消失;另一方面,入海径流泥沙的减少,会使河口地区原有的平衡遭到破坏,不仅三角洲造陆过程会发生变化,河口区的盐度也会发生改变,使生态系统发生变化。处于断流或小水状态时,洄游鱼类将无法上溯产卵,使其繁衍受到影响,久而久之便会濒于灭绝。

黄河流域河道变迁主要与河道淤积有关。从历史上看,黄河下游一直处于不断的淤积抬升和改道摆动过程中。明清黄河河道在形成统一堤防后,约 280 年间淤积抬高十几米,在 1855 年被废弃。现黄河至今也已淤高 9～15 m,并仍淤积不止,这表明黄河下游冲淤不平衡。从已有研究成果看,黄河中游地区侵蚀背景值为 6.5 亿～10 亿 t,而黄河下游多年平均输沙能力只有 4 亿 t 左右,目前又叠加上人类活动的影响,多年平均输往下游的泥沙达 16 亿 t,显然下游河道一直处于淤积状态,如果河道的来沙量不减少,河道淤积改道就不可避免。不解决河道的淤积问题,就不能从根本上使黄河安流。

目前黄河下游处于"悬河"状态,在滨河区,河床一般高于地面 3～5 m,最多高达 10 m,在平原区,高差可达 10～20 m,并且在黄河下游东坝头到高村段还形成了"二级悬河"。若与明清故道相比(图 10-6),现河道滩面低出 4 m 左右。这一方面反映出黄河下游现行河道尚有较大的行河潜力,河道从现在起再抬高 3～4 m 也是可以接受的,另一方面也反映出黄河下游行新河道以来河床淤积抬升之快。因此,对黄河的治理仅靠筑堤等手段很难从根本上解决问题,必须采取多种措施,综合治理。在中游实行水土保持措施是手段之一,但其最多能减少输往下游的泥沙年均 3 亿 t 左右,这离黄河下游达到冲淤平衡还相差甚远。利用中游修建的大型水库,采用合适的调度方式,适当调水调沙,可以增加水库及其下游河道的输沙能力,在延缓河道淤积方面也有一定好处,但这样只能使淤积延缓一定时间,作用有限。此外还可尽量扩大河口河道的摆动范围,减缓河道延伸速度;引黄淤灌、在中游主要产沙沟道区域建淤地坝等。通过这些措施的综合运用有望解决河道淤积问题,真正使黄河安流。

10.5 本章小结

黄河下游河道变迁与不同来源区洪水有着非常密切的关系,不同水沙条件的洪水不仅决定了下游河道的冲淤状况,还决定了下游河床调整的方向。上少沙来源区的洪水含沙量比冲淤的临界含沙量略大,造成河道淤积,但淤积量不大,主槽淤积造成河床形态以变宽浅为主;下少沙来源区洪水含沙量很小,水流有足够的能量输送所来泥沙,主要造成游荡河段的冲刷,主槽冲刷造成河床以变窄深为主,且变窄深的幅度较大;多沙粗沙来源区洪水洪峰流量、含沙量大,水量小,基本上都使游荡河段处于淤积状态,且淤积量很大,高含沙洪水淤滩刷槽造成河床宽深比减小;多沙细沙来源区的洪水洪峰流量和含沙量也较大,河道以淤积为主,冲淤幅度不是很大,洪水后宽深比变化不大,仅略减小,也存在淤滩刷槽的过程。

流域环境变化也引起了河湖水系的变化。历史时期黄土高原上一些河流由清变浊,一些湖泊的淤塞消失,在相当大程度上与黄土高原上森林遭到严重破坏、坡耕地大量增加有直接关系。总的说来,什么时候流域内林草茂密,陡坡耕地面积小,河流含沙量就会相对少些,对下游河道的淤积也会轻些;什么时候流域内林草遭到严重破坏,耕畜牧业结构比例失调,滥伐滥垦加剧,河流含沙量就会增加,对下游河道淤积就会加剧。

古河道形成发育与流域环境密切相关。在人类历史之前,黄土高原土壤侵蚀基本上

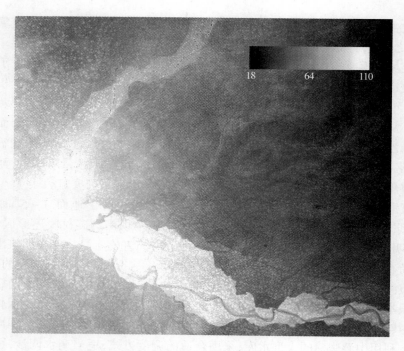

图 10-6　铜瓦厢往下现河段与明清故道河段 2000 年 DEM 图

遵循自然生态环境演化规律,强烈侵蚀期发生在干冷向温湿气候转化的过渡期,强烈侵蚀的初期是古河道形成期,强烈侵蚀的中期是三角洲进积期,黄河下游河流改道、三角洲横向扩展发生在强烈侵蚀的衰退期。到了人类历史时期,土壤侵蚀叠加了人为作用,破坏了地质历史时期的规律性,土壤侵蚀强度越来越大,基本上按照旱涝变化频率演化。在干冷期,降水不均匀系数增大,洪旱灾害频繁,洪枯水位变幅大,生态环境恶劣,土壤侵蚀严重,下游河道淤积及断流加重,是古河道形成期;正常年黄河泥沙输移比接近于 1,是三角洲进积期;在温湿期,虽然降雨量增加,生态环境向良性方向转化,但由于人为活动破坏自然植被,逐步演化为农业植被,土壤侵蚀仍然强烈,加之水量增加,黄河下游河流改道,三角洲横向扩展。

从计算结果分析,黄河流域的泥沙主要与降雨强度、降雨量及其空间分布有关,目前水土保持措施虽然能减少一定的土壤侵蚀,但由于植被覆盖度低,很难发挥较大效益,其减沙作用是有限的。同时由于人类活动如开矿、修路等还会人为增加泥沙。今后一段时间,黄河流域气候不会有较大变化,因此其产沙趋势也不会有较大变化。从河道演变趋势看,由于输沙入海量减少,结果大部分泥沙淤积在河道内,导致下游河床的持续升高,目前河床已高出开封市 13 m,比济南市高出 5 m,较小的洪水也会使下游产生较高的水位,加剧了下游洪水的危害。因此,在黄河流域目前生态环境条件下,黄河下游将向季节性或萎缩性河流转化,在这种转化过程中,黄河下游发生“横河”、“斜河”的概率明显增大,使防洪压力大为增加。同时,这种以低流量状态为主的季节性或萎缩性河流转化的过程,对于河道内的水环境和周边境区的地理环境会产生很大的影响。因此,黄河的治理任重而道远,对黄河的治理仅靠控导工程等手段很难从根本上解决问题,必须采取多种措施,综合治理。

参 考 文 献

［1］ 许炯心.黄河上中游产水产沙系统与下游河道沉积系统的耦合关系.地理学报,1997,52(5):421～429

［2］ 张欧阳,许炯心.黄河流域产水产沙、输移和沉积系统的划分.地理研究,2002,21(2):188～194

［3］ 朱士光.水土流失与历史时期之环境变迁.地理学与国土研究,1987(2)

［4］ 朱士光.环境变迁研究(第四集).北京:北京古籍出版社,1993

［5］ 张丽萍,朱大奎,杨达源.黄河中游土壤侵蚀与下游古河道三角洲演化的过程响应.地理科学,2001,21(1):52～56

［6］ 魏常兴,刘海龄,黄鼎成,等.黄河悬河的形成演化研究.水文地质工程地质,2002(1):42～45

［7］ 吴祥定.历史上黄河中游土壤自然侵蚀背景值的推估.人民黄河,1994(2):5～9

［8］ 胡春宏.黄河水沙过程变异及河道的复杂响应.北京:科学出版社,2005

第11章 结论与展望

本书立足于黄河流域80年代末期、90年代中期和90年代末期的土地利用/土地覆盖时空数据库和土壤侵蚀时空数据库,同时结合生态环境背景数据库以及社会经济统计数据库,以黄河流域生态环境演变为研究核心,基于地学信息图谱理论,对黄河流域近10年来土地利用/土地覆盖、土壤侵蚀等生态环境因子进行过程重建、变化格局分析、信息图谱分析等,通过空间和时间序列的研究,建立生态环境综合评价模型,借助模型分析了黄河流域生态环境变化的时空特征及其变化趋势。随后借助历史文献资料、水文泥沙资料、遥感资料和地理、气象等数据,研究了黄河流域历史河道演变与流域环境变化的关系、70年代以来黄河流域河道演变及其发展趋势,同时利用数字流域模型研究了黄河流域多沙粗沙区生态环境的变化,尤其是植被覆盖变化对流域水沙的影响,在此基础上分析了流域环境变化对流域水沙及其河道演变的影响。最后,根据流域水沙变化趋势及其河道演变规律,对黄河流域的治理提出了建议。通过研究有以下结论:

(1)进行土地利用/土地覆盖与土壤侵蚀研究,一般研究区域较大,信息获取较难,若通过人工进行判读解译,需要消耗大量的人力、物力,同时判读周期较长,精度参差不齐。所以,从长期的土地利用/土地覆盖与土壤侵蚀变化监测来看,必须走遥感影像自动解译之路。本书从遥感影像理解模型出发,探讨了遥感信息的知识发现,特征提取问题,特别针对土地利用/土地覆盖与土壤侵蚀研究领域,提出了纳入地学辅助信息的遥感影像综合理解模型,基于该模型,开发了相应软件系统,对土地利用/土地覆盖与土壤侵蚀信息进行自动识别与提取。

(2)黄河流域地域辽阔,自然资源与社会经济发展的空间差异显著,特别是随着近年来的经济发展,土地资源的利用方式、区域土地利用结构、土地利用程度同样具有明显的区域特点。在遥感技术与GIS技术的支持下,通过建立各类土地利用时空演变模型,对黄河流域近10年的土地利用/土地覆盖的变化图谱进行了研究。同时,从景观生态学的角度出发,对黄河流域近10年来土地利用景观格局时空演变图谱进行了研究。结果表明,10年间,土地利用/土地覆盖变化较大的区域位于黄河流域的宁夏自治区内和内蒙古自治区等部分地区,反映了这些地区土地类型变化比较剧烈,而在黄河流域的中部地区,土地利用动态度最小,反映了10年来这些地区土地利用类型变化比较缓慢。其中,黄河流域耕地重心向西偏北偏移3.55 km,建设用地重心向南偏东偏移8.14 km;林地重心位于甘肃省境内,林地重心变化较小,仅向北方向偏移0.5 km;草地、水域的重心位于宁夏自治区境内,草地重心向北偏东偏移1.12 km,水域重心向西北方向偏移23.94 km;未利用地重心位于内蒙古自治区,其重心向西北偏移5.24 km。

(3)黄河流域由于受传统观念及人口快速增长等因素的影响,广种薄收、毁林开荒、陡坡耕种现象严重,水土流失逐年加剧,生态环境不断恶化,已经成为我国乃至世界水土流失最为严重的地区,严重制约着社会经济的可持续发展。因此,本书选择黄河流域土壤侵蚀景观格局的演变作为研究内容,在遥感与GIS技术的支持下,从景观生态学以及信息图谱的角度,通过建立数字模型,对黄河流域近5年的土壤侵蚀景观格局动态进行研究。结果表明,黄河流域土壤侵蚀主要以水力侵蚀、风力侵蚀和冻融侵蚀为主,5年间在自然和人类活动影响下,微度、中度、强度、极强度土壤侵蚀增加,轻度、剧烈土壤侵蚀减少,黄河流域的土壤侵蚀总体虽有改善,但局部土壤侵蚀仍在进一步加剧,治理水土流失,改善生态环境仍然是黄河流域重要而迫切的一项任务。

(4)当前随着高分辨率遥感卫星的研制与投入使用,以及遥感、GIS(地理信息系统)等空间信息技术的飞跃发展,使得利用遥感、GIS 等技术手段监测资源环境的变化成为可能。基于面向对象的设计思想和COM(组件对象模型)理论,应用遥感与 GIS 技术,开发了黄河流域生态环境监测信息系统。基于该系统,通过生成数字生态环境背景因子,建立生态环境综合评价模型,分不同空间尺度,对黄河流域近 10 年间生态环境及其演变进行了分析。黄河流域总体生态环境变好,特别是黄河中下游区域,生态环境变好达两个级值。

(5)黄河下游河道自古以来就善变善徙,其频繁改道的根本原因是上中游来沙量超过了黄河下游河道的输沙能力,造成下游河道持续淤积。人类活动影响黄河河道变迁和下游河道泥沙沉积速率及三角洲造陆速率。7 500~3 000BP 以前,人类活动影响较小,河道演变处于自然阶段;距今 3 000 年到距今 1 470 年,人类活动影响较弱,河道变迁频度有所增加;1000~1980 年,人类活动影响逐渐加强,一方面影响了黄淮海平原水系的变化,另一方面改变了流域的水沙条件,从而造成河道变迁越来越频繁,反映出黄河下游泥沙持续淤积并加积。

(6)流域生态环境变化与流域河道演变关系密切。黄河下游决溢改道的波动变化过程与黄土高原植被破坏程度有一定关联,说明河道变化与黄河流域生态环境的变化过程有着内在的联系。当然,历史上黄河决、溢、迁徙的原因不能完全归咎于黄河中游的土地利用方式和植被状况,土地利用状况仅仅是导致黄河危害的重要条件。人类对河道的治理也是河道变迁的重要因素。从人类治河历史来看,公元前 770 年以前,人们主要采用分水杀势的办法治理河流,分水杀势的河道处于以冲刷为主的状态,河流多为地下河。公元前 770 年以后,人们从分水杀势改成了筑堤固槽,结果平原上出现了许多"地上悬河"。

(7)河道变迁是历史的必然趋势。综观人类治河历史,不管是分水杀势,还是束水攻沙,最终当河床高于两侧地面一定程度之后,河道就会改道。如山经河、禹贡河在稳定了约 1 500 年后,在河床高出两侧平地 1~2 m,被太行山山前河流逼迫下改道。又如汉志河,形成于 2 500aBP,决口改道于 2 000aBP,稳定了约 500 年。汉志河是在人工堤保护下,河床高出两侧平地 2~5 m,个别地段达 7 m 的情况下决口改道的。又如东汉时期河道,自 1 930~1 100aBP 稳定了约 800 年。东汉河是在河床高出两侧平地 1~3 m,个别地段达 4 m 的情况下决口改道的。明清河道,稳定了 350 年,决口改道时河床高出两侧平地 3.68 m,最高处可达 6.1 m。河道改道主要与河道淤积有关。从历史上看,黄河下游一直处于不断的淤积抬升和改道摆动过程中。明清黄河河道在形成统一堤防后,约 280 年间淤积抬高十几米,在 1855 年被废弃。现黄河至今已淤高 9~15 m,并仍淤积不止,这表明黄河下游冲淤不平衡。

(8)黄河流域自然环境十分脆弱,流域环境变化影响流域水沙。从黄河流域生态环境的演变看,长期以来,黄河流域自然环境十分脆弱:中游黄土高原水土流失严重,风沙危害加剧;下游河床泥沙淤积抬高,洪水肆虐。近50多年来,黄河流域的治理主要表现为兴修水利工程、河道整治以及水土保持等。但是,由于自然和人为的原因,黄河流域的生态环境并没有得到根本改善,特别是黄河中游多沙粗沙区生态环境更是如此。对近10年来黄河流域生态环境变化研究表明,黄河流域植被覆盖度有所增加。但总体而言,植被覆盖度较低,生态环境脆弱。利用数字流域模型研究了流域环境变化,特别是植被覆盖变化对流域水沙的影响。研究表明,随着多沙粗沙区生态环境的改善、植被覆盖度的提高,植被的减水减沙效益逐渐体现,并且,在同样的植被覆盖条件下,不同的降水过程其减水减沙效益不同。在目前植被覆盖条件下,减水减沙百分比还比较低,说明多沙粗沙区生态环境的改善还任重而道远。从减水减沙比看,90年代末期与80年代末期相比,植被措施减少1亿 t沙,减水不超过7亿 m^3。从多年平均看,植被措施年均减水2.63亿 m^3,减沙1.13亿 t;减水减沙比为2.75;减水百分比为7.61,减沙百分比为9.78。可见,90年代末期与80年代末期植被措施相比,减1亿 t沙大约减3亿 m^3 水,减沙效益大于减水效益。

(9)遥感技术在研究河道演变方面具有快速、宏观地进行大尺度调查、监测的优势,可以利用遥感多时相动态分析方法,研究河道平面变化特征,岸、滩变迁和河道冲淤等信息。通过遥感技术对黄河流域宁蒙河段、渭河下游及小北干流河段、黄河下游及河口三角洲近20年来的河道演变进行了研究。研究表明,由于流域环境的变化,特别是水库的使用,极大地改变了流域水沙条件,使河道的冲淤过程、河道平面形态变化等发生了极大变化。总体看来,70年代以来,宁蒙河段河势总体向萎缩方向发展,其中上段游荡性增强,下段弯曲萎缩加快。黄河小北干流从70年代到2000年,主流摆动幅度较大,河床冲淤变化迅猛,鸡心滩、沙洲遍布,汊道众多。同时由于水利工程的影响,小北干流主河槽也向萎缩方向发展,并形成多股主河道。渭河下游河势变化复杂,随着泥沙淤积,河势日益恶化。如入黄口至华阴河段及渭南至华县河段,自70年代到2000年,主流摆动频繁,更由于河道内泥沙淤积和河床抬升,使原来的一些天然节点失去了控导河势的作用,顶冲点变化,引起主河槽摆动,在一些河段出现"S"形河势或"横河"、"斜河",主流顶冲点不断变化,河湾不断上提下挫,结果"S"形河势和"横河"数量和弯曲程度呈增加趋势,过水断面也日益缩小,2000年更甚。黄河下游河势变化十分复杂,从小浪底水库往下到艾山以上河段河道较宽,两岸堤距一般宽达10 km,窄处也有5 km,黄河在这一段河道内,左右游荡,有时合成一股,有时又分成许多汊流,河中沙滩星罗棋布,串沟互相交错,流向紊乱不定,滩岸变化复杂,从总量上看,北岸形成的边滩多。从山东东阿县艾山以下,河道变窄,属于弯曲性河段。从垦利宁海以下属河口段,河道摆动频繁。从河道摆动强度看,刚出峡谷的孟津断面摆动范围较小,往下的游荡性河段摆动强度则较大,一次洪峰中线摆动幅度一般平均每天为几十米到上百米,在高村至陶城铺的过渡性河段平均每天为几十米。

(10)黄河下游河道演变与不同来源区洪水有着非常密切的关系,不同水沙条件的洪水不仅决定了下游河道的冲淤状况,还决定了下游河床调整的方向。上少沙来源区的洪水含沙量比冲淤的临界含沙量略大,造成河道淤积,但淤积量不大,以使河床形态变宽浅为主,变宽浅主要由于主槽淤积所造成;下少沙来源区洪水含沙量很小,水流有足够的能量输送所来泥沙,主要造成游荡河段的冲刷,河床以变窄深为主,且变窄深的幅度较大,主要由主槽冲刷所造成;多沙粗沙来源区洪水洪峰流量、含沙量大、水量小,基本上都使游荡河段处于淤积状态,且淤积量很大,造成河床宽深比减小,主要由高含沙洪水淤滩刷槽所造成;多沙细沙来源区的洪水洪峰流量和含沙量也较大,河道以淤积为主,冲淤幅度不是很大,洪水后宽深比变化不大,仅略减小,也存在淤滩刷槽过程。

(11)未来黄河流域产沙趋势不会有较大变化,河床会持续淤高。黄河流域的泥沙主要与降雨强度、降雨量及其空间分布有关,目前水土保持措施虽然能减少一定的土壤侵蚀,但由于植被覆盖度低,很难发挥较大效益,其减沙作用是有限的。同时由于人类活动如开矿、修路等还会人为增加泥沙。今后一段时间,黄河流域气候不会有较大变化,因此其产沙趋势也不会有较大变化。从河道演变趋势看,由于输沙入海量减小,结果大部分泥沙淤积在河道内,导致下游河床的持续升高,较小的洪水也会使下游产生较高的水位,加剧下游洪水的危害。因此,黄河流域在目前生态环境条件下,下游将向季节性或萎缩性河流转化,在这种转化过程中,黄河下游发生"横河"、"斜河"的概率明显增大,使防洪压力大为增加。同时,这种以低流量状态为主的季节性或萎缩性河流转化的过程,对于河道内的水环境和周边境区的地理环境会产生很大的影响。因此,黄河的治理任重而道远,对黄河的治理仅靠控导工程等手段很难从根本上解决问题,必须采用多种措施,综合治理。

流域生态环境与河道演变涉及的内容非常广泛,虽然本书对黄河流域生态环境及其河道演变做了一些工作,但限于时间和作者的知识水平等关系,仍有很多方面值得提高与完善:

(1)本书研究的基于遥感影像综合理解模型,纳入多重地学辅助信息的遥感图像处理软件,仍然难以达到专家目视判读的精度。特别是数字影像的时相对土壤侵蚀判读的干扰作用显著。遥感影像记录的是来自于地物的发射与反射光谱信息。季节不同,地表的景观也不同,影像特征自然不同,导致分类信息发生变化。同时当前土壤侵蚀强度难以与土壤侵蚀模数紧密"挂钩"。土壤侵蚀模数是以具体而明确的数值形式反映土壤侵蚀强度的量,但 TM 影像上很难直接测定一个地区的土壤侵蚀模数,而根据其他指标确定的土壤侵蚀强度毕竟是间接的、相对的,存在着误差。而且,由于影响土壤侵蚀的各种要素组合和变化的复杂性等,导致土壤侵蚀强度的划分上可能具有一定的偏差。因此,研制在不同区域采用不同的专家知识库以及地学辅助信息库,能够模仿人类思维的"智能"软件解译系统,是今后值得继续研究的方向之一。

(2)由于黄河流域地域辽阔,自然资源与社会经济发展的空间差异显著,研究黄河流域生态环境评价,系统主要以层次分析法、专家权重法和主成分分析法这 3 种方法为主,但每一个方法既有一定的优点也有一定的缺陷。如何最大限度地增加方法的优点,同时尽量消除所采用方法的缺点将是今后要考虑的问题。作为环境综合评价信息系统,其他的如生物群落、社会经济发展统计等指标都将需要在以后的工作中进行考虑。

(3)流域环境变化对流域水沙的影响仅研究了植被覆盖变化对流域水沙的影响,并且没有建立流域环境变化与河道演变的定量关系,目前仅做了一些定性分析。

(4)在利用遥感资料方面,仅仅研究了河道平面形态的变化,没有深入分析河道变化与已有控导工程的关系,也没有深入利用遥感资料挖掘河床形态的变化数据,以便分析河道的冲淤过程。

所有这些,都有待于在以后的工作中继续研究与完善。